ΧΑΡΤΗΣ Μ. ΒΡΕΤΑΝΝΙΑΣ
MAP OF GREAT BRITAIN

Outer Hebrides

ATLANTIC OCEAN
ΑΤΛΑΝΤΙΚΟΣ ΩΚΕΑΝΟΣ

Aberdeen
Αμπερντην'

Dundee
Ντάντι

NORTH SEA
ΒΟΡΕΙΟΣ ΘΑΛΑΣΣΑ

Glasgow
Γλασκώψη

Edimburg
Εδιμβούργο

NORT. IRELAND
ΒΟΡ.ΙΡΛΑΝΔΙΑ

Sunderland
Σάντερλαντ

Belfast
Μπέλφαστ

Middlesbrough
Μιντλεσμπρω

IRELAND
ΙΡΛΑΝΔΙΑ

Blackpool
Μπλάκπουλ

Leeds
Λήντς

DUBLIN
ΔΟΥΒΛΙΝΟ

Liverpool
Λίβερπουλ

Irish Sea
Θάλασσα Ιρλανδίας

Manchester
Μάντσεστερ

Cork
Κωρκ

Derby
Ντέρμπυ

Nottingham
Νόττιγχαμ

Birmingham
Μπίρμιγχαμ

Coventry
Κόβεντρι

Norwich
Νόργουιτς

Cardiff
Καρντιφ

Oxford
Οξφόρδη

LONDON
ΛΟΝΔΙΝΟ

Ipswich
Ίπσουιτς

GREAT BRITAIN
ΜΕΓ. ΒΡΕΤΑΝΝΙΑ

Bristol
Μπρίστολ

Plymouth
Πλίμουθ

Southampton
Σάουθαμπτον

Brighton
Μπράιτον

Dover
Ντόβερ

Portsmouth
Πόρτσμουθ

English Channel

ΕΜΒΕΛΕΙΑ FEB'94

ΟΔΙΚΟΣ ΧΑΡΤΗΣ Μ. ΒΡΕΤΑΝΝΙΑΣ

ROAD MAP OF G. BRITAIN

Outer Hebri…

ATLANTIC OCEAN
ΑΤΛΑΝΤΙΚΟΣ ΩΚΕΑΝΟΣ

Coleraine
Κολερέιν

Londonderry
Λόντοντέρι

NORT. IRELAND
ΒΟΡ. ΙΡΛΑΝΔΙΑ

Ballina
Μπαλίνα

Sligo
Σλίγκο

155

79

BE
ΜΠΕ

IRELAND
ΙΡΛΑΝΔΙΑ

220

Dundalk
Ντάνταλκ

Oranmore
Ορανμόρ

Kinnegad
Κίνεγκαντ

82

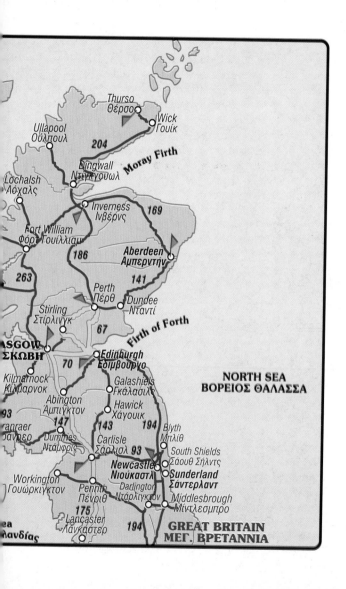

Thurso
Θέρσο
Wick
Γουίκ
Ullapool
Ούλπουλ
204
Dingwall
Ντίγκγουωλ
Moray Firth
Lochalsh
Λόχαλς
Inverness
Ινβέρνς
169
Fort William
Φόρτ Γουίλλιαμ
186
Aberdeen
Αμπερντήν
263
141
Perth
Πέρθ
Dundee
Ντάντί
Stirling
Στίρλινγκ
67
Firth of Forth
ASGOW
ΣΚΩΒΗ
70
Edinburgh
Εδιμβούργο
NORTH SEA
ΒΟΡΕΙΟΣ ΘΑΛΑΣΣΑ
Kilmarnock
Κίλμαρνοκ
Galashiels
Γκάλασιλς
Abington
Αμπιγκτον
Hawick
Χάγουικ
194
Blyth
Μπλίθ
93
147
143
South Shields
Σάουθ Σήλντς
anraer
δανρερ
Dumfries
Ντάμφρις
Carlisle
Σάρλισλ
93
Newcastle
Νιούκαστλ
Sunderland
Σάντερλαντ
Workington
Γουώρκιγκτον
Penrith
Πένριθ
Darlington
Ντάρλιγκτον
Middlesbrough
Μίντλεσμπρο
175
ea
λανδίας
Lancaster
Λάνκαστερ
194
GREAT BRITAIN
ΜΕΓ. ΒΡΕΤΑΝΝΙΑ

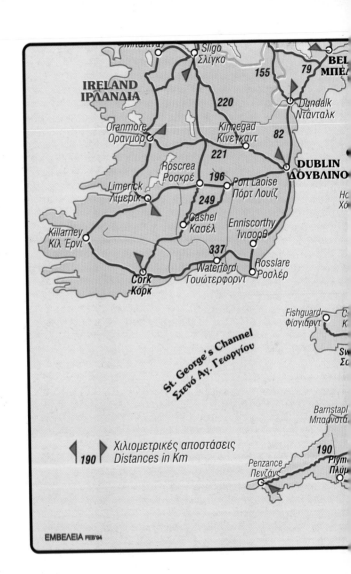

Στράνρερ Dumfries Carlisle **93** Μπλίθ
Νταμφρις Σάρλισλ South Shields
Σάουθ Σήλντς
Newcastle Sunderland
Νιούκαστλ Σάντερλαντ
Workington Penrith Darlington Middlesbrough
Γουώρκιγκτον Πένριθ Νταρλιγκτον Μίντλεσμπρο
175
Lancaster **194** **GREAT BRITAIN**
h Sea Λάνκαστερ **ΜΕΓ. ΒΡΕΤΑΝΝΙΑ**
ι Ιρλανδίας
Preston York
Blackpool Πρέστον Bradford Γιόρκ Hull
Μπλάκπουλ Μπράντφορντ Χαλλ
Manchester **Leeds**
Liverpool **Μάντσεστερ** **Λήντς**
Λίβερπουλ Oldham Grimsbey
Ολνταμ **48** Γκρίμσμπι
Stockport Scunthorpe
117 Στόκπορτ **Sheffield** Σκάνθορπ
Stoke Σέφιλντ Lincoln
242 Στόουκ **Derby** **126** Λίνκολν
Wolverhampton **Ντέρμπυ**
Γουόλβερχάμπτον Walsall **Nottingham** Boston
Γουόλσαλ **Νόττιγχαμ** Μπόστον
Birmingham **81** Leicester
Μπίρμινγχαμ Λέστερ Peterborough **Norwich**
Ο Πήτερμπο **Νόργουιτς**
Merthyr Worcester **Coventry** **209**
Tydfil Γουόρσεστερ **Κόβεντρυ** **Northampton** **87**
Νόρθάμπτον
Newport **113** Cheltenham **193** **133** **Ipswich**
Νιούπορτ Σέλτενχαμ Cambridge **Ίπσουιτς**
diff Glousester Κέμπριτζ
τιφ Γκλούσεστερ **Oxford** Colchester Felixstowe
Όξφόρδη Κόλτσεστερ Φέλιξστοου
Bristol Reading **LONDON** **113**
Μπρίστολ Ρήντιγκ **ΛΟΝΔΙΝΟ**
133 **132** Southend o.s.
Σάουθεντ ο.σ.
Southampton **123** Guildfod **111**
Weymouth **Σαουθάμπτον** Γκίλφορντ Maidstone
Φουέιμαουθ Μένιστον Dover
er Poole **Portsmouth** **Brighton** Ντόβερ
ερ Πούλ **Πόρτσμουθ** **Μπράιτον** Hastings Folkestone
Χάστιγκς Φόλκστον
English Channel

Cambrian Mountains

ICELAND
ΙΣΛΑΝΔΙΑ
Reykjavik
Ρέικιαβικ

FAROES ISL.
Ν. ΦΕΡΟΕΣ

NORWAY
ΝΟΡΒΗΓΙΑ

SWEDEN
ΣΟΥΗΔΙΑ

Oslo
Όσλο

Stock
Στοκχ

North Sea
Βόρειος Θάλασσα

DENMARK
ΔΑΝΙΑ

Balti

Βαλτ

NOR. IRELAND
ΒΟΡ. ΙΡΛΑΝΔΙΑ

Copenhagen
Κοπεγχάγη

IRELAND
ΙΡΛΑΝΔΙΑ

Dublin
Δουβλίνο

GREAT BRITAIN
ΜΕΓ. ΒΡΕΤΑΝΙΑ

NETHERLANDS
ΟΛΛΑΝΔΙΑ

Berlin
Βερολίνο

London
Λονδίνο

Amsterdam
Άμστερνταμ

GERMANY
ΓΕΡΜΑΝΙΑ

Praha
Πράγα

Brussels
Βρυξέλλες

BELGIUM
ΒΕΛΓΙΟ

CI
TE

LUXEMBOURG
ΛΟΥΞΕΜΒΟΥΡΓΟ

ATLANTIC OCEAN
ΑΤΛΑΝΤΙΚΟΣ ΩΚΕΑΝΟΣ

Paris
Παρίσι

SWITZERLAND
ΕΛΒΕΤΙΑ

AUSTRIA
ΑΥΣΤΡΙΑ

Bay of Biscay
Βισκαϊκός Κόλπος

FRANCE
ΓΑΛΛΙΑ

Bern
Βέρνη

SLOVENIA

Ljubljana
Λουμπλιάνα

H

ITALY
ΙΤΑΛΙΑ

PORTUGAL
ΠΟΡΤΟΓΑΛΙΑ

Madrid
Μαδρίτη

Rome
Ρώμη

Lisbon
Λισαβόνα

SPAIN
ΙΣΠΑΝΙΑ

A F R I C A
Α Φ Ρ Ι Κ Η

MALTA
ΜΑΛΤΑ

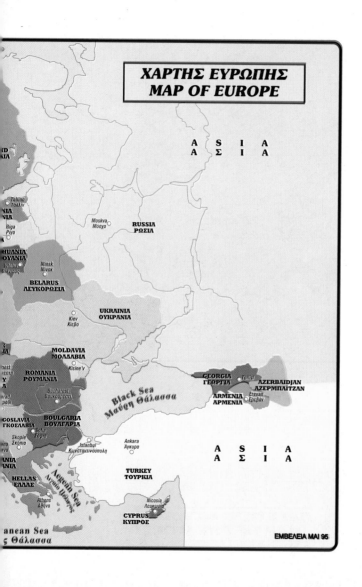

ΧΑΡΤΗΣ ΕΥΡΩΠΗΣ
MAP OF EUROPE

A S I A
A Σ I A

Tallinn
Ταλλίν

Moskva
Μόσχα

RUSSIA
ΡΩΣΙΑ

Riga
Ρίγα

Minsk
Μίνσκ

Vilnius
Βίλνιους

BELARUS
ΛΕΥΚΟΡΩΣΙΑ

Kiev
Κίεβο

UKRAINIA
ΟΥΚΡΑΝΙΑ

MOLDAVIA
ΜΟΛΔΑΒΙΑ

Kisine'v

nest
reotn

ROMANIA
ΡΟΥΜΑΝΙΑ

Bucharest
Βουκουρέστι

rad
ρόδι

GOSLAVIA
ΓΚΟΣΛΑΒΙΑ

BOULGARIA
ΒΟΥΛΓΑΡΙΑ

Skopie
Σκόπια

Sofia
Σόφια

na

GEORGIA
ΓΕΩΡΓΙΑ

Tbilisi

AZERBAIDJAN
ΑΖΕΡΜΠΑΪΤΖΑΝ

ARMENIA
ΑΡΜΕΝΙΑ

Erevan
Ερεβάν

Black Sea
Μαύρη Θάλασσα

ANIA
ANIA

Istanbul
Κωνσταντινούπολη

Ankara
Άγκυρα

A S I A
A Σ I A

HELLAS
ΕΛΛΑΣ

Aegean Sea
Αιγαίο Πέλαγος

TURKEY
ΤΟΥΡΚΙΑ

Athens
Αθήνα

Nicosia
Λευκωσία

CYPRUS
ΚΥΠΡΟΣ

anean Sea
ς Θάλασσα

ΕΜΒΕΛΕΙΑ ΜΑΙ 95

ΠΑΓΚΟΣΜΙΟΣ ΧΑΡΤΗΣ
MAP OF THE WORLD

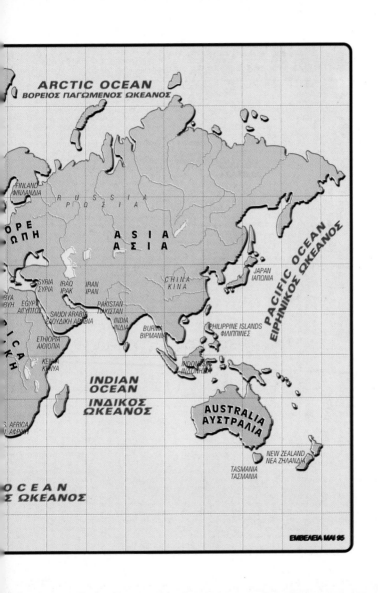

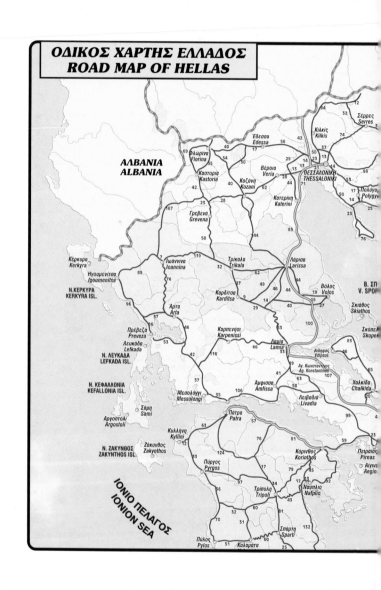

ΟΔΙΚΟΣ ΧΑΡΤΗΣ ΕΛΛΑΔΟΣ
ROAD MAP OF HELLAS

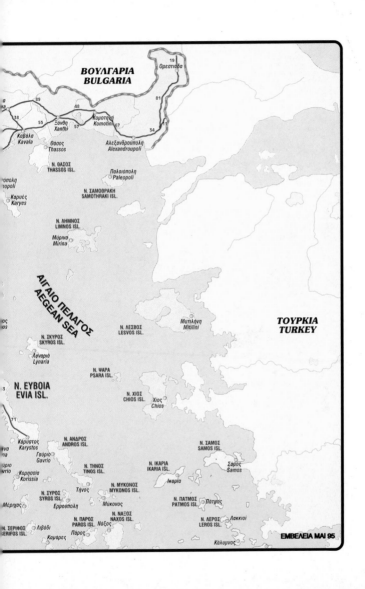

ΒΟΥΛΓΑΡΙΑ
BULGARIA

19
Ορεστιάδα

81

89

48

Κομοτηνή
Komotini

Ξάνθη
Xanthi

57

34

38

55

Καβάλα
Kavala

Θάσος
Thassos

Αλεξανδρούπολη
Alexandroupoli

Ν. ΘΑΣΟΣ
THASSOS ISL.

Παλαιόπολη
Paleopoli

...πολη
...opoli

Καρυές
Karyes

Ν. ΣΑΜΟΘΡΑΚΗ
SAMOTHRAKI ISL.

Ν. ΛΗΜΝΟΣ
LIMNOS ISL.

Μύρινα
Mirina

ΑΙΓΑΙΟ ΠΕΛΑΓΟΣ
AEGEAN SEA

Ν. ΛΕΣΒΟΣ
LESVOS ISL.

Μυτιλήνη
Mitilini

ΤΟΥΡΚΙΑ
TURKEY

...ος
...ιος

Ν. ΣΚΥΡΟΣ
SKYROS ISL.

Λιναριά
Lynaria

Ν. ΨΑΡΑ
PSARA ISL.

Ν. ΕΥΒΟΙΑ
EVIA ISL.

Ν. ΧΙΟΣ
CHIOS ISL.

Χίος
Chios

71

Κάρυστος
Karystos

Ν. ΑΝΔΡΟΣ
ANDROS ISL.

Ν. ΣΑΜΟΣ
SAMOS ISL.

...να
...να

Γαύριο
Gavrio

Ν. ΙΚΑΡΙΑ
IKARIA ISL.

Σάμος
Samos

...ύριο
...wrio

Κορησσία
Korissia

Ν. ΤΗΝΟΣ
TINOS ISL.

Ικαρία
Ikaria

Τήνος

Ν. ΜΥΚΟΝΟΣ
MYKONOS ISL.

Μέριχας

Ν. ΣΥΡΟΣ
SYROS ISL.

Ερμούπολη

Μύκονος

Ν. ΠΑΤΜΟΣ
PATMOS ISL.

Πάτμος

Ν. ΛΕΡΟΣ
LEROS ISL.

Λακκιοί
Lakkioi

Ν. ΠΑΡΟΣ
PAROS ISL.

Ν. ΝΑΞΟΣ
NAXOS ISL.

Ν. ΣΕΡΙΦΟΣ
SERIFOS ISL.

Λιβάδι
Livadi

Νάξος

Πάρος
Paros

Καμάρες
Kamares

Κάλυμνος

ΕΜΒΕΛΕΙΑ ΜΑΙ 95

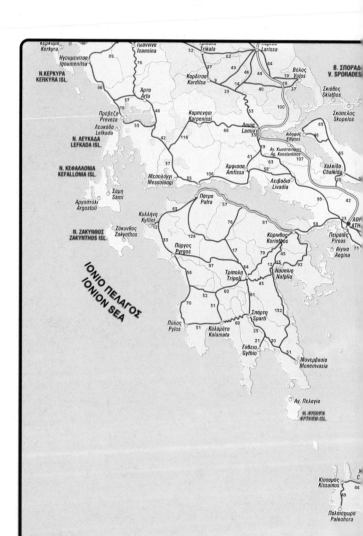

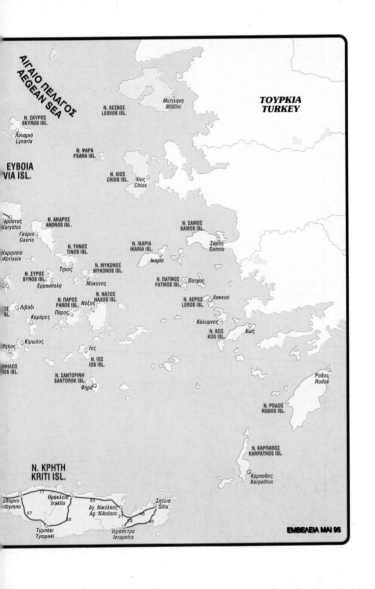

ΑΙΓΑΙΟ ΠΕΛΑΓΟΣ
AEGEAN SEA

Ν. ΣΚΥΡΟΣ
SKYROS ISL.

Λιναριό
Lynaria

ΕΥΒΟΙΑ
VIA ISL.

Ν. ΛΕΣΒΟΣ
LESVOS ISL.

Μυτιλήνη
Mitilini

ΤΟΥΡΚΙΑ
TURKEY

Ν. ΨΑΡΑ
PSARA ISL.

Ν. ΧΙΟΣ
CHIOS ISL.

Χίος
Chios

άρυστος
Karystos

Γαύριο
Gavrio

Κορησσία
Korissia

Ν. ΑΝΔΡΟΣ
ANDROS ISL.

Ν. ΤΗΝΟΣ
TINOS ISL.

Τήνος

Ν. ΣΥΡΟΣ
SYROS ISL.

Ερμούπολη

Ν. ΜΥΚΟΝΟΣ
MYKONOS ISL.

Μύκονος

Ν. ΣΑΜΟΣ
SAMOS ISL.

Ν. ΙΚΑΡΙΑ
IKARIA ISL.

Ικαρία

Σάμος
Samos

Ν. ΠΑΤΜΟΣ
PATMOS ISL.

Πάτμος

Ν. ΝΑΞΟΣ
NAXOS ISL.

Ν. ΠΑΡΟΣ
PAROS ISL.

Νάξος

Ν. ΛΕΡΟΣ
LEROS ISL.

Λακκιοί

Λιβάδι
SL.

Καμάρες

Πάρος

Κάλυμνος

Ν. ΚΩΣ
KOS ISL.

Κως

ΟΣ
SL.

Κίμωλος

Ιος
Ν. ΙΟΣ
IOS ISL.

ηλος

ΜΗΛΟΣ
OS ISL.

Ν. ΣΑΝΤΟΡΙΝΗ
SANTORINI ISL.

Φηρά

Ρόδος
Rodos

Ν. ΡΟΔΟΣ
RODOS ISL.

Ν. ΚΑΡΠΑΘΟΣ
KARPATHOS ISL.

Κάρπαθος
Karpathos

Ν. ΚΡΗΤΗ
KRITI ISL.

εθυμνο
thymno

Ηράκλειο
Iraklio

65

Αγ. Νικόλαος
Ag. Nikolaos

Σητεία
Sitia

67

Τυμπάκι
Tympaki

Ιεράπετρα
Ierapetra

ΕΜΒΕΛΕΙΑ ΜΑΪ 95

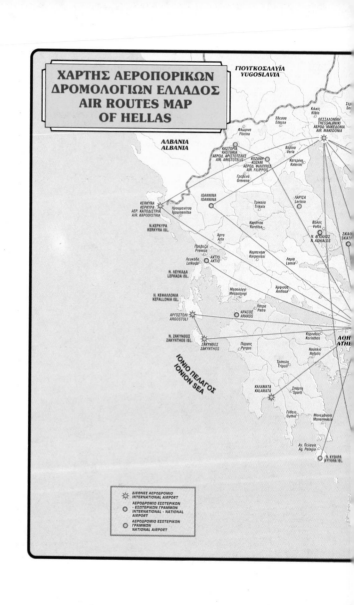

ΧΑΡΤΗΣ ΑΕΡΟΠΟΡΙΚΩΝ
ΔΡΟΜΟΛΟΓΙΩΝ ΕΛΛΑΔΟΣ
AIR ROUTES MAP
OF HELLAS

ΓΙΟΥΓΚΟΣΛΑΒΙΑ
YUGOSLAVIA

ΑΛΒΑΝΙΑ
ALBANIA

Κάλες
Kilkis

Έδεσσα
Edessa

ΘΕΣΣΑΛΟΝΙΚΗ
THESSALONIKI
ΑΕΡΟΔ. ΜΑΚΕΔΟΝΙΑ
AIR. MAKEDONIA

Φλώρινα
Florina

Βέροια
Veria

ΚΑΣΤΟΡΙΑ
KASTORIA
ΑΕΡΟΔ. ΑΡΙΣΤΟΤΕΛΗΣ
AIR. ARISTOTELIS

ΚΟΖΑΝΗ
KOZANI
ΑΕΡΟΔ. ΦΙΛΙΠΠΟΣ
AIR. FILIPPOS

Κατερίνη
Katerini

Γρεβενά
Grevena

ΙΩΑΝΝΙΝΑ
IOANNINA

ΚΕΡΚΥΡΑ
ΚΕΡΚΥΡΑ
ΑΕΡ. ΚΑΠΟΔΙΣΤΡΙΑ
AIR. KAPODISTRIA

Ηγουμενίτσα
Igoumenitsa

Τρίκαλα
Trikala

ΛΑΡΙΣΑ
Larissa

Ν.ΚΕΡΚΥΡΑ
KERKYRA ISL.

Καρδίτσα
Karditsa

Βόλος
Volos

Άρτα
Arta

Πρέβεζα
Preveza

Καρπενήσι
Karpenisi

Ν. ΑΓΧΙΑΛΟΣ
N. AGHIALOS

ΣΚΙΑΘ
SKIATH

Λευκάδα
Lefkada

ΑΚΤΙΟ
AKTIO

Λαμία
Lamia

Ν. ΛΕΥΚΑΔΑ ISL.
LEFKADA ISL.

Μεσολόγγι
Messolongi

Αμφισσα
Amfisa

Ν. ΚΕΦΑΛΛΟΝΙΑ
KEFALLONIA ISL.

Πάτρα
Patra

ΑΡΓΟΣΤΟΛΙ
ARGOSTOLI

ΑΡΑΞΟΣ
ARAXOS

Κόρινθος
Korinthos

ΑΘΗ
ΑΤΗΕ

Ν. ΖΑΚΥΝΘΟΣ
ZAKYNTHOS ISL.

ΖΑΚΥΝΘΟΣ
ZAKYNTHOS

Πύργος
Pyrgos

Ναύπλιο
Nafplio

ΙΟΝΙΟ ΠΕΛΑΓΟΣ
IONION SEA

Τρίπολη
Tripoli

ΚΑΛΑΜΑΤΑ
KALAMATA

Σπάρτη
Sparti

Γύθειο
Gythio

Μονεμβάσια
Monemvasia

Αγ. Πελαγία
Ag. Pelagia

Ν. ΚΥΘΗΡΑ
KYTHIRA ISL.

☆ ΔΙΕΘΝΕΣ ΑΕΡΟΔΡΟΜΙΟ
   INTERNATIONAL AIRPORT

◉ ΑΕΡΟΔΡΟΜΙΟ ΕΣΩΤΕΡΙΚΩΝ
   - ΕΞΩΤΕΡΙΚΩΝ ΓΡΑΜΜΩΝ
   INTERNATIONAL - NATIONAL
   AIRPORT

◉ ΑΕΡΟΔΡΟΜΙΟ ΕΣΩΤΕΡΙΚΩΝ
   ΓΡΑΜΜΩΝ
   NATIONAL AIRPORT

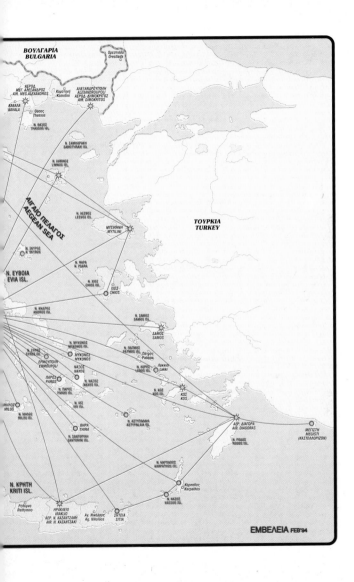
ΕΜΒΕΛΕΙΑ FEB'94

ΚΩΝΣΤΑΝΤΙΝΟΥ Γ. ΠΑΠΑΦΙΛΗ

ΕΛΛΗΝΟ-ΑΓΓΛΙΚΟΙ ΑΓΓΛΟ-ΕΛΛΗΝΙΚΟΙ ΔΙΑΛΟΓΟΙ

DIALOGUES GREEK-ENGLISH ENGLISH-GREEK

ΕΚΔΟΣΕΙΣ Μ. ΣΙΔΕΡΗ

Ανδρ. Μεταξά 28 & Θεμιστοκλέους
106 81 Αθήνα, Τηλ. 3301161-2-3 Fax 3301164

ISBN 960-7012-41-0

ΠΙΝΑΚΑΣ ΠΕΡΙΕΧΟΜΕΝΩΝ

TABLE OF CONTENTS

ΠΡΟΛΟΓΟΣ

Οι ελληνοαγγλικοί διάλογοι σας προσφέρουν τις απαραίτητες λέξεις και εκφράσεις που μπορεί να χρειασθείτε για να επικοινωνήσετε στο ταξίδι σας στην Αγγλία.

Η ύλη έχει περιλάβει εξήντα πέντε κεφάλαια και χάρτες Ελλάδας και Αγγλίας, ενώ ξεχωριστά δίνονται στοιχεία γραμματικής και των δύο γλωσσών, με τις απαραίτητες επεξηγήσεις για την προφορά των γραμμάτων.

Η απόδοση της προφοράς των αγγλικών λέξεων με τη χρησιμοποίηση των ελληνικών γραμμάτων δεν είναι δυνατόν να γίνει με την απαιτούμενη πειστικότητα και για τον λόγο αυτό θα πρέπει να δοθεί ιδιαίτερη προσοχή στα γράμματα όπου η προφορά τους διαφοροποιείται από την αντίστοιχη των ελληνικών γραμμάτων, ή όπου δεν υπάρχουν αντίστοιχα ελληνικά γράμματα.

Σας ευχαριστούμε!
Καλό ταξίδι!

PREFACE

We give you a practical phrase book which offers you most of the simple words and phrases you may need during your trip in Greece.

The material has been divided into 65 chapters.

This book provides:
• all the phrases you will need on your trip.
• a logical system of presentation.
• a complete phonetic transcription.
•a very basic grammar
•maps of Greece and England.

These are some of its practical advantages.

Thank you!
Have a good trip!

ΣΥΝΤΟΜΗ ΑΓΓΛΙΚΗ ΓΡΑΜΜΑΤΙΚΗ
OUTLINE OF ENGLISH GRAMMAR

1. Το αλφάβητο της αγγλικής   **The English Alphabet**

Γράμμα		Ονομασία
Letter		Name
A	a	έι
B	b	μπι
C	c	σι
D	d	ντι
E	e	ι
F	f	εφ
G	g	τζι
H	h	έιτς
I	i	άι
J	j	τζέι
K	k	κέι
L	l	ελ
M	m	εμ
N	n	εν
O	o	όου
P	p	πι
Q	q	κιου
R	r	αρ
S	s	ες
T	t	τι
U	u	γιου
V	v	βι
W	w	νταμπλγιού
X	x	εξ
Y	y	ουάι
Z	z	ζεντ

Υπάρχουν είκοσι έξι γράμματα στο αγγλικό αλφάβητο και δια-
κρίνονται σε φωνήεντα και σε σύμφωνα.

Φωνήεντα [The vowels] : a, e, i, o, u

Σύμφωνα [The consonants] : b, c, d, f, g, h, j, k, l, m, n, p, q, r, s,
t, v, w, x, y, z.

Προφορά [Pronunciation].

Γράμμα		Ονομασία	Φων. σύμβολο	Παράδειγμα	Example
Letter		Name	Phonetics	Προφορά	Pronunciation
A	a	έι	α, έι, έα, αα	**act able**	dare art
				ακτ έιμπλ	ντέαρ ααρτ
B	b	μπι	μπ	**back**	
				μπακ	
C	c	σι	κ, τσ	**come**	beach
				καμ	μπίιτς
D	d	ντι	ντ	**do**	
				ντου	
E	e	ι	ε, ιι	**set bee**	
				σετ μπίι	
F	f	εφ	φ	**five**	
				φάιβ	
G	g	τζίι	γκ	**give**	
				γκιβ	
H	h	έιτς	χ	**hit**	
				χιτ	
I	i	άι	ι, άι	**it ice**	
				ιτ άις	
J	j	τζέι	τζ	**just**	
				τζαστ	
K	k	κέι	κ	**kept**	
				κεπτ	
L	l	ελ	λ	**low**	
				λόου	

Γράμμα	Ονομασία	Φων. σύμβολο	Παράδειγμα	Example
Letter	Name	Phonetics	Προφορά	Pronunciation
M m	εμ	μ	**my** **μ**άι	
N n	εν	ν, νγκ	**now** **ν**άου	**sing** σι**νγκ**
O o	όου	ο, όου, οο, όι, ου, ούου, άου	**hot** χ**ο**τ **put** π**ου**τ	**no** **order** **oil** **vision** ν**όου** **όο**ρντερ **όι**λ βί**ζ**ιον **rule** **out** ρ**ούου**λ **άου**τ
P p	πι	π	**page** **π**έιτζ	
Q q	κιου	κ	**queen** **κ**ουίιν	
R r	αρ	ρ	**read** **ρ**ιιντ	
S s	ες	σ, σσ - ςς	**see** **σ**ιι	**she** **σσ**ι
T t	τι	τ, θ, δ	**tea** **τ**ι	**thin** **this** **θ**ιν **δ**ις
U u	γιου	α, ούου, ερ	**up** **α**π	**use** **burn** γι**ούζ** μπ**ερ**ν
V v	βι	β	**voice** **β**όις	
W w	νταμπλγιού	(γ)ου, γ(χ)ου	**west** **(γ)ου**έστ	**where** **γ(χ)ου**έαρ
X x	ιξ	ζ, κς	**xenon** **ζ**ένον	**flex** φλε**κς**
Y y	ουάι	γι	**yes** **γι**ες	
Z z	ζετ	ζ, ζζ	**zeal** **ζ**ίιλ	**vision** βί**ζζ**ιον

Επεξηγήσεις προφοράς

Οι διάλογοι που σας παρουσιάζουμε σήμερα είναι εύχρη-
στοι, πλήρεις και ξεκούραστοι γιατί αποδώσαμε την
προφορά των αγγλικών λέξεων με ελληνικά γράμμα-
τα, με τις εξής παρατηρήσεις:

- *Τα γράμματα* [b], [d] *στο μέσον της λέξης γράφονται
με διαχωριστική παύλα* [-μπ], [-ντ], *για να μη χωρί-
σουν στην απόδοση της προφοράς τα γράμματα* [μ]
και [ν] *από τα* [π] *και* [τ] *αντίστοιχα, αλλά να προφερ-
θούν σαν ένας φθόγγος. Παράδειγμα:* **cabin** *[κά-
μπιν],* **cadet** *[κα-ντέτ]*

- *Τα συνεχόμενα γράμματα* [mp] *και* [nt] *χωρίζουν στην
προφορά με παύλα* [μ-π], [ν-τ] *για να ακουσθούν
σαν δύο ξεχωριστοί φθόγγοι* [μ], [ν] *και* [ν], [τ] *αντί-
στοιχα. Παράδειγμα:* **lamp** *[λαμ-π],* **attentive** *[ατέν-
τιβ]*

- *Τα συνεχόμενα γράμματα* [sh] *αποδίδονται στην προ-
φορά με διπλό ελληνικό γράμμα* [σσ] *το οποίο πρέπει
να προφέρεται σαν* [σ] *παχύ.*

- Στα φωνήεντα δώσαμε μια συγκεκριμένη προφορά με
ελληνικά γράμματα και αποφύγαμε να γράψουμε
σύμβολα προφοράς τα οποία ο χρήστης θα δυσκο-
λεύεται να τα αναγνωρίσει, θα τα εννοεί διαφορετικά
και θα τα προφέρει ελληνικά κατά το πλείστον και όχι
με την προφορά των συμβόλων.

2.   Τα μέρη του λόγου [The Parts of Speech].

2.1.   Ουσιαστικό [Noun].
2.2.   Επίθετο [Adjective].
2.3.   Αντωνυμία [Pronoun].
2.4.   Ρήμα [Verb].
2.5.   Επίρρημα [Adverb].
2.6.   Πρόθεση [Preposition].
2.7.   Σύνδεσμος [Conjuction].
2.8.   Επιφώνημα [Interjection].

3.   Η αντιστροφή [Inversion].

Η αντιστροφή λαμβάνει χώρα στις παρακάτω περιπτώ-
σεις:
α. Σε ερωτήσεις. Do you want this?
β. Για δημιουργία εντύπωσης. Never have I heard this
thing.
γ. Όταν εκφράζεται όρος χωρίς το **if.** Did I met you
before, we might have been friends.
δ. Όταν η πρόταση αρχίζει με τις λέξεις: **there, here,
such, so, likewise, thus, κ.λπ.** Here is the house I am going to
buy.
ε. Όταν έχουμε αναφορικό ρήμα μετά από εισαγωγικά:
"That is what I most desired", said he ή he said.

4.   Το ουσιαστικό [The noun].

4.1   Τα ουσιαστικά διακρίνονται σε:
α. Κύρια [Proper] - John.
β. Κοινά [Common] - River.
γ. Υλικά [Material] - air.
δ. Ομαδικά [Collective] - a crowd, a forest.
ε. Αφηρημένα [Abstract] - Movement.

4.2   Το γένος [The gender].

Στα Αγγλικά το γένος δεν είναι γραμματικό αλλά φυσικό.

Υπάρχουν τέσσερα φυσικά γένη [There are four natural genders]:

α. Αρσενικό [Masculine - male sex] - Father - Πατέρας.

β. Θηλυκό [Feminine - female sex] - Mother - Μητέρα.

γ. Ουδέτερο [Neuter - neither sex] - Book - Βιβλίο.

ε. Κοινό [Common - either sex] - Teacher - Δάσκαλος / α.

4.3   Αριθμός [Number].

Στα αγγλικά υπάρχουν δύο αριθμοί:
α. Ενικός [Singular] - Book - Βιβλίο.
β. Πληθυντικός [Plural] - Books - Βιβλία.

Ο πληθυντικός στα αγγλικά σχηματίζεται:

α. Γενικά με την προσθήκη της κατάληξης [s].

β. Ουσιαστικά λήγοντα σε [s, z, ch, sh, x] σχηματίζουν τον πληθυντικό με την κατάληξη [es].

γ. Τα περισσότερα ουσιαστικά που λήγουν σε [o] σχηματίζουν τον πληθυντικό με την κατάληξη [es].

δ. Όλα τα ουσιαστικά που λήγουν σε [y] που προ αυτού υπάρχει σύμφωνο, πλην μερικών εξαιρέσεων, μετατρέπουν αυτό σε [ies].

δ. Όλα τα ουσιαστικά που λήγουν σε [f, fe] μετατρέπουν τα γράμματα αυτά σε [ves].

ε. Άλλες περιπτώσεις: looker-on - lookers-on, man - men, datum - data, oasis - oases, ox - oxen, radius - radii, people-people, sheep - sheep, Swiss - Swiss, Salmon - Salmon κ.λπ.

4.4   Πτώσεις [Cases].

Υπάρχουν πέντε κύριες πτώσεις στα αγγλικά [There are five main cases in English]:

α. **Ονομαστική**, για να αντιπροσωπεύσει το υποκεί-μενο - to represent the subject [**Nominative**].

β. **Γενική**, για να αντιπροσωπεύσει τον κτήτορα - to represent the possessor [**Genitive**].

γ. **Δοτική**, για να αντιπροσωπεύσει το έμμεσο αντι-κείμενο - to represent the indirect object [**Dative**].

δ. **Αιτιατική**, για να αντιπροσωπεύσει το αντικείμενο - to represent the object [**Accusative**].

ε. **Κλητική**, για να ονομάσεις ή να φωνάξεις ένα πρόσωπο ή αντικείμενο - for addressing or calling a person or thing [**Vocative**].

4.5.   Κλίση του ουσιαστικού [The Declension of the noun].

Cases	Singular Number		Plural Number	
Πτώσεις	Ενικός αριθμός		Πληθυντικός αριθμός	
Nom.	άνθρωπος	man	άνθρωποι	men
Gen.	ανθρώπου	of the man	ανθρώπων	of the men
Dat.	στον άνθρωπο	to the man	στους ανθρώπους	to the men
Acc.	άνθρωπο	man	ανθρώπους	men
Voc.	άνθρωπε	man	άνθρωποι	men

5.   Το άρθρο [The article].

5.1.   Το αόριστο άρθρο [The indefinite article]: ένας, μία, ένα, «**a**» με ουσιαστικά που αρχίζουν από σύμφωνο και «**an**» με ουσιαστικά που αρχίζουν από φωνήεν.

5.2. Η κλίση του αορίστου άρθρου [The Declension of the indefinite article].

Singular Number		Ενικός Αριθμός		
Cases	Masculine	Feminine	Neuter	For all
Πτώσεις	Αρσενικό	Θηλυκό	Ουδέτερο	Για όλα
Nominative	ένας	μια	ένα	a
Genitive	ενός	μιας	ενός	of a
Accusative	ένα [ν]	μια	ένα	a

5.3. Το οριστικό άρθρο: ο, n, το, οι, οι, τα, [The definite article]: The

5.4. Η κλίση του οριστικού άρθρου [The Declension of the definite article].

Singular Number		Ενικός Αριθμός		
Cases	Masculine	Feminine	Neuter	For all
Πτώσεις	Αρσενικό	Θηλυκό	Ουδέτερο	Για όλα
Nominative	ο	n	το	the
Genitive	του	της	του	of the
Accusative	το (ν)	τη (ν)	το	the
Plural Number		Πληθυντικός Αριθμός		
Cases	Masculine	Feminine	Neuter	For all
Πτώσεις	Αρσενικό	Θηλυκό	Ουδέτερο	Για όλα
Nominative	οι	οι	τα	the
Genitive	των	των	των	of the
Accusative	τους	τις	τα	the

6.   Το επίθετο [The adjective].

Το επίθετο στα αγγλικά είναι αμετάβλητο και ίδιο για τα τρία γένη. Δεν έχει πτώσεις, καταλήξεις και αριθμό.

6.1 Η κλίση του επιθέτου [The Declension of the adjective].

6.1.1 Επίθετα που προσδιορίζουν αρσενικά ουσιαστικά.

Cases		Singular	Number	
Πτώσεις		Ενικός	αριθμός	
Nom.	καλός	άνθρωπος	good	man
Gen.	καλού	ανθρώπου	of the good	man
Dat.	στον καλό	άνθρωπο	to the good	man
Acc.	καλό	άνθρωπο	good	man
Voc.	καλέ	άνθρωπε	good	man

Cases		Plural	Number	
Πτώσεις		Πληθυντικός	αριθμός	
Nom.	καλοί	άνθρωποι	good	men
Gen.	καλών	ανθρώπων	of the good	men
Dat.	στους καλούς	ανθρώπους	to the good	men
Acc.	καλούς	ανθρώπους	good	men
Voc.	καλοί	άνθρωποι	good	men

6.1.2 Επίθετα που προσδιορίζουν **θηλυκά ουσιαστικά.**

Cases		Singular	Number	
Πτώσεις		Ενικός	αριθμός	
Nom.	καλή	μητέρα	good	mother
Gen.	καλής	μητέρας	of the good	mother
Dat.	στην καλή	μητέρα	to the good	mother
Acc.	καλή	μητέρα	good	mother
Voc.	καλή	μητέρα	good	mother

Cases		Plural	Number	
Πτώσεις		Πληθυντικός	αριθμός	
Nom.	καλές	μητέρες	good	mothers
Gen.	καλών	μητέρων	of the good	mothers
Dat.	στις καλές	μητέρες	to the good	mothers
Acc.	καλές	μητέρες	good	mothers
Voc.	καλές	μητέρες	good	mothers

6.1.3 Επίθετα που προσδιορίζουν **ουδέτερα ουσιαστικά.**

Cases		Singular	Number	
Πτώσεις		Ενικός	αριθμός	
Nom.	καλό	βιβλίο	good	book
Gen.	καλού	βιβλίου	of the good	book
Dat.	στο καλό	βιβλίο	to the good	book
Acc.	καλό	βιβλίο	good	book
Voc.	καλό	βιβλίο	good	book

Cases		Plural	Number	
Πτώσεις		Πληθυντικός	αριθμός	
Nom.	καλά	βιβλία	good	books
Gen.	καλών	βιβλίων	of the good	books
Dat.	στα καλά	βιβλία	to the good	books
Acc.	καλά	βιβλία	good	books
Voc.	καλά	βιβλία	good	books

6.2. Η σύγκριση των επιθέτων [Comparison of adjectives].

Υπάρχουν τρεις βαθμοί σύγκρισης του επιθέτου στα αγγλικά.

α. Θετικός [Positive].

β. Συγκριτικός [Comparative].

γ. Υπερθετικός [Superlative].

Ο συγκριτικός βαθμός, στα μονοσύλλαβα και δισύλλαβα, δημιουργείται με την προσθήκη της κατάληξης **er (r)** και της λέξης **than** στο θετικό βαθμό και ο υπερθετικός με την προσθήκη της κατάληξης **est (st)** επίσης στο θετικό βαθμό και της λέξης **of**. Στα πολυσύλλαβα ο συγκριτικός σχηματίζεται με την προσθήκη της λέξης **more** πριν από το επίθετο και της λέξης **than** μετά, ενώ ο υπερθετικός με την προσθήκη της λέξης **most** πριν και της λέξης **of** μετά από το επίθετο:

small - smaller than- the smallest of (μικρός, μικρή, μικρό - μικρότερος από - ο πιο μικρός από), **beautiful - more beautiful - the most beautiful of,** (ωραίος, ωραία, ωραίο - ωραιότερος - ο πιο ωραίος από).

7.   Αντωνυμία [Pronoun]

7.1.   Οι προσωπικές αντωνυμίες: εγώ, εσύ, αυτός-ή-ό. The personal pronouns: I, You, He, She, It.

Case	Singular Number	Ενικός αριθμός		
	1st Person	2nd	3rd	
Πτώση	Α' πρόσ.	Β' πρόσ.	Γ' πρόσ.	
Nom.	I	You	He She	It
Acc.	Me	You	Him Her	It
Dat.	Me	You	Him Her	It

Case	Plural Number	Πληθυντικός αριθμός		
	1st Person	2nd	3rd	
Πτώση	Α' πρόσ.	Β' πρόσ.	Γ' πρόσ.	
Nom.	We	You	They They	They
Acc.	Us	You	Them Them	Them
Dat.	Us	You	Them Them	Them

7.2   Οι κτητικές αντωνυμίες: δικός μου, δικός σου, δικός του, της, του - δική μου, δική σου, δική του, της, του - δικό μου, δικό σου, δικό του, της, του . The possessive pronouns: mine, yours, his, hers, its.

Case	1st Person	2nd	3rd
Πτώση	Α' πρόσ.	Β' πρόσ.	Γ' πρόσ.
Nom.	mine	yours	his, hers, its
Gen.	of mine	of yours	of his, of hers, of its
Acc.	mine	yours	his, hers, its

7.3   Οι κτητικές αντωνυμίες: δικός μας, δικός σας, δικός τους, τους, τους - δική μας, δική σας, δική τους, τους, τους - δικό μας, δικό σας, δικό τους, τους, τους . The possessive pronouns: ours, yours, theirs, theirs, theirs.

Case	1st Person	2nd	3rd
Πτώση	Α' πρόσ.	Β' πρόσ.	Γ' πρόσ.
Nom.	ours	yours	theirs
Gen.	of ours	of yours	of theirs
Acc.	ours	yours	theirs

8. Το ρήμα [The verb].

Ρήμα είναι μια λέξη που δηλώνει ύπαρξη ή ενέργεια.
Υπάρχουν τρία είδη ρημάτων:
α. Μεταβατικό. Transitive. Το αγόρι **διαβάζει** το γράμμα. The boy **reads** the letter.
β. Αμετάβατο. Intransitive. **Περπατά**. He **walks**.
γ. Βοηθητικό. Auxiliary. Το αγόρι **περπατά**. The boy **is** walking.

Υπάρχουν δύο φωνές: Η ενεργητική και η παθητική φωνή. **There are two voices:** The active voice and the passive voice.
Υπάρχουν τέσσερις εγκλίσεις: η οριστική, η υποτακτική η προστακτική και η απαρεμφατική. **There are four moods:** the indicative, the subjunctive, the imperative and the infinitive.
Υπάρχουν τέσσερις βασικοί χρόνοι: ενεστώτας, αόριστος, μέλλοντας και μέλλοντας του παρελθόντος, με τον αντίστοιχο συνεχή και παρακείμενο χρόνο. **There are four basic tenses:** The present, the past, the future and the future in the past, with the corresponding continuous and perfect tense.

8.1.   Το βοηθητικό ρήμα **έχω**. The auxilliary verb **to have**.

		Tenses	Χρόνοι	
Simple Present		Simple Past		
Ενεστώτας			Αόριστος	
Indicative		Subjunctive		
Οριστική		Υποτακτική		
I have	έχω	[If] I have	I had	είχα
You have	έχεις	[If] You have	You had	είχες
He, she, it has	έχει	[If] He, she, it has	He, she, it had	είχε
We have	έχουμε	[If] We have	We had	είχαμε
You have	έχετε	[If] You have	You had	είχατε
They have	έχουν	[If] They have	They had	είχαν
		Future Μέλλοντας		

I will have, You will have, He, she, it will have, We will have, You will have, They will have.

Imper. Προστ. have

8.2.   Το βοηθητικό ρήμα **είμαι**. The auxilliary verb **to be**.

Tenses Χρόνοι				
Simple Present			Simple Past	
Ενεστώτας			Αόριστος	
Indicative		Subjunctive		
Οριστική		Υποτακτική		
I am	είμαι	[If] I be	I was	ήμουν
You are	είσαι	[If] You be	You were	ήσουν
He, she, it is	είναι	[If] He, she, it be	He, she, it was	ήταν
We are	είμαστε	[If] We be	We were	ήμαστε
You are	είσαστε	[If] You be	You were	ήσαστε
They are	είναι	[If] They be	They were	ήσαν
Future Μέλλοντας				
I will be, You will be, He, she, it will be, We will be, You will be, They will be.				
Imperative. Προστακτική. be				

9.   Το επίρρημα [The adverb].

Οι βαθμοί σύγκρισης του επιρρήματος είναι όπως και του επιθέτου.

Τα πιο ενδιαφέροντα επιρρήματα είναι:

The most important adverbs are:

9.1   Τόπου. Place: πού (where), όπου (where), εδώ (here), εκεί (there), επάνω (up), κάτω (down), μέσα (inside), έξω (outside), μπροστά (in front), πίσω (behind), παντού (every where), κοντά (near), μακριά (far), δίπλα (next).

9.2 Τρόπου. Manner: πώς (how), έξαφνα (suddenly).

9.3 Χρόνου. Time: Πότε (when), τώρα (now), τότε (then), σήμερα (today), χθες (yesterday), αύριο (tomorrow), μεθαύριο (the day after tomorrow), αμέσως (immediately), όχι ακόμη (not yet), πόσο καιρό (how long), πόση ώρα (how long), πόσες φορές (how many times), πολλές φορές (many times), σπάνια (seldom), συχνά (often), πάλι (again).

9.4 Άλλα. Others: ναι (yes), όχι (no), καθόλου (not at all).

10. Πρόθεση [The preposition].

Οι πιο ενδιαφέρουσες προθέσεις είναι:
The most important prepositions are:
Άνευ (without), αντί (instead), προ (before), μεταξύ (between), εν (in, into), συν (with), ανά (over), εις (to, in), από (from), για (for), με (with), μετά (after), χωρίς (without), ως (as far as), εις (to, in, on) σε (to, in, on), υπό (by, with genitive - under, with accusative), υπέρ (for, with genitive - above, with accusative), διά (through, with genitive - because of, with accusative), κατά (against, with genitive - during, with accusative), μετά (with, with genitive - after, with accusative), περί (over, about, with genitive - around, with accusative), επί (on, with genitive - because of, with dative - against, during, with accusative), παρά (from, with genitive - by, with dative - beside, with accusative), προς (by, with genitive - to, with dative - to, with accusative).

11. Ο σύνδεσμος [The conjuction]

Οι πιο ενδιαφέροντες σύνδεσμοι είναι:
The most important conjuctions are:
Και (and), αλλά (but), μα (but), ή (or), ή ... ή (either ... or), μήτε ... μήτε (neither ... nor), όταν (when), αφού (when), ενώ (while), πως (that), ότι (that), επειδή (because), γιατί

(because), εάν (if), σαν (as if), άμα (if), πριν (before), προτού (before), ύστερα (after), μόλις (just), καθώς (as), όπως (as), ώστε (so that), να (in order to).

12. Το επιφώνημα [The interjection]

Τα πιο ενδιαφέροντα επιφωνήματα είναι:
The most important interjections are:

α! (ah!), άι! (ah!), αλίμονο! (alas!), αλτ! (stop!), αχ! (ah!), ε! (hey!), είθε! (God grant), εύγε! (bravo!), μακάρι! (God grant), μπράβο! (bravo!), μπα! (so what!), ωχ! (oh!), ω! (say!), ωχ! (ow!).

OUTLINE OF MODERN GREEK GRAMMAR
ΣΥΝΤΟΜΗ ΣΥΓΧΡΟΝΗ ΕΛΛΗΝΙΚΗ ΓΡΑΜΜΑΤΙΚΗ

1. The Greek Alphabet - Το αλφάβητο της Ελληνικής

Letter	Name	Name	Example	Pronunciation
Γράμμα	Ονομασία	Ονομασία	Παράδειγμα	Προφορά
Α α	ahlfah	άλφα	**ά**λλο	**a**lo
Β β	**v**eetah	βήτα	**β**άζο	**v**azo
Γ γ	**g**hahmah	γάμα	**γ**άμος	**g**amos
Δ δ	**dh**ehltah	δέλτα	**δ**εν	**dh**en
Ε ε	ehpseelon	έψιλον	**έ**λα	**e**la
Ζ ζ	**z**eetah	ζήτα	**ζ**έστη	**z**esti
Η η	**ee**ta	ήτα	η**μ**έρα	**i**mera
Θ θ	**th**eetah	θήτα	**θ**έλω	**th**elo
Ι ι	**y**ee**o**tah	γιώτα	**ι**κανός	**i**kanos
Κ κ	**k**ahpah	κάππα	**κ**αλός	**k**alos
Λ λ	**l**ahmdhah	λάμδα	**λ**εμόνι	**l**emoni
Μ μ	**m**ee	μι	**μ**αζί	**m**azi
Ν ν	**n**ee	νι	**ν**αι	**n**e
Ξ ξ	**ks**ee	ξι	**ξ**ένος	**ks**enos
Ο ο	**o**meecron	όμικρον	**ό**λα	**o**la
Π π	**p**ee	πι	**π**άντα	**p**annta
Ρ ρ	**r**o	ρο	**ρ**ύζι	**r**izi
Σ σ ς	**s**eeghmah	σίγμα	**σ**αν	**s**an
Τ τ	**t**ahf	ταυ	**τ**έλος	**t**elos
Υ υ	**i**pseelon	ύψιλον	**υ**γεία	**i**yia
Φ φ	**f**ee	φι	**φ**ωτιά	**f**otia
Χ χ	**kh**ee	χι	**χ**έρι	**h**eri
Ψ ψ	**ps**ee	ψι	**ψ**άρι	**ps**ari
Ω ω	**o**mehgah	ωμέγα	**ώ**ρα	**o**ra

1.   Pronunciation [Προφορά].

Letter	Pronunciation	Symbol	Example
Γράμμα	Προφορά	Σύμβολο	Παράδειγμα

Vowels Φωνήεντα

Α α	like a in car	**a**	άλλο	**a**lo
Ε ε	like e in sex	**e**	έλα	**e**la
Η η	like i in sit	**i**	ημέρα	**i**mera
Ι ι	like i in sit	**i**	ικανός	**i**kanos
Ο ο	like o in god	**o**	όλα	**o**la
Υ υ	like i in sit	**i**	υγεία	**i**yia
Ω ω	like o in god	**o**	ώρα	**o**ra

Consonants Σύμφωνα

Β β	like v in valid	**v**	βάζο	**v**azo
Γ γ	1. before α, ο, ω, ου, and consonants, a voiced version of the **ch** sound in Scottish lo**ch**	**g**	γάμος	**g**amos
	2. before ε, αι, η, ι, υ, ει, οι, like y in **y**es	**y**	γένος	**y**enos
Δ δ	like th in **th**is	**dh**	δεν	**dh**en
Ζ ζ	like z in **z**one	**z**	ζέστη	**z**esti
Θ θ	like th in thin	**th**	θέλω	**th**elo
Κ κ	like k in **k**eep	**k**	καλός	**k**alos

Letter Pronunciation	Symbol Example
Γράμμα Προφορά	Σύμβολο Παράδειγμα

Consonants Σύμφωνα

Λ λ	like l in **l**ow	**l**	λεμόνι	**l**emoni
Μ μ	like m in **m**other	**m**	μαζί	**m**azi
Ν ν	like n in **n**o	**n**	ναι	**n**e
Ξ ξ	like x in si**x**	**ks**	ξένος	**ks**enos
Π π	like p in **p**aper	**p**	πάντα	**p**annta
Ρ ρ	like r in **r**ead	**r**	ρύζι	**r**izi
Σ σ ς	like s in **s**ix	**s**	σαν	**s**an
Τ τ	like t in **t**est	**t**	τέλος	**t**elos
Φ φ	like f in **f**ire	**f**	**φ**ωτιά	**f**otia
Χ χ	like ch in Scottish lo**ch**	**h**	χέρι	**h**eri
Ψ ψ	like ps in ho**ps**	**ps**	ψάρι	**ps**ari

Groups of letters Ομάδες γραμμάτων

αι	like **e** in s**e**t	**e**	ναι	n**e**
ει	like **i** in t**i**n	**i**	είναι	**i**ne
οι	like **i** in t**i**n	**i**	όλοι	ol**i**
ου	like **oo** in z**oo**	**u**	του	t**u**
αυ	1. before voiceless consonants (θ, κ, ξ, π, σ, τ, φ, χ, ψ) like **uff** in p**uff**y	**af**	αυτό	**af**to
	2. elsewhere like **av** in **av**ast **av**		αυγό	**av**go

Letter	Pronunciation	Symbol	Example
Γράμμα	Προφορά	Σύμβολο	Παράδειγμα

Groups of letters Ομάδες γραμμάτων

ευ	1. before voiceless consonants like **ef** in l**ef**t	ef	ευφτά	**ef**ta
	2. elsewhere, like **ev** in s**ev**en	ev	εύρημα	**ev**rima
γγ	like **ng** in fi**ng**er	ng	άγγλος	a**ng**los
γκ	1. at the beginning like **g** in **g**o	g	γκάφα	**g**afa
	2. in the middle like **ng** in fi**ng**er	ng	αγκυλώνω	a**ng**ilono
γξ	like **nks** in si**nks**	ngks	φάλαγξ	fala**ngks**
γχ	like **ng** followed by the **ch** of Scottish lo**ch**	ngkh	άγχος	a**ngkh**os
μπ	1. at the beginning like **b** in **b**ut	b	μπαλέτο	**b**alleto
	2. in the middle like **mb** in nu**mb**er	mb	αμπάρι	a**mb**ari
ντ	1. at the beginning like **d** in **d**o	d	ντιβάνι	**d**ivani
	2. in the middle like **nd** in thu**nd**er	nd	μπάντα	ba**nd**a
τζ	like **ds** in ree**ds**	dz	τζάμι	**dz**ami

2   **Accentuation** [Τονισμός].

α.   **There is only one accent in the Greek language and it is put as follows:**
2.1.   **Word with two or more syllables takes accent:**
χάνω, λίγ' απ' όλα, είν'ανάγκη.
2.2.   **The following words with one syllable take accent:**
ή (or), πού;, πώς;, δώσε μού το ...
β.   **They don't take accent:**
2.3.   **Monosyllabic word:**
μια, για, το, γιος ... , πες μου το, φα' του τα ....
2.4.   **The position of the accent** [Η θέση του τόνου].
2.4.1.   Άλλος, νεράιδα, αύριο, ΡΑΔΙΟΦΩΝΙΑ (it is not put),

3.   **The Cases** [Οι πτώσεις].

There are five cases [Υπάρχουν πέντε πτώσεις]:
3.1.   **Nominative**, to represent the subject [ονομαστική].
3.2.   **Genitive**, to represent the possessor [γενική].
3.3   **Dative,** to represent the indirect object [δοτική].
3.4.   **Accusative**, to represent the object [αιτιατική].
3.5   **Vocative,** for calling someone [κλητική].
      The nominative, genitive and accusative are used nowadays.

4.   **Gender** [Γένος].

The gender in Greek is grammatical.
      There are three genders [Υπάρχουν τρία γένη]:
4.1.   **Masculine** [Αρσενικό]: άντρας [man].
4.2.   **Feminine** [Θηλυκό]: γυναίκα[woman].
4.3.   **Neuter** [Ουδέτερο]: αγόρι [boy].

5.   **Number** [Αριθμός].

There are two numbers [Υπάρχουν δύο αριθμοί]:

5.1. **Singular** [Ενικός].
5.2. **Plural** [Πληθυντικός].

6. The article [Αρθρο].

6.1. The indefinite article [a, an] [Αόριστο άρθρο]: ένας, μία, ένα.

6.2. The Declension of the indefinite article [Κλίση του αορίστου άρθρου].

Singular Number		Ενικός Αριθμός	
Cases	Masculine	Feminine	Neuter
Πτώσεις	Αρσενικό	Θηλυκό	Ουδέτερο
Nominative	ένας	μια	ένα
Genitive	ενός	μιας	ενός
Accusative	ένα [v]	μια	ένα
Singular Number		Ενικός Αριθμός	
Cases	Masculine	Feminine	Neuter
Πτώσεις	Αρσενικό	Θηλυκό	Ουδέτερο
Nominative	ο	n	το
Genitive	του	της	του
Accusative	το (v)	τη (v)	το

6.3.   **The definite article** [Οριστικό άρθρο]: ο, η, το (The)

6.4.   The Declension of the definite article [Κλίση του οριστικού άρθρου].

Plural Number		Πληθυντικός Αριθμός	
Cases	Masculine	Feminine	Neuter
Πτώσεις	Αρσενικό	Θηλυκό	Ουδέτερο
Nominative	οι	οι	τα
Genitive	των	των	των
Accusative	τους	τις	τα

7.   **The nouns** [Τα ουσιαστκά].

7.1.   Masculine nouns in -ας [πατέρας father]
7.2.   Masculine nouns in -ης [καθηγητής teacher]
7.3.   Masculine nouns in -ές, -ούς [καφές coffee].
7.4.   Masculine nouns in -ος [άνθρπος man]
7.5.   Feminine nouns in -α [μητέρα mother]
7.6.   Feminine nouns in -n [φίλn friend].
7.8.   Feminine nouns in -ού [αλεπού fox].
7.9.   Neuter nouns in -ο [βιβλίο book].
7.10. Neuter nouns in -ι [αγόρι boy].
7.11. Neuter nouns in -ος [δάσος forest].
7.12. Neuter nouns in -μα [μάθημα lesson].

8.   **The Adjective** [Επίθετο].

    The adjectives precede the noun they modify:
    Ο καλός άνθρωπος, The good man.
    They agree in gender, case, and number with the noun they modify.

Comparison of adjectives

The comparative is formed by means of adverb (πιο) (more). The person or thing compared to takes the object case and is preceded by the preposition (από) (than).

Αυτό είναι (πιο) καλό (από) εκείνο.

This is better than that one.

The superlative is formed by placing the definite article before the comparative. It's followed by the possessive form.

Αυτό είναι (το) πιο καλό (από) όλα.

This is the best of all.

9.1. Adjectives in -ος -η -ο [καλός,-ή,-ό good].

9.2. Adjectives in -ος -α -ο [ωραίος,-α,-ο fine].

9.3. Adjectives in -ός -ιά -ό [γλυκός,-ιά,-ό sweet].

9.4. Adjectives in -ύς -ιά -ύ [γλυκύς,-ιά,-ύ sweet].

10.　Pronoun [Αντωνυμία]

10.1. The personal pronouns [Προσωπικές αντωνυμίες]: εγώ, εσύ, αυτός-ή-ό, (I, You, He, She, It).

	Singular Number		Ενικός αριθμός		
	1st Person	2nd	3rd		
	Α' πρόσ.	Β' πρόσ.	Γ' πρόσ.		
Nom.	εγώ	εσύ	αυτός [τος]	αυτή [τη]	αυτό [το]
Gen.	εμένα [μου]	εσένα [σου]	αυτού [του]	αυτής [της]	αυτού [του]
Acc.	εμένα [με]	εσένα [σε]	αυτόν [τον]	αυτήν [την]	αυτό [το]
	Plural Number		Πληθυντικός αριθμός		
	1st Person	2nd	3rd		
	Α' πρόσ.	Β' πρόσ.	Γ' πρόσ.		
Nom.	εμείς	εσείς	αυτοί [τοι]	αυτές [τες]	αυτά [τα]
Gen.	εμάς [μας]	εσάς [σας]	αυτών [των]	αυτών [των]	αυτών [των]
Acc.	εμάς [μας]	εσάς [σας]	αυτούς [τους]	αυτές [τις] [τες]	αυτά [τα]

11. The adverb [Επίρρημα]

The ending of most adverbs is -ως or -α: καλώς, καλά (well).

12. The verb [Ρήμα]

There are two main kinds of conjugation:

a. In the first conjugation the regular verbs are accented on the next to the last syllable [μένω stay]

b. In the second conjugation the regular verbs are accented on the last syllable [αγαπώ love]

There are two voices: The active voice and the passive voice.

There are three moods: The indicative [οριστική], The subjunctive [υποτακτική] and the imperative [προστακτική].

There are six tenses: The present, the imperfect, the aorist, the perfect, the pluperfect and the future (the durative, the punctual, and the future perfect).

12.1. The auxiliary verb: to have. **Το βοηθητικό ρήμα:** έχω.

Present			Imperfect	
Ενεστώτας			Παρατατικός	
Indicative	Subjunctive	Imperative		Participle
Οριστική	Υποτακτική	Προστακτική		Μετοχή
έχω	να έχω		είχα	
έχεις	να έχεις	έχε	είχες	
έχει	να έχει		είχε	έχοντας
έχουμε	να έχουμε		είχαμε	
έχετε	να έχετε	έχετε	είχατε	
έχουν	να έχουν		είχαν	
Future Μέλλοντας				
θα έχω, θα έχεις, θα έχει, θα έχουμε, θα έχετε, θα έχουν				

12.2. The auxiliary verb: to be. Το βοηθητικό ρήμα: είμαι.

Present	Imperfect			
Ενεστώτας	Παρατατικός			
Indicative	Subjunctive	Imperative		Participle
Οριστική	Υποτακτική	Προστακτική		Μετοχή
είμαι	να είμαι		ήμουν	
είσαι	να είσαι	να είσαι	ήσουν	
είναι	να είναι		ήταν	όντας
είμαστε	είμαστε		ήμαστε	
είσαστε	να είσαστε	να είστε	ήσαστε	
είναι	να είναι		ήταν	
Future Μέλλοντας				
θα είμαι, θα είσαι, θα είναι, θα είμαστε, θα είσαστε, θα είναι				

01. ΓΕΝΙΚΑ

yeniká

Αγγελία.
angelía.
Άκουσέ με.
ákusé me.
Άλλος.
álos.
Αμέσως.
amésos.
Ανάγκη.
anángi.
Ανάμεσα.
anámesa.
Αντίο!
andío!
Απλά κοιτάζω.
aplá kitázo.
Απο.
apo.
Αποπάνω.
apopáno.
Αριστερά.
aristerá.
Αρκετά.
arketá.
Άσε με ήσυχο.
áse me ísiho.
Αύριο.
ávrio.
Αυτός είναι ...
aftós ine ...

01. GENERAL

τζένεραλ

Announcement
ανάουνσμεν-τ
Listen to me.
λίσεν του μι.
Other.
άδερ.
Immediately.
ιμί-ντιατλι.
Necessity.
νεσέσιτι.
Between.
μπιτουίν.
Good bye!
γκου-ντ μπάι!
J'm just looking.
άι μ τζαστ λούκινγκ
From.
φρομ.
Above.
α-μπόουβ.
On the left.
ον δε λεφτ.   '
Enough.
ινάφ.
Leave me alone.
λίιβ μι αλόουν.
Tomorrow.
τουμόροου.
This is.
δις ιζ.

Βοήθεια!
voíthia!

Βοηθήστε με!
voithíste me!

Γεια!
yiá!

Γειά σου!
yiá su

Για.
yiá

Γρήγορα!
grígora!

Δεν μιλάω ελληνικά [καλά].
dhen miláo elliniká [kalá].

Δεξιά.
dheksiá.

Δεσποινίς.
dhespinís.

Δέχεστε πιστωτικές κάρτες;
dhéheste pistotikés kártes?

Δίπλα.
dhípla.

Εδώ.
edhó.

Είμαι χαρούμενος.
íme harúmenos.

Εμπρός!
em-brós

Εκεί.
ekí.

Ένα εισιτήριο παρακαλώ!
éna isitírio parakaló!

Help!
χελπ!

Help me!
χελπ μι!

Hello!
χελόου!

God bless you!
γκο-ντ μπλες γιου!

For.
φορ.

Quickly!
κουίκλι!

I can't speak greek (well).
άι κεν't σπικ γκρικ (γουέλ).

On the right.
ον δε ράιτ.

Miss.
μις.

Do you accept credit cards?
ντου γιου αξέπτ κρέ-ντιτ καρ-
ντς;

Beside.
μπισάι-ντ

Here.
χήαρ.

I am glad.
άι αμ γκλα-ντ.

Hello!
χελόου!

There.
δέαρ.

One ticket please!
ουάν τίκετ πλίζ!

**Ένα λεπτό, να ρίξω μια μα-
τιά στο βιβλίο.**
éna leptó, naríkso mia matiá
sto vivlío.

Just a minute, let me have
a look at the book.
τζαστ ε μίνιτ, λετ μι χεβ ε λουκ ατ
δε μπουκ.

Ένα λεπτό, παρακαλώ!
éna leptó, parakaló!

One moment, please!
ουάν μόουμεν-τ, πλιζ!

Εντάξει.
entáksi.

Alright.
ολράιτ

**Επιθυμώ να μιλάω [διαβά-
ζω, γράφω, μάθω] ελληνικά.**
epithimó na miláo [dhiavázo,
gráfo, mátho]elliniká.

I want to speak (read, write,
learn) greek.

άι γουόν-τ του σπικ (ρι-ντ,
ράιτ, λερν) γκρικ.

Ευθεία.
efthía.

Straight on.
στρέιτ ον.

Εύχομαι να σας ξαναδώ.
éfhome na sas ksanadhó.

I hope to see you again.
άι χόουπ του σίι γιου αγκέιν.

Ευχαριστώ!
efharistó!

Thank you!
θανκ γιου!

Έχετε καφέ, τσάι;
éhete kafé, tsái?

Do you have coffee, tea?
ντου γιου χεβ κόφι, τι;

Θα ήθελα ...
tha íthela...

I would like ...
άι γου-ντ λάικ ...

Θα σας ξαναδώ;
tha sas ksanadhó?

Am I going to see you again?
εμ άι γκόινγκ του σίι γιου α-
γκέιν;

Θέλω ...
thélo ...

I want ...
άι γουόν-τ ...

Καλημέρα!
kaliméra!

Good morning!
γκου-ντ μόρνινγκ!

Καλνύχτα!
kaliníhta!

Good night!
γκου-ντ νάιτ!

Καλησπέρα!
kalispéra!

Good evening!
γκου-ντ ίβνινγκ!

Κλέφτης!
kléftis!

Λυπάμαι πολύ.
lipáme polí.

Με καταλαβαίνετε;
me katalavénete?

Με συγχωρείτε!
me sinhoríte!

Μετά οκτώ ημέρες.
metá októ iméres.

Μη.
mi.

Μη με ενοχλείτε!
mi me enohlíte!

Μιλάτε αγγλικά;
miláte angliká?

Μου δανείζετε το στυλό σας;
mu dhanízete to stiló sas?

Μπορείτε να μιλήσετε πιο αργά, παρακαλώ;
boríte na milísete pio argá, parakaló?

Μπορείτε να μου το μεταφράσετε;
boríte na mu to metafrásete?

Μπορείτε να με βοηθήσετε;
boríte na me voithísete?

Μπορείτε να μου δείξετε;
boríte na mu díiksete?

Μπορείτε να μου πείτε?
borite na mu pite?

Μπορείτε να το επαναλάβετε μια φορά ακόμη, παρακαλώ;
boríte na to epanalávete mia forá akómi, parakaló?

Thief!
θίιφ!

I am very sorry.
άι αμ βέρι σόρι.

Do you understand me?
ντου γιου α-ντερστέν-ντ μι;

Excuse me: pardon!
εξκιούζ μι: πάρ-ντον!

After eight days.
άφτερ έιτ ντέις.

Don't.
ντον-τ

Don't disturb me!
ντον-τ ντιστέρμπ μι!

Do you speak english?
ντου γιου σπικ ίνγκλισς;

Can you lend me your pen?
κεν γιου λε-ντ μι γιορ πεν;

Could you speak more slowly, please?
κου-ντ γιου σπικ μορ σλόουλι, πλιζ;

Can you translate this to me?
κεν γιου τρανσλέιτ δις του μι;

Could you help me?
κου-ντ γιου χελπ μι;

Can you show me?
κεν γιου σσόου μι;

Could you tell me?
κου-ντ γιου τελ μι;

Would you repeat it once again, please?
γου-ντ γιου ριπίτ ιτ ουάνς ε-γκέν, πλιζ;

Μπορείτε παρακαλώ να μου
δώσετε [δείξετε]...;
boríte parakaló na mu dhósete
[dhíksete]...?

Could you please, give (show)
me ... ?
κου-ντ γιου πλιζ γκιβ [σσόου]
μι... ;

Μπορώ να σας ενοχλήσω
μια στιγμή;
boró na sas enohlíso mia stigmí?

Could you spare me a mi-
nute?
κου-ντ γιου σπέαρ μι ε μίνιτ?

Μπορώ να σας ρωτήσω;
boró na sas rotíso?

May I ask you?
μέι άι ασκ γιου;

Μπορώ να περάσω μέσα;
boró na peráso mésa;

May I come in?
μέι άι καμ ιν;

Μπορώ να καθήσω εδώ;
boró na kathíso edhó?

Can I sit here?
κεν άι σιτ χίαρ;

Ναι.
ne.

Yes.
γιες.

Ναι, παρακαλώ.
ne, parakaló.

Yes, please.
γιες, πλιζ.

Όλα καλά.
óla kalá.

Alright.
ολράιτ.

Όχι.
óhi.

No.
νόου.

Όχι, ευχαριστώ.
óhi, efharistó.

No, thank you.
νόου, θενκ γιου.

Όχι, μιλάω γερμανικά.
óhi, miláo yermaniká.

No, I speak german.
νόου, άι σπικ τζέρμαν.

Παρακαλώ!
parakaló!

Please!
πλιζ!

Περάστε μέσα!
peráste mésa.

Come in!
καμ ιν!

Περίπτωση ανάγκης.
períptosi anángis.

Emergency (case).
εμέρτζενσι (κέις).

Ποιος;
piós?

Who?
χου;

Πολύ καλά.
polí kalá.

Very well.
βέρι γουέλ.

Πόση ώρα;
pósi óra?

How long?
χάου λονγκ;

Πόσο γρήγορα μπορώ να το έχω;
póso grígora boró na to ého?

How soon can I have it?
χάου σούουν κεν άι χεβ ιτ;

- Θα το ήθελα όσο το δυνατό γρηγορότερα.
- tha to íthela óso to dhinató grigorótera.

I would like it as soon as possible.
άι γου-ντ λάικ ιτ εζ σούουν εζ πόσι-μπλ.

Πόσο κοστίζει αυτή, αυτό;
póso kostízi aftí, aftó?

How much is it?
χάου ματς ιζ ιτ;

Πόσο χρόνο διαρκεί αυτή;
póso hróno dhiarkí aftí?

How long will it last?
χάου λονγκ γουίλ ιτ λαστ;

Πότε;
póte?

When?
χουέν;

Πότε ανοίγει ...;
póte aníyi?

When does ...open?
χουέν νταζ ... όπεν;

Πού;
pu?

Where?
χουέαρ;

Πού είναι η τουαλέτα;
pu íne i tualéta?

Where is the toilet?
χουέαρ ιζ δε τόιλετ;

Πού είναι οι αποσκευές μου;
pu íne i aposkevés mu?

Where is my luggage?
χουέαρ ιζ μάι λάγκιν-τζ;

Πού μένετε;
pu ménete?

Where are you staying?
χουέαρ αρ γιου στέινγκ;

Πού μπορώ να βρω ένα καλάθι αχρήστων;
pu boró na vro éna kaláthi ahríston?

Where can I find a waste - (paper) basket?
χουέαρ κεν άι φάιν-ντ ε χουέιστ(πέιπερ) μπάσκετ;

Πριν δύο ώρες.
prin dhío óres.

Two hours ago.
του άουαρς αγκόου.

Πώς είσθε;
pos ísthe?

How are you?
Χάου αρ γιου;

Πώς λέγεται ... ;
pos léyete?

What is ... called?
χουάτ ιζ ... κολ-ντ;

Πώς λέγεται αυτό στα ελληνικά;
pos léyete aftó sta elliniká?

What is this called in greek?

Χουάτ ιζ δις κολ-ντ ιν γκρικ;

Σας καταλαβαίνω αρκετά καλά, αλλά είναι δύσκολο για μένα να μιλήσω.
sas katalavéno arketá kalá, allá íne dhískolo yiá ména na milíso.

I understand you quite well, but it's difficult for me to speak.
άι αν-ντερστέν-ντ γιου κουάιτ γουέλ, μπατ ιτ'ς ντίφικαλτ φορ μι του σπικ.

Σε μία ώρα [δέκα λεπτά].
se mia óra [dhéka leptá].

In an hour (ten minutes).
ιν εν άουαρ (τεν μίνιτς).

Σερβιτόρε!
servitóre!

Waiter!
γουέιτερ!

Σε τι μπορώ να σας εξυπηρετήσω;
se ti boró na sas eksipiretíso?

What can I do for you?

χουάτ κεν άι ντου φορ γιου;

Σήμα συναγερμού.
síma sinayermú.

Alarm (bell).
αλάρμ (μπελ).

Σήμερα.
símera.

Today.
του-ντέι.

Σταματήστε!
stamatíste!

Stop!
στοπ!

Στην υγειά σας!
stin iyiá sas!

To your health!
του γιορ χελθ!

Συγγνώμη.
signómi.

Excuse me.
εξκιούζ μι

Τα αγγλικά είναι δύσκολα.
ta angliká íne dhískola.

English is difficult.
ίνγκλις ιζ ντίφικαλτ.

Την επόμενη εβδομάδα.
tin epómeni evdhomádha.

Next week.
νεξτ γουίκ.

Τι θα κάνετε απόψε;
ti tha kánete apópse?

What are you doing tonight?
χουάτ αρ γιου ντούινγκ τουνάιτ;

Τι σημαίνει αυτή η λέξη;
ti siméni aftí i léksi?
What does this word mean?
χουάτ νταζ δις γουέρ-ντ μιν;

Τι σημαίνει αυτό;
ti siméni aftó?
What does it mean?
χουάτ νταζ ιτ μιν;

Τι ώρα είναι;
ti óra íne?
What time is it?
χουάτ τάιμ ιζ ιτ;

Τίποτα.
típota.
Nothing.
νάθινγκ.

Τίποτε άλλο;
típote állo?
Anything else?
ένιθινγκ ελς;

Το λογαριασμό, παρακαλώ!
to logariasmó, parakaló!
I want to pay!
άι γουόν-τ του πέι.

Τον περασμένο μήνα.
ton perasméno mína.
Last month.
λαστ μανθ.

Υπάρχει κάποιος εδώ, που να μιλάει αγγλικά;
ipárhi kápios edhó pu na milái angliká?
Is there any one here who can speak english?
ιζ δέαρ ένι ουάν χίαρ χου κεν σπικ ίνγκλισς;

Φύγε!
fíye!
Go away!
γκόου εγουέι!

Φωτιά!
fotiá!
Fire!
φάιρ!

Χαίρω πολύ.
héro polí.
How do you do!
χάου ντου γιου ντου!

Χάθηκα!
háthika!
I am lost!
άι αμ λοστ!

02. ΣΥΣΤΣΤΑΣΕΙΣ	02. INTRODUCTIONS

sistásis

ιντρο-ντάκσσονς

Ανυπομονούσα να έλθω ε-δώ.
anipomonúsa na éltho edhó.

I've been longing to come here.
άι'β μπίιν λόνγκινγκ του καμ χίαρ.

Από πού είσθε;
apó pu ísthe?

Where are you from?
χουέαρ αρ γιου φρομ;

Από πού έρχεστε;
apó pu érhesthe?

Where do you come from?
χουέαρ ντου γιου καμ φρομ;

Αυτός [αυτή] είναι...
aftós [aftí] íne...

This is my ...
δις ιζ μάι...

- η κόρη μου.
- i kóri mu.

- daughter.
- ντόουτερ.

- η σύζυγός μου.
- i sízigós mu.

- wife.
- γουάιφ.

- η φίλη μου.
- i fíli mu.

- girl friend
- γκερλ φρεντ.

- η μνηστή μου.
- i mnistí mu.

- fiancee.
- φιανσέ.

- ο γιος μου.
- o yiós mu.

- son.
- σαν.

- ο μνηστήρας μου.
- o mnistíras mu.

- fiance.
- φιανσέ.

- ο σύζυγός μου.
- o sízigós mu.

- husband.
- χάσμπαντ.

- ο φίλος μου.
- o fílos mu.

- friend.
- φρεντ.

Δεν έχω ξαναέλθει στην Ελλάδα.
dhen ého ksanaélthi stin Elládha.

I have never been to Greece before.
άι χεβ νέβερ μπιιν του γκρις μπιφόρ.

Εδώ ζω όλη μου τη ζωή.
edhó zo óli mu ti zoí.

I live here all my life.
άι λιβ χίαρ ολ μάι λάιφ.

Είμαι εδώ για μια εβδομάδα
τώρα.
íme edhó yiá mia evdhomádha
tóra.

**I have been here for a week
now.**
άι χεβ μπιιν χίαρ φορ ε γουίκ
νάου.

Είμαι εργάτης.
íme ergátis.

I'm a worker.
άι'μ ε γουόρκερ.

Είμαι μαθητής.
íme mathitís.

I'm a student.
άι'μ ε στιούντεντ.

Είμαστε μέλη:
ímaste méli:

We are members of the:
γουί αρ μέμμπερς οφ δε:

- Της αντιπροσωπείας των
εργατών
tis andiprosopías ton ergatón.

- Worker's delegation.
γουόρκερ'ς ντελεγκέισσον.

- Της αθλητικής αντιπροσω-
πείας.
- tis athlitikís adiprosopías.

- Sports delegation.
- σπορτς ντελεγκέισσον.

- Της αντιπροσωπείας των
γυναικών.
- tis adiprosopías ton yinekón.

- Women's delegation.
- γουίμεν'ς ντελεγκέισσον.

- Της αντιπροσωπείας της
νεολαίας.
- tis adiprosopías tis neoléas.

- Youth delegation.
- γιουθ ντελεγκέισσον.

- Της αντιπροσωπείας της
παιδείας.
- tis adiprosopías tis pedhías.

- Educationl delegation.
- εντιουκέισσον ντελιγκέισσον.

Είναι μια θαυμάσια χώρα.
íne mia thavmásia hóra.

It's a marvellous country.
ιτ'ς ε μάρβελους κάν-τρι.

Είσθε ο κύριος [η κυρία, η δε-
σποινίδα] ...
ísthe o kírios [i kiría, i dhes-
pinídha] ...

Are you Mr (Mrs, Miss) ...
αρ γιου μίστερ (μίσιζ, μις] ...

Επιτρέψτε μου να συστήσω
τον Κύριο...
epitrépste mu na sistíso ton

Allow me to introduce Mr ...
αλάου μι του ιντροντιούς μίστερ

kírio ...

- Είμαι πολύ χαρούμενος που σας γνωρίζω

- ime polí harúmenos pu sas gnorízo

- Είμαι πολύ χαρούμενος που σας συναντώ.

- íme polí harúmenos pu sas sinandó.

Είναι η πρώτη σας επίσκεψη;

íne i próti sas epískepsi?

Εργάζομαι στο εργοστάσιο.

ergázome sto ergostásio.

Έρχομαι εδώ για πρώτη φορά.

érhome edhó yiá próti forá.

Ευχαρίστησή μου.

efharístisí mu.

Έχω έλθει με τη σουηδική, γαλλική, αντιπροσωπεία.

ého élthi me ti suidhikí, gallikí andiprosopía.

- Να παρακολουθήσω τους εορτασμούς της ...

- na parakoluthíso tus eortasmús tis ...

- Για τους εορτασμούς της ημέρας της εθνικής ανεξαρτησίας.

- yiá tus eortasmús tis iméras tis ethnikís aneksartisías.

...

- I am very pleased to meet you.

- άι αμ βέρι πλιζ-ντ του μίιτ γιου.

- I am very pleased to see you.

- άι αμ βέρι πλιζ-ντ του σιι γιου.

Is it your first visit?

ιζ ιτ γιορ φερστ βίζιτ;

I work in the factory.

άι γουόρκ ιν δε φάκτορι.

I have come here for the first time.

άι χεβ καμ χίαρ φορ δε φερστ τάιμ.

The pleasure is mine.

δε πλέζιουρ ιζ μάιν.

I've come with the Swedish, French, delegation.

αί'β καμ γουίθ δε σουίντις, φρεντς, ντελεγκέισσον.

- To attend the ... celebrations.

- του ατέννт δε ... σελεμπρέισσονς.

- For the National day celebrations.

- φορ δε νάσσιοναλ ντέι σελεμπρέισσονς.

Έχω έλθει στην Ελλάδα:
ého élthi stin Elládha:

I have come to Greece:
άι χεβ καμ το γκρις:

- Σταλμένος από την εταιρία μου.
- stalménos apó tin etería mu.

- sent by my firm.
- σεντ μπάι μάι φιρμ.

- σαν επιχειρηματίας.
- san epihirimatías.

- as an businessman.
- αζ εν μπίζνεσμαν.

- σαν τουρίστας.
- san turístas.

- as a tourist.
- αζ ε τούριστ.

Έχω ακούσει πολλά για την Ελλάδα.
ého akúsi polá yiá tin Elládha.

I've heard a lot about Greece.
άι'β χερ-ντ ε λοτ ε-μπάουτ γκρίις.

Έχω τρία χρόνια που ζω ε-δώ.
ého tría hrónia pu zo edhó.

I've been living here for three years.
άι'β μπίιν λίβινγκ χίαρ φορ θρι γίαρς.

Ζείτε εδώ;
zíte edhó?

Do you live here?
ντου γιου λιβ χίαρ;

Θα μείνω για ...
tha míno yiá ...

I will stay for ...
άι γουίλ στέι φορ ...

Θέλετε να πάμε ...
thélete na páme ...

Shall we go to ...
σαλ γούι γκόου του ...

Κάθε τι είναι καθαρό και στη θέση του.
káthe ti íne katharó ke sti thési tu.

Everything is tidy and clean.
έβριθινγκ ιζ τάι-ντι εννντ κλιν.

Κατάγομαι από τη Γερμανία, Γαλλία, Σουηδία.
katágome apó ti Yermanía, Gallía, Suidhía.

I come from Germany, France, Sweden.
άι καμ φρομ τζέρμανι, φρανς, σουί-ντεν.

Κατασκευάζετε σύγχρονη βαριά βιομηχανία.
kataskevázete sínhroni variá viomihanía.

You are building up modern heavy industry.
γιου αρ μπίλ-ντινγκ απ μό-ντερν χέβι ίν-νταστρι.

Μας αρέσει πάρα πολύ.
mas arési pára polí.

We like it very much.
γουί λάικ ιτ βέρι ματς.

Με τι ασχολείσθε;
me ti asholísthe?

What do you do?
χουάτ ντου γιου ντου;

Μπορείτε να βρείτε λίγο ε-λεύθερο χρόνο;
boríte na vríte lígo eléfthero hróno?

Do you think you could find some free time?
ντου γιου θινκ γιου κου-ντ φάιννντ σαμ φρίι τάιμ;

Μπορούμε να συναντηθού-με ...
borúme na sinadithúme ...

Can we meet ...

κεν γούι μιτ ...

- Ναι, πότε θα συναντηθού-με;
ne, póte tha sinadithúme?

- Yes, when shall we meet?

γιες, χουέν σσαλ γουί μίιτ;

Μπορείτε να μας πείτε κάτι γι' αυτό;
mporíte na mas píte káti yi' aftó?

Can you tell us something about that?
κεν γιου τελ ας σάμθινγκ ε-μπάουτ δατ;

Οι άνθρωποι είναι πολύ ευ-τυχείς.
i ánthropi ine polí eftihís.

The people are very happy.

δε πιπλ αρ βέρι χάπι.

Πάμε κάπου;
páme kápu?

Shall we go somewhere?
σαλ γούι γκόου σάμγουεαρ;

Περνώ τις διακοπές μου ε-δώ.
pernó tis dhiakopés mu edhó.

I am spending my holidays here.
άι αμ σπέν-ντινγκ μάι χολι-ντέις χίαρ.

Πόσον καιρό ζείτε εδώ;

póso keró zíte edhó?

How long have you been living here?
χάου λονγκ χεβ γιου μπίιν λίβιν-γκ χίαρ;

Πόσον καιρό θα μείνετε ε-δώ;
póso keró tha mínete edhó?

How long will you be staying here?
χάου λονγκ γουίλ γιου μπι στέινγκ χίαρ;

Πού εργάζεσθε;
pu ergázesthe?

Where do you work?
χουέαρ ντου γιου γουόρκ;

Πού μένετε; pu ménete?	**Where are you staying?** γουέαρ αρ γιου στέινγκ;
Πώς ονομάζεσαι; pos onomázese?	**What is your name?** χουάτ ιζ γιορ νέιμ;
- Ονομάζομαι ... - onomázome ...	**- My name is ...** - μάι νέιμ ιζ ...
- Το όνομά μου είναι ... - to ónomá mu íne ...	**- My name is ...** - μάι νέιμ ιζ ...
Σας ευχαριστώ! sas efharistó!	**Thank you!** θενκ γιου!
Τι θα κάνετε απόψε; ti tha kánete apópse?	**What are you doing tonight?** γουότ αρ γιου ντούινγκ του-νάιτ;
Τι σπουδάζετε; ti spudházete?	**What are you studying?** χουάτ αρ γιου στά-ντινγκ;
- Σπουδάζω ιατρική. - spudházo iatrikí.	**- I am studying medicine.** - άι αμ στάντινγκ μέντισιν.
Τι επάγγελμα κάνετε; ti epángelma kánete?	**What is your profession?** χουάτ ιζ γιόρ προφέσσον;
Χάρηκα για την γνωριμία σας! hárika yia tin gnorimía sas!	**I am glad to make your acquaintance!** άι εμ γκλα-ντ του μέικ γιορ α-κουέιν-τενς

03. ΕΥΧΕΣ	03. WISHES
efhés	γουίσσιζ

Αισθάνομαι άσχημα.
esthánome áshima.
I don't feel well.
άι ντον't φιλ γουέλ.

Αντίο!
adío!
Good bye!
γκου-ντ μπάι!

Αρκετά καλά.
arketá kalá.
Quite well.
κουάιτ γουέλ.

Ας πιούμε ... !
as piúme ... !
Let us drink ... !
λετ ας ντρινκ ... !

- στην επιτυχία σας!
- stin epitihía sas!
- to your success!
- του γιορ σακσές!

- στη φιλία μας!
- sti filía mas!
- to our friendship!
- του άουρ φρέννtσιπ!

Γεια!
yiá!
Hello!
χελόου!

Δεν αισθάνομαι καλά.
dhen esthánome kalá.
I feel bad.
άι φιλ μπα-ντ.

Εις υγείαν!
is iyían!
Good health!
γκουντ χελθ!

Ελπίζω να σας βρω καλύτε-ρα την επόμενη φορά.
elpízo na sas vro kalítera tin epómeni forá.
I hope to find you even better next time.
άι χοπ του φάιν-ντ γιου ίιβεν μπέτερ νεκστ τάιμ.

- Πιο δυνατό.
- pio dhinató.
- Even stronger.
- ίιβεν στρόνγκερ.

Ευτυχισμένα!
eftihisména!
Cheers!
τσίιρς!

Ευτυχισμένος ο καινού-ριος χρόνος!
eftihisménos o kenúrios hró-nos!
Happy New Year!

χέπι νιου γίαρ!

Έχω πολύ καιρό να σας δω.

ého polí keró na sas dho.

I haven't seen you for ages (long).
άι χεβν't σίιν γιου φορ έιτζιζ (λονγκ).

Καλημέρα!
kaliméra!

Good morning!
γκου-ντ μόρνινγκ!

Καληνύχτα!
kaliníhta!

Good night!
γκου-ντ νάιτ!

Καλησπέρα!
kalispéra!

Good evening!
γκου-ντ ίιβνινγκ!

Καλό απόγευμα!
kaló apógevma!

Good afternoon!
γκου-ντ άφτερνούν!

Καλό ταξίδι!
kaló taksídhi!

Have a nice trip (journey)!
χεβ ε νάις τριπ (τζέρνι)!

Καλώς ήρθατε!
kalós írthate!

(You're) welcome!
(γιου'ρ) γουέλκαμ!

Να μου επιτρέψετε να σας χαιρετίσω εκ μέρους της α-νтιπροσωπείας, της ομάδας ...
na mu epitrépsete na sas here-tíso ek merus tis andiprosopías, tis omádhas ...

Allow me to greet you on behalf of the delegation, group ...
αλάου μι του γκρίιτ γιου ον μπιχάφ οβ δε ντελιγκέισσον, γκρουπ ...

Πολλούς χαιρετισμούς σε ό-λους.
pollús heretismús se ólus.

Give my best regards to them all.
γκιβ μάι μπεστ ριγκάρ-ντς του δεμ ολ.

Πώς είσθε;
pos ísthe?

How do you do?
χάου ντου γιου ντου;

Πώς είναι η οικογένειά σας;
pos íne i ikoyeniá sas?

How is your family?
χάου ιζ γιορ φάμιλι;

- Εσείς τι κάνετε;
- esís ti kánete?

- What about you?
- χουάτ ε-μπάουτ γιου;

- Πολύ καλά, ευχαριστώ!
- Polí kalá, efharistó!

- Very well, thanks!
- βέρι ουέλ, θενκς!

- Ο άντρας μου είναι άρρω-
στος.
- o ándras mu íne árostos.
- **Γρήγορη ανάρρωση!**
- grígori anárosi!
- **Περαστικά!**
- perastiká!
- **Είμαστε πολύ καλά!**
- ímaste polí kalá!
Πώς περάσατε στο ταξίδι;
pos perásate stó taksídhi?
- **Ταξιδέψαμε αρκετά καλά.**
- taksidhépsame arketá kalá.
- **Το ταξίδι ήταν λίγο κουρα-
στικό.**
- to taksídhi ítan lígo kurastikó.
Πώς τα πάτε;
pos ta páte?
**Σας ευχαριστώ για το θερμό
καλωσόρισμα.**
sas efharistó yiá to thermó
kalosórisma.
**Σας ευχόμαστε περισσότε-
ρες επιτυχίες στη δουλειά
σας!**
sas efhómaste perissóteres
epitihíes sti duliá sas!
**Σας είμαι [είμαστε] πολύ
ευγνώμονες!**
sas íme [ímaste] polí evgnó-
mones!
Στην υγειά της φιλίας μας!

stin iyiá tis filías mas!

- **My husband is ill.**

- μάι χάζμπαν-ντ ιζ ιλ.
- **Quick recovery!**
- κουίκ ρικάβερι!
- **Hope you'll recover soon!**
- χοπ γιου'λ ρικάβερ σουν!
- **We are very well!**
- γουί αρ βέρι γουέλ!
Did you have a nice journey?
ντιντ γιου χεβ ε νάις τζέρνι;
- **Oh, yes, a comfortable one.**
- ο, γιες, ε κόμφορτα-μπλ ουάν.
- **Well, it was a bit tiring.**

- ουέλ, ιτ γουόζ ε μπιτ τάιρινγκ.
How are you getting on?
χάου αρ γιου γκέτινγκ ον;
**Thank you for your warm
welcome.**
θενκ γιου φορ γιορ γουόρμ
ουέλκαμ.
**We wish you successes in
your work!**

γουί γουίσς γιου σακσέσιζ ιν
γιορ γουέρκ!
**I (we) am (are) very grate-
ful to you!**
άι (γουί) αμ (αρ) βέρι γκρέιτ-
φουλ του γιου!
Let us drink to our friendship!
λετ ας ντρινκ του άουαρ φρέν-
ντσιπ!

Στην υγειά σας!
stin iyiá sas!
Τι νέα;
ti néa?
Τις καλύτερες ευχές μου!
tis kalíteres efhés mu!
Χαιρετισμούς στη γυναίκα σας!
heretismús sti yinéka sas!
Χαιρετισμούς στην ...!
heretismús stin ...!
Χαιρετίστε μου τον ... αντίο!

heretíste mu ton ... adío!
Χαρά μου να σας γνωρίσω!
hará mu na sas gnoríso!
Χρόνια πολλά για τα γενέθλια σου, να ζήσεις εκατό χρόνια!
hrónia pollá yiá ta yenéthlia su, na zísis ekató hrónia!

To your health!
του γιορ χελθ!
What's the news?
χουάτ'ς δε νιούζ;
My best wishes!
μάι μπεστ γουίσιζ!
Remember me to your wife!

ριμέμπερ μι του γιορ γουάιφ!
Give my regards to ...!
γκιβ μάι ριγκάρντς του ...!
Remember me to ... goodbye!
ριμέμπερ μι του ... γκου-ντμπάι!
Glad to meet you!
γκλα-ντ του μίιτ γιου!
Happy birthday (many happy returns of the day)!
ε χάπι μπέρθ-ντεϊ (μένι χάπι ριτέρνς οφ δε ντέι)!

04. ΠΡΟΣΚΛΗΣΗ, ΑΙΤΗΣΗ, ΑΠΟ-ΔΟΧΗ, ΑΡΝΗΣΗ

04. INVITATION, REQUEST, ACCEPTANCE, REFUSAL

prósklisi, étisi, apodhohí, árnisi

ινβιτέισσον, ρικουέστ, ακσέ-πτανς, ριφιούζαλ

Αγαπητοί φίλοι!
agapití fíli!
Dear friends!
ντίαρ φρεν-ντς!

Βέβαια.
vévea.
Certainly.
σέρτενλι.

Δεν γίνεται.
dhen yínete.
It doesn't go.
ιτ νταζν'τ γκόου.

Δεν είμαι υπέρ αυτού.
dhen íme ipér aftú.
I'm not for that.
άι'μ νοτ φορ δατ.

Δεν είναι αλήθεια.
dhen íne alíthia.
It is not true.
ιτ ιζ νοτ τρου.

Δεν έχω αντιρρήσεις.
dhen ého andirísis.
I have no objections to it.
άι χεβ νόου ο-μπτζέκσσονς του ιτ.

Δεν συμφωνώ μαζί σας.
dhen simfonó mazí sas.
I don't agree with you.
άι ντον'τ αγκρίι γουίθ γιου.

Δεσποινίδα.
dhespinídha.
Miss.
μις.

Δυστυχώς, πρέπει ν' αρνη-θώ.
dhistihós, prépi n'arnithó.
Unfortunately, I have to refuse it.
ανφόρτσιουνετλι, άι χεβ του ριφιούζ ιτ.

Εγκάρδιους χαιρετισμούς!
egárdhius heretismús!
Cordial greetings!
κόρντιαλ γκρίιτινγκς!

Είμαι κατά αυτού.
íme katá aftú.
I don't agree.
άι ντον'τ αγκρίι.

Είμαστε πεπεισμένοι γι' αυτό.
ímaste pepisméni yi' aftó.
We are convinced of this.
γουί αρ κονβίνσντ οφ δις.

Είναι αδύνατον.
íne adhínaton.
It's impossible.
ιτ'ς ιμπόσιμ-πλ.

Είσθε προσκεκλημένος στο πάρτι μας το βράδυ.
You're invited to our party tonight.

ísthe proskekliménos sto párti mas to vrádhi.

Είσθε προσκεκλημένος στο πάρτι των γενεθλίων μου αύριο.

ísthe proskeklíménos sto párti ton yenethlíon mu ávrio.

Έλαβα την πρόσκλησή σας.

élava tin prósklisí sas.

Ελάτε στο σπίτι παρακαλώ να με πάρετε.

eláte sto spíti parakaló na me párete.

Εντάξει.

endáksi.

Ευχαριστώ για την προσοχή σας.

efharistó yiá tin prosohí sas.

Ευχαριστώ για τη συμβουλή σας.

efharistó yiá ti simvulí sas.

Ευχαριστώ, δεν επιθυμώ.

efharistó, dhen epithimó.

Ευχαριστώ, επίσης.

efharistó, epísis.

Έχετε δίκιο.

éhete dhíkio.

Έχουμε την τιμή να έχουμε έναν Έλληνα φίλο μαζί μας.

éhume tin timí na éhume énan éllina fílo mazí mas.

γιου'ρ ινβάιτι-ντ του άουρ πάρτι τουνάιτ.

You're invited to my birthday party tomorrow.

γιου'ρ ινβάιτι-ντ του μάι μπέρθντεϊ πάρτι τουμόροου.

I received your invitation.

άι ρισίιβντ γιορ ινβιτέισσον.

Please, come and pick me up at home.

πλίζ καμ εννт πικ μι απ ατ χόουμ.

Alright.

ολράιτ.

Thank you for your attention.

θενκ γιου φορ γιορ ατένσσον.

Thank for your advise.

θενκ γιου φορ γιορ α-ντβάις.

I would rather not.

άι γου-ντ ράδερ νοτ.

Thanks, the same to you.

θενκς, δε σέιμ του γιου.

You're right.

γιου'ρ ράιτ.

We have the honor to have a Greek friend with us.

γουί χεβ δε όνορ του χεβ ε γκρίικ φρεν-ντ γουίθ ας.

Ήταν πολύ ευγενικό εκ μέρους σας.
ítan polí evyenikó ek mérus sas.
ιτ γουόζ βέρι κάιν-ντ οβ γιου.
It was very kind of you.

Θα θέλατε να επισκεφθείτε το μουσείο μαζί μας;
tha thélate na episkefthíte to musío mazí mas?
γου-ντ γιου λάικ του βίζιτ δε μιουζίουμ γουίθ ας;
Would you like to visit the museum with us?

Θα θέλατε να παίξουμε μια παρτίδα σκάκι;
tha thélate na péksume mia partídha skáki?
γου-ντ γιου λάικ του πλέι ε γκέιμ οβ τσες;
Would you like to play a game of chess?

Θα έλθετε στον κινηματογράφο;
tha élthete ston kinimatográfo?
γουίλ γιου γκόου του δε μούβις γουίθ ας;
Will you go to the movies with us?

Ίσως, μπορεί.
isos, borí.
πρόμπα-μπλι, λάικλι.
Probably, likely.

Κάθε άλλο.
káthe állo.
νοτ ετ ολ.
Not at all.

Καθήστε.
kathíste.
σιτ ντάουν.
Sit down

Κλείστε την πόρτα, παρακαλώ.
klíste tin pórta, parakaló.
κλόουζ δε ντορ, πλιζ.
Close the door, please.

Κύριος.
kírios.
μίστερ.
Mister.

Κυρία.
kiría.
μίσιζ.
Mistress.

Κυρίες και κύριοι.
kiríes ke kírii.
λέιντιζ εννт τζέντλεμεν.
Ladies and Gentlemen.

Λυπούμαι, δεν μπορώ, δεν αισθάνομαι καλά.
lipúme, dhen boró, dhen esthánome kalá.
άι'μ σόρι, άι'μ νοτ φίλινγκ γουέλ.
I'm sorry, I'm not feeling well.

Λυπούμαι, δεν μπορώ να ι-
I can't meet your request,

κανοποιήσω την αίτησή σας.
lipúme, dhen boró na ikano-
píiso tin étisí sas.

Λυπούμαι, είμαι απασχολημένος.
lipúme, íme apasholiménos.

Λυπούμαι, πρέπει να σας αντικρούσω.
lipúme, prépi na sas adikrúso.

Με βαθιά εκτίμηση!
me vathiá ektímisi!

Με κανέναν τρόπο.
me kanénan trópo.

Με όλη την ευχαρίστηση.
me óli tin efharístisi.

Με χαρά μου δέχομαι την πρόσκλησή σας.
me hará mu dhéhome tin prósklisí sas.

Μπορώ να μιλήσω με τον κύριο ...
boró na milíso me ton kírio ...

- Φυσικά μπορείτε, θα είναι εδώ σε ένα λεπτό.
- fisiká boríte, tha íne edhó se éna leptó.

- Δυστυχώς δεν μπορείτε, είναι απασχολημένος.
dhistihós den boríte, íne apasholiménos.

- Καλά, θα έρθω μια άλλη φορά.
- kalá, tha értho miá álli forá.

it's a pity.
άι κεν'τ μίιτ γιορ ρικουέστ, ιτ'ς ε πίτι.

Sorry, I'm busy.
σόρι, άι'μ μπίζι.

I'm afraid I have to contradict you.
άι'μ αφρέι-ντ άι χεβ του κοντραντίκτ γιου.

With deep respect!
γουίθ ντίιπ ρισπέκτ.

In no way.
ιν νόου ουέι.

I should be delighted.
άι σσουντ μπι ντιλάιτι-ντ.

I'm glad to accept your invitation.
άι αμ γκλα-ντ του ακσέπτ γιορ ινβιτέισσον.

Can I talk to Mr ... ?
κεν άι τοκ του μίστερ ... ;

- Of course you can, he'll be here in a minute.
οφ κορς γιου κεν, χι'λ μπι χίαρ ιν ε μίνιτ.

- Unfortunately, you can't, he's busy.
- ανφόρτσιουνετλι, γιου κεν'τ, χι'ζ μπίζι:

- O.K. I'll come back another time.
- ο κέι, άι'λ καμ μπακ ενάδερ τάιμ.

Μπορώ να σας ενοχλήσω μια στιγμή;
boró na sas enohlíso mia stigmí?
Could you spare me a minute?
κου-ντ γιου σπέαρ μι ε μίνιτ;

Μπορώ να σας ρωτήσω;
boró na sas rotíso?
May I ask you?
μέι άι ασκ γιου;

Ναι, ευχαρίστως.
ne, me efharístos.
Yes, with pleasure.
γιες, γουίθ πλέζουρ.

Ναι, σας ευχαριστώ πολύ.
ne, sas efharistó polí.
Yes, thank you very much.
γιες, θενκ γιου βέρι ματς.

Οι καλύτερές μας ευχαριστίες για τη θερμή υποδοχή.
i kalíterés mas efharistíes yiá ti thermí ipodhohí.
Our best thanks for your warm reception.
άουρ μπεστ θενκς φορ γιορ γουόρμ ρισέπσσον.

Όχι, δεν μπορώ, λυπούμαι.
óhi, dhen boró, lipúme.
No, I can't, I'm sorry.
νόου, άι κεν't, άι'μ σόρι.

Όχι, ευχαριστώ.
óhi, efharistó.
No, thank you.
νόου, θενκ γιου.

Παρακαλώ, έχετε την καλοσύνη να δεχθείτε την πρόσκλησή μας για δείπνο το βράδυ;
parakaló, éhete tin kalosíni na dhehthíte tin prósklisí mas yiá dhípno to vrádhi?
Please, be so kind as to accept our invitation to dinner tonight?
πλίζ, μπι σόου κάιν-ντ ας του αξέπτ άουρ ινβιτέισσον του ντίνερ τουνάιτ;

Πάρτε θέση.
párte thési.
Take a seat.
τέικ ε σίιτ.

Περάστε μέσα, παρακαλώ.
peráste mésa, parakaló.
Come in, please.
καμ ιν, πλίζ.

Πιθανόν, ίσως.
pithanón, ísos.
Perhaps, maybe.
περχάπς, μέιμπι.

Πλησιάστε, παρακαλώ!
plisiáste, parakaló!
Come nearer, please!
καμ νίαρερ, πλίζ!

Πολύ καλά.
polí kalá.
Very well.
βέρι γουέλ.

Ποτέ [ουδέποτε].
poté [udhépote].
Never.
νέβερ.

Σας είμαι ευγνώμων.
sas íme evgnómon.
I am grateful to you.
άι αμ γκρέιτφουλ του γιου.

Σας ευχαριστώ, ευχαριστού-
με ειλικρινά.
sas efharistó, efharistúme ilikriná.
I, we thank you sincerely.
άι, γουί θενκ γιου σινσίρλι.

Σας ευχαριστώ πολύ.
sas efharistó polí.
Thank you, very much.
θενκ γιου, βέρι ματς.

Σας ευχαριστώ πολύ για τη
βοήθεια.
sas efharistó polí yiá ti voíthia.
Many thanks for your help.
μένι θενκς φορ γιορ χελπ.

Σας προσκαλούμε.
sas proskalúme.
We invite you.
γουί ινβάιτ γιου.

Σε τι μπορώ να σας εξυπη-
ρετήσω;
se ti boró na sas eksipiretíso?
What can I do for you?
γουότ κεν άι ντου φορ γιου;

Συμφωνώ.
simfonó.
I agree.
άι αγκρίι.

Σωστά, έτσι ακριβώς.
sostá, étsi akrivós.
Right, quite so.
ράιτ, κουάιτ σόου.

Φίλος, Φίλη.
fílos, fíli.
Friend.
φρέν-ντ.

Φυσικά, βέβαια.
fisiká, vévea.
Of course, certainly.
οφ κορς, σέρτενλι.

Χαιρετισμός.
heretismós.
Greeting.
γκρίτινγκ.

Χαιρετώ.
heretó.
Greet.
γκρίιτ.

Χαίρω πολύ.
héro polí.
How do you do.
χάου ντου γιου ντου.

Χάρηκα για τη γνωριμία σας!
hárika yia ti gnorimía sas!
Pleased to meet you!
πλίισντ του μίιτ γιου!

Χωρίς κανένα φόβο.
horís kanéna fóno.
Without any fear.
γουιδάουτ ένι φίαρ.

Χωρίς αμφιβολία, σίγουρα.
horís amfivolía, sígura.
Undoubtedly, of course.
αν-ντάουτλι, οφ κορς.

05. ΣΥΓΓΝΩΜΗ, ΛΥΠΗ, ΣΥΓ-
ΧΑΡΗΤΗΡΙΑ, ΣΥΛΛΥΠΗΤΗΡΙΑ

signómi, lípi, sinharitíria, silli-
pitíria

Δυστυχώς, είναι αδύνατον.

dhistihós, íne adhínaton.

**Είμαι βαθιά δυσαρεστημέ-
νος.**
íme vathiá dhisarestiménos.
Είμαι πολύ πικραμένος.
íme polí pikraménos.
Είναι κρίμα που ...
íne kríma pu ...
Ελπίζω να σας ξαναδώ.
elpízo na sas ksanadhó.
**Επιτρέψτε μου να σας χαιρε-
τήσω εκ μέρους της αντι-
προσωπείας.**
epitrépste mu na sas heretíso ek
mérus tis andiprosopías.
Επιτυχίες!
epitihíes!
**Ήταν μια μεγάλη απώλεια
για όλους.**
ítan mia megáli apólia yiá ólus.
Θα ήθελα να τηλεφωνήσω.

tha íthela na tilefoníso..

Θα χαρώ πολύ.
tha haró polí.
Λυπήθηκα όταν άκουσα ότι

05. APOLOGY, REGRET, CON-
GRATULATIONS, CONDOLENCES

απόλοτζι, ριγκρέτ, κονγκρα-
τσουλέισσονς, κονντόουλενσιζ

**Unfortunately, it's impos-
sible.**
ανφόρτσιουνατλι, ιτ'ς ιμπόσι-
μπλ.
I'm deeply dissatisfied.

άι'μ ντίιπλι ντισατισφάι-ντ.
I'm deeply distressed.
άι'μ ντίιπλι ντιστρέσ-ντ.
It's a pity that ...
ιτ'ς ε πίτι δατ ...
I hope to see you again.
άι χοπ του σίι γιου αγκέιν.
**Allow me to greet you on
behalf of the delegation.**

αλάου μι του γκρίιτ γιου ον
μπιχάφ οφ δε ντελεγκέισσον.
Successes!
σακσέσιζ!
It was a great loss for all.

ιτ γουόζ ε γκρέιτ λος φορ ολ.
**I would like to use the
phone.**
άι γου-ντ λάικ του γιούζ δε
φον.
I'll be very glad.
άι'λ μπι βέρι γκλα-ντ
I was sorry to hear about

αρρωστήσατε.
lipíthika ótan ákusa óti ar-
rostísate.
Λυπούμαι.
lipúme.
Λυπούμαι πολύ γι' αυτό.
lipúme polí yi' aftó.
Με βαθιά λύπη.
me vathiá lípi.
Με λύπη σας πληροφορώ ...
me lípi sas pliroforó ...
**Με συγχωρείτε για την ενό-
χληση.**
me sighoríte yiá tin enóhlisi.
**Με συγχωρείτε για την αρ-
γοπορία.**
me sighoríte yiá tin argoporía.

Να ζήσεις 100 χρόνια!
na zísis 100 hrónia!
**Να μου γράψεσετε ότι φτά-
σατε καλά και με υγεία.**
na mu grápsete óti ftásate kalá
kai me iyía.
**Παρακαλώ, μη με παρεξη-
γείτε.**
parakaló, mi me pareksiyíte.
**Παρακαλώ, φωνάξετε την α-
στυνομία.**
parakaló, fonáksete tin astino-
mía.
**Πρέπει να σας ζητήσω συγ-
γνώμη.**
prépi na sas zitíso signómi.
Σου εύχομαι καλή υγεία!
su éfhome kalí iyía!

your illness.
άι γουόζ σόρι του χίαρ εμπά-
ουτ γιορ ίλνες.
I'm sorry.
άι'μ σόρι.
I'm sorry about that.
άι'μ σόρι αμπάουτ δατ.
With deep regret.
γουίθ ντίιπ ριγκρέτ.
I regret to inform you ...
άι ριγκρέτ του ινφόρμ γιου ...
Sorry for disturbing you.

σόρι φορ ντιστέρ-μπινγκ γιου.
**I am sorry about coming
late.**
άι αμ σόρι αμπάουτ κάμινγκ
λέιτ.
Many happy returns!
μένι χάπι ριτέρνς!
**Write to let me know you
arrived safe and sound.**
ράιτ του λετ μι νόου γιου α-
ράιβντ σέιφ εν-ντ σάουν-ντ.
Please, don't take it amiss.

πλίζ, ντον't τέικ ιτ αμίς.
Please, call the police.

πλίζ, κολ δε πολίς.

I have to apologize.

άι χεβ του απολοτζάιζ.
I wish you good health!
άι γουίσς γιου γκου-ντ χελθ!

Συγγνώμη.
signómi.
Excuse me.
εξκιούζ μι.

Συγχαρητήρια!
sigharitíria!
Congratulations!
κονγκρατσιουλέισσονς!

Συγχαρητήρια για τον αρρα-βώνα σας.
sigharitíria yiá ton arravóna sas.
Congratulations on your engagement.
κονγκρατσιουλέισσονς ον γιορ ενγκέιτζμεντ.

- για το γάμο σας.
- yiá to gámo sas.
- on your wedding.
- ον γιορ γουέ-ντινγκ.

- για την επιτυχία σας.
- yiá tin epitihía sas.
- on your success.
- ον γιορ σακσές.

Συμμερίζομαι τη λύπη σου.
simerízome ti lípi su.
I share your sorrow.
άι σέαρ γιορ σόροου.

Τα συλλυπητήριά μου!
ta sillipitíriá mu!
My condolences!
μάι κον-ντόουλενσιζ!

Τέτοιες περιπτώσεις είναι σπάνιες.
téties periptósis íne spánies.
Such cases are very rare.
σατς κέισιζ αρ βέρι ρέαρ.

Τι κρίμα!
ti kríma!
What a pity!
χουάτ ε πίτι!

06. ΗΛΙΚΙΑ	**06. AGE**
ilikía	έιτζ

Γιαγιά.
yiayiá.
Grandmother.
γκράν-ντμάδερ.

Είμαστε ξαδέλφια.
ímaste ksadhélfia.
We are cousins.
γουί αρ κάζινς.

Είσθε παντρεμένος, [- η];
ísthe pandreménos, [- i]?
Are you married?
αρ γιου μάρι-ντ;

- άγαμος, [- η];
- ágamos, [- i]?
- single?
- σινγκλ;

- εργένης;
- eryénis?
- bachelor?
- μπάτσελορ;

- χήρα;
- híra?
- widow?
- γουί-ντοου;

- χήρος;
- híros?
- widower?
- γουί-ντοουερ;

Είμαι αρραβωνιασμένος.
- íme arravoniasménos.
I am engaged to be married.
- άι αμ ενγκέιτζ-ντ του μπι μάρι-ντ.

Έχω τρία παιδιά, μια κόρη και δυο γιούς.
ého tría pedhiá, miá kóri ke dhió yiús.
I have three children, one daughter and two sons.
άι χεβ θρίι τσίλ-ντρεν, ουάν ντόουτερ εν-ντ του σανς.

Μωρό.
moró.
Baby.
μπέι-μπι.

Πόσο χρονών είσθε;
póso hronón ísthe?
How old are you?
χάου ολ-ντ αρ γιου;

- είμαι είκοσι πέντε χρονών.
- íme íkosi péde hronón.
- I am 25 years old.
- άι αμ τουέντι φάιβ γίαρς ολ-ντ.

- τριάντα χρονών.
- triáda hronón.
- thirty years old.
- θέρτι γίαρς ολντ.

- **Σαράντα χρονών.**
- saráda hronón.
- **Πενήντα χρονών.**
- penínda hronón.
- **Φέτος συμπληρώνω δέκα οκτώ χρόνια.**
- fétos siblieróno dhéka októ hrónia.
- **Είμαστε συνομήλικοι.**
- ímaste sinomíliki.

Πόσων χρονών είναι η κόρη σου;
póson hronón íne i kóri su?

Πόσων χρονών είναι ο γιος σου;
póson hronón íne o yiós su?

- **forty years old.**
- φόρτι γίαρς ολ-ντ.
- **fifty years old.**
- φίφτι γίαρς ολ-ντ.
- **I am 18 this year.**
- άι αμ εϊτίν δις γίαρ.
- **We are the same age.**
- γουί αρ δε σέιμ έιτζ.

How old is your daughter?
χάου ολ-ντ ιζ γιορ ντόουτερ;

How old is your son?
χάου ολ-ντ ιζ γιορ σαν;

07. ΟΙΚΟΓΕΝΕΙΑ	07. FAMILY
ikoyénia	φάμιλι

Αγόρι.
agóri.

Boy.
μπόι.

Αδελφός.
adhelfós.

Brother.
μπράδερ.

Ανιψιά.
anipsiá.

Niece.
νίις.

Γιαγιά.
yiayiá.

Grandmother.
γκράν-ντμάδερ.

Γιος, κόρη του θείου.
yiós, kóri tu thíu.

Uncle's son (daughter).
ανκλ'ς σαν, (ντόουτερ).

Εγγονή.
egoní.

Granddaughter.
γκράν-ντντόουτερ.

Εγγονός.
egonós.

Grandson.
γκράν-ντσάν.

Θεία.
thía.

Aunt.
άαντ.

Θείος.
thíos.

Uncle.
ανκλ.

Κορίτσι.
korítsi.

Girl.
γκερλ.

Κουνιάδα.
kuniádha.

Sister in law.
σίστερ ιν λόου.

Κουνιάδος.
kuniádhos.

Brother in law.
μπράδερ ιν λόου.

Μητέρα.
mitéra.

Mother.
μάδερ.

Μητριά.
mitriá.

Stepmother.
στεπμάδερ.

Ξαδέλφη.	**Cousin.**
ksadhélfi.	κάζιν.
Ξάδελφος.	**Cousin.**
ksádhelfos.	κάζιν.
Παππούς.	**Grandfather.**
papús.	γκράν-ντφάδερ.
Πατέρας.	**Father.**
patéras.	φάδερ.
Πατριός.	**Stepfather.**
patriós.	στεπφάδερ.
Πεθερά.	**Mother in law.**
petherá.	μάδερ ιν λόο.
Πεθερός.	**Father in law.**
petherós.	φάδερ ιν λόο.
Σύζυγος (ο n).	**Husband, Wife.**
sízigos.	χάσ-μπαν-ντ, γουάιφ.

08. ΕΠΑΓΓΕΛΜΑΤΑ	08. PROFESSIONS
epagélmata	προφέσσονς

Αγρότης.	**Farmer.**
agrótis.	φάρμερ.
Άνεργος.	**Unemployed.**
ánergos.	ανιμπλόι-ντ.
Ανθρακωρύχος.	**Miner.**
anthrakoríhos.	μάινερ.
Αρτοποιός.	**Baker.**
artopiós.	μπέικερ.
Αρχαιολόγος.	**Archaeologist.**
arheológos.	αρκεόλοτζιστ.
Αρχιτέκτων.	**Architect.**
arhitékton.	άρκιτεκτ.
Βακτηριολόγος.	**Bacteriologist.**
vaktiriológos.	μπακτίριόλοτζιστ.
Βαφέας.	**Painter.**
vaféas.	πέιν-τερ.
Βιβλιοθηκάριος.	**Librarian.**
vivliothikários.	λαϊ-μπρέριαν.
Βιβλιοπώλης.	**Bookseller.**
vivliopólis.	μπουκσέλερ.
Βιολόγος.	**Biologist.**
viológos.	μπαϊόλοτζιστ.
Γεωγράφος.	**Geografer.**
yeográfos.	τζιόγκραφερ.
Γεωλόγος.	**Geologist**
yeológos.	τζιόλοτζιστ.
Γιατρός.	**Doctor.**
yiatrós.	ντόκτορ.
Γλύπτης.	**Sculptor.**
glíptis.	σκάλπτορ.

Γλωσσολόγος.
glossológos.
Linguist.
λίνγκουιστ.
Γραμματέας.
grammatéas.
Secretary.
σέκρετέρι.
Δακτυλογράφος.
dhaktilográfos.
Typist.
τάιπιστ.
Δάσκαλος.
dháskalos.
Teacher.
τίτσερ.
Δερματολόγος.
dhermatológos.
Dermatologist.
ντερματόλοτζιστ.
Δημοσιογράφος.
dhimosiográfos.
Journalist.
τζέρναλιστ.
Δημόσιος υπάλληλος.
dhimósios ipállilos.
Civil servant.
σίβιλ σέρβαντ.
Διαιτητής.
dhietitís.
Arbiter.
άρμπιτερ.
Διερμηνέας.
dhierminéas.
Interpreter.
ιντέρπρετερ.
Δικαστής.
dhikastís.
Judge.
τζα-τζ.
Διπλωμάτης.
dhiplomátis.
Diplomat.
ντίπλομat.
Δραματοποιός.
dhramatopiós.
Dramatist.
ντράματιστ.
Ειδησεογράφος.
idhiseográfos.
Reporter.
ριπόουρτερ.
Εκδότης.
ekdhótis.
Editor.
έ-ντιτορ.
Εκπαιδευτής.
ekpedheftís.
Trainer.
τρέινερ.
Εκφορτωτής.
ekfortotís.
Docker.
ντόκερ.
Επιστήμονας.
epistímonas.
Scientist.
σάιεντιστ.

Επιχειρηματίας.	**Businessman.**
epihirimatías.	μπίζνεσμαν.
Επόπτης.	**Controller.**
epóptis.	κοντρόουλερ.
Επόπτης γραμμών.	**Linesman.**
epóptis grammón.	λάινσμαν.
Εργάτης.	**Worker.**
ergátis.	γουόρκερ.
Ετυμολόγος.	**Etymologist.**
etimológos.	ετιμόλοτζιστ.
Εφαρμοστής.	**Installation- worker.**
efarmostís.	ινσταλέισσον - γουόρκερ.
Εφημεριδοπώλης.	**Newsboy.**
efimeridhopólis.	νιούζ-μπόι.
Ζαχαροπλάστης.	**Confectioner.**
zaharoplástis.	κονφέκσσονερ.
Ζωολόγος.	**Zoologist.**
zoológos.	ζουόλοτζιστ.
Ηθοποιός.	**Actor.**
ithopiós.	άκτορ.
Ηλεκτρολόγος.	**Electrician.**
ilektrológos.	ιλεκτρίσιαν.
Καθηγητής.	**Professor.**
kathiyitís.	προφέσορ.
Καρδιοχειρουργός.	**Heart-surgeon.**
kardhiohirurgós.	χάαρτ-σέρτζεν.
Κηπουρός.	**Gardener.**
kipurós.	γκάρ-ντενερ.
Κουρέας.	**Barber.**
kuréas.	μπάρ-μπερ.
Κτηνίατρος.	**Veterinarian.**
ktiníatros.	βετερινέριαν.
Κτίστης.	**Bricklayer.**
ktístis.	μπρίκλέιερ.

Λιθοξόος.	**Stone- cutter.**
lithoksóos.	στόουν - κάττερ.
Λογιστής.	**Accountant.**
loyistís.	ακάουν-ταντ.
Μαγαζάτορας.	**Shop-keeper.**
magazátoras.	σσοπ-κίιπερ.
Μάγειρας.	**Cook.**
máyiras.	κουκ.
Μαέστρος.	**Conductor.**
maéstros.	κον-ντάκτορ.
Μαθηματικός.	**Mathematician.**
mathimatikós.	μαθιματίσιαν.
Μαμή.	**Midwife.**
mamí.	μί-ντουάιφ.
Μεροκαματιάρης.	**Worker by the day.**
merokamatiáris.	γουόρκερ μπάι δε ντέι.
Μεταλλωρύχος.	**Miner.**
metalloríhos.	μάινερ.
Μηχανικός.	**Engineer.**
mihanikós.	εντζινίαρ.
Μεταλλουργός.	**Metallurgist.**
metalurgós.	μετάλουρτζιστ.
Μηχανικός αυτοκινήτου.	**Car-mechanic.**
mihanikós aftokinítu.	κάαρ-μεκάνικ.
Μουσικός.	**Musician.**
musikós.	μιουζίσιαν.
Ναυτικός.	**Sailor.**
naftikós.	σέιλορ.
Νευρολόγος.	**Neurologist.**
nevrológos.	νιουρόλοτζιστ.
Νηπιαγωγός.	**Nursery governess.**
nipiagogós.	νέρσερι γκάβερνες.
Νοσοκόμος.	**Nurse (maid).**
nosokómos.	νερς (μέιντ).

Ξυλουργός.	**Carpenter.**
ksilurgós.	κάρπεντερ.
Οδηγός.	**Driver.**
odhigós.	ντράιβερ.
Οδοντίατρος.	**Dentist.**
odhodíatros.	ντέντιστ.
Οικοκυρά.	**Housewife.**
ikokirá.	χάουζγουάιφ.
Οικονομολόγος.	**Economist.**
ikonomológos.	ικόνομιστ.
Οπωροπώλης.	**Grocer.**
oporopólis.	γκρόσερ.
Οργανοπαίκτης.	**Instrumentalist.**
organopéktis.	ινστρουμένταλιστ.
Παθολόγος.	**Pathologist.**
pathológos.	παθόλοντζιστ.
Παντοπώλης.	**Grocer.**
padopólis.	γκρόσερ.
Πιανίστας.	**Pianist.**
pianístas.	πίιενιστ.
Πιλότος.	**Pilot.**
pilótos.	πάιλοτ.
Πλύστρα.	**Laundry woman.**
plístra.	λό-ντρι γούμαν.
Ποιητής.	**Poet.**
piitís.	πόετ.
Πραγματογνώμων.	**Appraiser.**
pragmatognómon.	απρέιζερ.
Προσαρμοστής.	**Fitter.**
prosarmostís.	φίτερ.
Ράπτης.	**Tailor.**
ráptis.	τέιλορ.
Σεισμολόγος.	**Seismologist.**
sismológos.	σαϊσμόλοτζιστ.

Σερβιτόρισσα.	**Waitress.**
servitórissa.	γουέιτρες.
Σερβιτόρος.	**Waiter.**
servitóros.	γουέιτερ.
Σκηνοθέτης.	**Stage manager/ Director.**
skinothétis.	στέιντζ μάνατζερ/ νταϊρέκτορ.
Σπουδαστής.	**Student.**
spudhastís.	στιού-ντεν-τ.
Συγγραφέας.	**Writer.**
sigraféas.	ράιτερ.
Συμβολαιογράφος.	**Notary.**
simvoleográfos.	νόταρι.
Σύμβουλος.	**Adviser.**
símvulos.	α-ντβάιζερ.
Συνταξιούχος.	**Pensioner.**
sidaksiúhos.	πένσσονερ.
Σχεδιαστής.	**Designer.**
shedhiastís.	ντιζάινερ.
Ταχυδρόμος.	**Postman.**
tahidhrómos.	πόστμαν.
Ταχυδρομικός υπάλληλος.	**Post- office clerk.**
tahidhromikós ipállilos.	ποστ - όφις κλερκ.
Τεχνίτης.	**Artisan.**
tehnítis.	αρτιζάν.
Τεχνολόγος.	**Technologist.**
tehnológos.	τεκνόλοτζιστ.
Τηλεγραφητής.	**Telegrapher.**
tilegrafitís.	τελέγκραφερ.
Τοπογράφος.	**Topographer.**
topográfos.	τοπόγκραφερ.
Τορνευτής.	**Turner.**
torneftís.	τάρνερ.
Τραγουδιστής.	**Singer.**
tragudhistís.	σίνγκερ.

Υδραυλικός
idhravlikós.
Plumber.
πλάμ-μπερ.

Υπηρέτης.
ipirétis.
Servant.
σέρβαν-τ.

Υπηρέτρια.
ipirétria.
Maid.
μέι-ντ.

Υποδηματοποιός.
ipodhimatopiós.
Shoe- maker.
σσου- μέικερ.

Υπουργός.
ipurgós.
Minister.
μίνιστερ.

Φαρμακοποιός.
farmakopiós.
Pharmacist.
φάαρμασιστ.

Φοιτητής.
fititís.
Student.
στιού-ντεν-τ.

Φιλοτελιστής.
filotelistís.
Philatelist.
φιλάτελιστ.

Φύλακας.
fílakas.
Guard.
γκαρ-ντ.

Φυσικός.
fisikós.
Physicist.
φίζισιστ.

Φωτογράφος.
fotográfos.
Photographer.
φοτόγκραφερ.

Χασάπης.
hasápis.
Bucher.
μπούτσερ.

Χειρουργός.
hirurgós.
Surgeon.
σέρτζαν.

Χρυσοχόος.
hrisohóos.
Silver- smith.
σίλβερ σμιθ.

Ψαλμωδός.
psalmodhós.
Psalmist.
πσάλμιστ.

Ψαράς.
psarás.
Fisherman.
φίσσερμαν.

09. Ο ΚΑΙΡΟΣ

o kerós

Αέρας.
aéras.
Ανατολή ηλίου.
anatolí ilíu.
Άνεμος.
ánemos.
Αστραπή.
astrapí.
Αστράφτει.
astráfti.
Ατμοσφαιρική πίεση.
atmosferikí píesi.
Αυγή.
avyí.
Βρέχει.
vréhi.
Βροντά.
vrodá.
Βροχή.
vrohí.
Βροχοθύελλα.
vrohothíella.
Βροχόπτωση.
vrohóptosi.
Δελτίο καιρού.
dheltío kerú.
Δροσιά.
dhrosiá.
Δροσίζει.
dhrosízi.

09. THE WEATHER

δε γουέδερ

Air.
ερ.
Sunrise.
σανράιζ.
Wind.
γουίν-ντ.
A flash of lighting.
ε φλας οβ λάιτνινγκ.
It lightens.
ιτ λάιτενς.
Air- pressure.
ερ - πρέσιουρ.
Dawn.
ντον.
It's raining.
ιτ'ς ρέινινγκ.
It's thundering.
ιτ'ς θάν-ντερινγκ.
Rain.
ρέιν.
Shower storm.
σάουερ στορμ.
Rainfall.
ρέινφολ.
The weather report.
δε γουέδερ ριπόρτ.
Dew.
ντιου.
It's cooling.
ιτ'ς κούλινγκ.

Δύση ηλίου.
dhísi ilíu.

Είναι άσχημος καιρός.
íne áshimos kerós.

Είναι ο δρόμος σε εκείνη τη διάβαση ελεύθερος από χιόνια;
íne o dhrómos se ekíni ti dhiávasi eléftheros apó hiónia?

Είναι ο δρόμος σε καλή κατάσταση;
íne o dhrómos se kalí katástasi?

Είναι κρύο.
íne krío.

- ζέστη.
- zésti.

- κάψα.
- kápsa.

Είναι πέντε βαθμούς πάνω από το μηδέν.
íne péde vathmús páno apó to midhén.

Είναι πέντε βαθμούς κάτω από το μηδέν.
íne péde vathmús káto apó to midhén.

Έχει πολλή παγωνιά.
éhi pollí pagoniá.

- ομίχλη.
- omíhli.

- πολύ αέρα.
- polí aéra.

Έχει σύννεφα.
éhi sínefa.

Sunset.
σάνσετ.

It's bad weather.
ιτ'ς μπα-ντ γουέδερ.

Is the road over that pass free of snow?
ιζ δε ρόου-ντ όβερ δατ πας φρίι οβ σνόου;

Is the road in good condition?
ιζ δε ρόου-ντ ιν γκου-ντ κοντίσσον;

It's cold.
ιτ'ς κόουλ-ντ.

- warm.
- γουόρμ.

- hot.
- χατ.

It's five degrees above freezing point.
ιτ'ς φάιβ ντιγκρίιζ α-μπάβ φρίιζινγκ πόιν-τ.

It's five degrees below freezing point.
ιτ'ς φάιβ ντιγκρίιζ μπιλόου φρίιζινγκ πόιν-τ.

It's freezing hard.
ιτ'ς φρίιζινγκ χαρ-ντ.

- foggy.
- φόγκι.

- very windy.
- βέρι γουίν-ντι.

It is cloudy.
ιτ ιζ κλάου-ντι.

Η οδική κατάσταση.	**Road condition.**
i odhikí katástasi.	ρόουντ κοννtίσσον.
Ήλιος.	**Sun.**
ílios.	σαν.
Θα έχουμε θύελλα.	**A storm is brewing.**
tha éhume thíella.	ε στορμ ιζ μπρούινγκ.
Θα έχουμε καταιγίδα.	**A storm is brewing.**
tha éhume kateyídha.	ε στορμ ιζ μπρούινγκ.
Θα κάνει παγωνιά το βράδυ.	**There will be a frost tonight.**
tha káni pagoniá to vrádhi	δέαρ γουίλ μπι ε φροστ του-νάιτ.
Θα συνεχισθεί η καλοκαιρία;	**Is the fine weather going to continue?**
tha synehisthí i kalokería?	ιζ δε φάιν γουέδερ γκόουινγκ του κοντίνιου;
Θα φύγει η ομίχλη;	**Is the fog going to lift?**
tha fíyi i omíhli?	ιζ δε φογκ γκόουινγκ του λιφτ;
Θερμοκρασία.	**Temperature.**
thermokrasía.	τέμ-πρατσιουρ.
Θερμότητα.	**Heat.**
thermótita.	χίιτ.
Θύελλα χαλαζιού.	**Hailstorm.**
thíella halaziú.	χέιλστορμ.
Καιρός με καταιγίδα.	**Stormy weather.**
kerós me kateyídha.	στόρμι γουέδερ.
Κάνει ζέστη.	**It is hot.**
káni zésti.	ιτ ιζ χατ.
Κάνει θαύμα καιρό.	**It is fine.**
káni thávma keró.	ιτ ιζ φάιν.
Κάνει κρύο.	**It's cold.**
káni krío.	ιτ'ς κόουλ-ντ.
Κάνει παγωνιά.	**It's freezing hard.**
káni pagoniá.	ιτ'ς φρίιζινγκ χαρ-ντ.
Κάνει ψύχρα.	**It is cool.**
káni psíhra.	ιτ ιζ κούουλ.

Καταρρακτώδης βροχή.
kataraktódhis vrohí.

Κεραυνός.
keravnós.

Κλίμα.
klíma.

Νιφάδες χιονιού.
nifádhes hioniú.

Ο ήλιος λάμπει.
o ílios lábi.

Ο καιρός.
o kerós.

Ο καιρός καθαρίζει.
o kerós katharízi.

Ο καιρός θα αλλάξει.
o kerós tha allaksi.

Ο καιρός θα βελτιωθεί.
o kerós tha veltiothí.

Ο ουρανός είναι καθαρός.
o uranós íne katharós.

Ομίχλη.
omíhli.

Πάγος.
págos.

Παγωνιά.
pagoniá.

Πέφτει η ένταση του ανέμου.
péfti i édasi tu anému.

Πέφτει πάρα πολύ βροχή.
péfti pára polí vrohí.

Πέφτει χαλάζι.
péfti halázi.

Ποια είναι η θερμοκρασία σήμερα;
piá íne i thermokrasía símera?

Torrential rain.
τορένσιαλ ρέιν.

Thunder.
θάνντερ.

Climate.
κλάιμετ.

Snowflakes.
σνόουφλεϊκς.

The sun is shining.
δε σαν ιζ σάινινγκ.

The weather.
δε γουέδερ.

The weather is clearing.
δε γουέδερ ιζ κλίρινγκ.

The weather will change.
δε γουέδερ γουίλ τσέιν-τζ.

The weather will improve.
δε γουέδερ γουίλ ιμπρούβ.

The sky is clear.
δε σκάι ιζ κλίαρ.

Fog.
φογκ.

Ice.
άις.

Frost.
φροστ.

The wind is slowing down.

δε γουίν-ντ ιζ σλόουινγκ ντάουν.

It's raining cats and dogs.
ιτ΄ς ρέινινγκ κατς εν-ντ ντογκς.

It's hailing.
ιτ΄ς χέιλινγκ.

What's the temperature today?
χουάτ ιζ δε τέμ-πρατσιουρ του-

Πρόκειται να βρέξει;

prókite na vréksi?

Do you think it's going to rain?

ντέι;

ντου γιου θινκ ιτ'ς γκόινγκ του ρέιν;

Πρόκειται να χιονίσει;

prókite na hionísi?

Do you think it's going to snow?

ντου γιου θινκ ιτ'ς γκόινγκ του σνόου;

Ρεύμα αέρα.
revma aéra.

Air-stream.
ερ στρίιμ.

Σε μας δεν κάνει τόση ζέστη.

se mas dhen káni tósi zésti.

In our country it doesn't get as hot as this.

ιν άουρ κάν-τριιτ ντάζν-τ γκετ αζ χατ αζ δις.

Σεισμός.
sismós.

Earthquake.
έρθκουέικ.

Συννεφιά.
synnefiá.

Cloudy.
κλάου-ντι.

Σύννεφο.
sýnnefo.

Cloud.
κλάου-ντ.

Τι θαυμάσια ημέρα!
ti thavmásia iméra!

What a lovely day!
χουάτ ε λάβλι ντέι!

Τι θερμοκρασία έχει;
ti thermokrasía éhi?

What is the temperature?
χουάτ ιζ δε τέμ-πρατσιουρ;

Τι λέει το μετεωρολογικό δελτίο;
ti léi to meteoroloyikó dheltío?

What is the weather forecast?

χουάτ ιζ δε ουέδερ φόουρκάστ;

Το βαρόμετρο ανεβαίνει.
to varómetro anevéni.

The barometer is rising.
δε μπαρομίτερ ιζ ράισινγκ.

Το βαρόμετρο κατεβαίνει.
to varómetro katevéni.

The barometer is falling.
δε μπαρομίτερ ιζ φόλινγκ.

Πολλή κουφόβραση.
pollí kufóvrasi.

Very hot and humid.
βέρι χατ εν-ντ χιούμι-ντ.

Πώς είναι ο δρόμος για ...
pos íne o dhrómos yiá ...
Πώς θα είναι ο καιρός;

pos tha íne o kerós?
Φαίνεται ότι θα βρέξει.
fénete óti tha vréksi.
Φυσάει αέρας.
fisái aéras.
Χαλάζι.
halázi.
Χιόνι.
hióni.
Χιονίζει.
hionízi.
Χιονοθύελλα.
hionothíella.
Χιονόπτωση.
hionóptosi.
Χωρίς σύννεφα.
horís sýnnefa.

How is the road to ...
χάου ιζ δε ρόου-ντ του ...
What will the weather be like?
χουάτ γουίλ δε γουέδερ μπι
λάικ;
It looks like rain.
ιτ λουκς λάικ ρέιν.
It's blowing.
ιτ΄ς μπλόουινγκ.
Hail.
χέιλ.
Snow.
σνόου.
It's snowing.
ιτ΄ς σνόουινγκ.
Snowstorm.
σνόουστορμ.
Snowfall.
σνόουφολ.
Cloudles (clear).
κλάου-ντλες (κλίαρ).

10. Ο ΧΡΟΝΟΣ, ΟΙ ΕΠΟΧΕΣ, ΟΙ ΗΜΕΡΕΣ, ΟΙ ΜΗΝΕΣ

10. THE TIME, THE SEASONS, THE DAYS, THE MONTHS

o hrónos, i epohés, i iméres, i mínes

δε τάιμ, δε σίζονς, δε ντέις, δε μανθς

Ανατολή.
anatolí.

East.
ιστ.

Ανατολικά.
anatoliká.

In the east.
ιν δι ιστ.

Από.
apó.

Since.
σινς.

Από καιρό σε καιρό.

apó keró se keró.

From time to time (now and then).

φρομ τάιμ του τάιμ (νάου εννт δεν).

Από τις τέσσερις μέχρι τις έ-ξι η ώρα.
apó tis tésseris méhri tis éksi i óra.

From 4 to 6 o'clock.

φρομ φορ του σικς οκλόκ.

Αργά.
argá.

Late.
λέιτ.

Αργότερα.
argótera.

Later.
λέιτερ.

Αύριο.
ávrio.

Tomorrow.
τουμόροου.

Βόρεια.
vória.

In the north.
ιν δε νορθ.

Βορράς.
vorrás.

North.
νορθ.

Γρήγορα.
grigora.

Soon.
σουν.

Δευτερόλεπτο.
dhefterólepto.

Second.
σέκον-ντ.

Διακοπές.
dhiakopés.

Δίσεκτο έτος.
dhísekto étos.

Λύση.
dhísi.

Δυτικά.
dhitiká.

Εβδομάδα.
evdhomádha.

Είκοσι τέσσερις ώρες συνέχεια.
íkosi tésseris óres sinéhia.

Είναι ακριβώς τρεις η ώρα.
íne akrivós tris i óra.

Είναι ακόμη νωρίς.
íne akómi norís.

Είναι αργά.
íne argá.

Είναι δύο παρά δέκα.
íne dhío pará dhéka.

Είναι έξι και μισή.
íne éksi ke misí.

Είναι εννέα παρά τέταρτο.
íne ennéa pará tétarto.

Είναι μία η ώρα.
íne mía i óra.

Είναι τέσσερις και τέταρτο.
íne tésseris ke tétarto.

Είναι τρεις και πέντε.
íne tris ke péde.

Ένα τέταρτο του έτους.
éna tétarto tu étus.

Ενωρίς.
enorís.

Holiday.
χόλι-ντεϊ.

Leap year.
λίιπ γίαρ.

West.
γουέστ.

In the west.
ιν δε γουέστ.

Week.
γουίκ.

Around the clock.

αράουνντ δε κλοκ.

It's three o'clock exactly.
ιτ΄ς θρι οκλόκ εκσάκτλι.

It's still early.
ιτ΄ς στιλ έρλι.

It's late.
ιτ΄ς λέιτ.

It's ten to two.
ιτ΄ς τεν του του.

It's half past six.
ιτ΄ς χαφ παστ σικς.

It's a quarter to nine.
ιτ΄ς ε κουόρτερ του νάιν.

It's one o'clock.
ιτ΄ς ουάν ο κλοκ.

It's a quarter past four.
ιτ΄ς ε κουόρτερ παστ φορ.

It's five past three.
ιτ΄ς φάιβ παστ θρι.

A quarter of the year.
ε κουόρτερ οβ δε γίαρ.

Early.
έρλι.

Εργάσιμη ημέρα.
ergásimi iméra.
Work-day.
γουόρκ-ντέι.

Έως.
éos.
To.
του.

Η ταινία αρχίζει πέντε το α-
πόγευμα.
i tenía arhízi péde to apóyevma.
The film begins at 5 in the
afternoon.
δε φιλμ μπιγκίνς ατ φάιβ ιν δι ά-
φτερνούν.

Ημέρα.
iméra.
Day.
ντέι.

Ημέρα αδείας.
iméra adhías.
Holiday.
χόλιντεϊ.

Θα έχουμε δείπνο στις επτά
και τριάντα μ.μ.
tha éhume dhípno stis eptá ke
triáda m.m.
We shall have dinner at 7.30
p.m.
γουί σσαλ χεβ ντίνερ ατ σέβεν
θέρτι πι. εμ.

Θα φθάσουμε σε δυο ώρες.
tha fthásume se dhío óres.
We will arrive in two hours.
γουί γουίλ αράιβ ιν του άουαρς.

Κάθε ημέρα.
káthe iméra.
Every day.
έβρι ντέι.

Κάθε πρωί.
káthe proí.
Every morning.
έβρι μόρνινγκ.

Κάθε μεσημέρι.
kathe mesiméri.
Every lunchtime.
έβρι λάντσταϊμ.

Κάθε ώρα.
káthe óra.
Every hour.
έβρι άουαρ.

Καμιά φορά.
kamiá forá.
Sometimes.
σάμταιμς.

Κατά τη διάρκεια όλου του
έτους.
katá ti dhiárkia ólu tu étus.
Through-out the year.

θρου-άουτ δε γίαρ.

Κατά τη διάρκεια της ημέ-
ρας.
katá ti dhiárkia tis iméras.
During the day.

ντιούρινγκ δε ντέι.

Κατά το μεσημέρι.
katá to mesiméri.

Λεπτό.
leptó.

Λίγο μετά τις εννέα.
lígo metá tis ennéa.

Μεθαύριο.
methávrio.

Μέσα σε μια εβδομάδα.
mésa se mia evdhomádha.

Μετά ένα δεκαπενθήμερο.
metá éna dhekapenthímero.

Μεταξύ πέντε και έξι η ώρα.
metaksí péde ke éksi i óra.

Μέχρι.
méhri.

Μέχρι τις 15 Δεκεμβρίου.
méhri tis 15 dhekemvríu.

Μισό έτος.
misó étos.

Νότια.
nótia.

Νότος.
nótos.

Οι εποχές του έτους είναι:
i epohés tu étus íne:

- Η άνοιξη.
- i ániksi.

- Το καλοκαίρι.
- to kalokéri.

- Το φθινόπωρο.
- to fthinóporo.

- Ο χειμώνας.
- o himónas.

About lunchtime.
ε-μπάουτ λάντστάιμ.

Minute.
μίνιτ.

Shortly after nine.
σόρτλι άφτερ νάιν.

The day after tomorrow.
δε ντέι άφτερ τουμόροου.

Within a week.
ουιδίν ε γουίκ.

After two weeks.
άφτερ του γουίκς.

Between five and six o'clock.
μπιτουίν φάιβ εν-ντ σικς οκλόκ.

To.
του.

Until December 15.
αν-τίλ ντισέμμπερ φιφτίιν.

Half a year.
χαφ ε γίαρ.

In the south.
ιν δε σάουθ.

South.
σάουθ.

The seasons of the year are:
δε σίιζονς οβ δε γίαρ αρ:

- Spring.
- σπρινγκ.

- Summer.
- σάμερ.

- Autumn.
- ότομν.

- Winter.
- γουίν-τερ.

Οι ζημιές του σεισμού αποκαταστάθηκαν σε πέντε μήνες.
i zimiés tu sismú apokatastáthikan se péde mínes.

The earthquake damage was restored in five months.
δε έρθκουέικ ντάματζ γουόζ ριστόρντ ιν φάιβ μανθς.

Οι μήνες του έτους είναι:
i mínes tu étus íne:

The months of the year are:
δε μανθς οβ δε γίαρ αρ:

- **Ιανουάριος.**
- ianuários.

- **January.**
- τζένουαρι.

- **Φεβρουάριος.**
- fevruários.

- **February.**
- φέμπρουαρι.

- **Μάρτιος.**
- mártios.

- **March.**
- μαρτς.

- **Απρίλιος.**
- aprílios.

- **April.**
- έιπριλ.

- **Μάιος.**
- máios.

- **May.**
- μέι.

- **Ιούνιος.**
- iúnios.

- **June.**
- τζουν.

- **Ιούλιος.**
- iúlios.

- **July.**
- τζουλάι.

- **Αύγουστος.**
- ávgustos.

- **August.**
- όγκαστ.

- **Σεπτέμβριος.**
- septémvrios.

- **September.**
- σεπτέμμπερ.

- **Οκτώβριος.**
- oktovrios.

- **October.**
- οκτόμπερ.

- **Νοέμβριος.**
- noémvrios.

- **November.**
- νοβέμμπερ.

- **Δεκέμβριος.**
- dhekémvrios.

- **December.**
- ντισέμμπερ.

Όλη την ημέρα.
óli tin iméra.

All day (long).
ολ ντέι (λονγκ).

Ολόκληρη την εβδομάδα.
olókliri tin evdhomádha.

The whole week.
δε χόουλ γουίκ.

Όλο τον μήνα.
όlo ton mína.

Ολόκληρη ώρα.
olókliri óra.

Οποτεδήποτε.
opotedhípote.

Όχι πριν τις επτά η ώρα.
óhi prin tis eptá i óra.

Πάντα.
pada.

Περίπου δύο η ώρα.
perípu dhío i óra.

Πιο νωρίς.
pio norís.

Ποια είναι η ακριβής ώρα;
piá íne i akrivís óra?

Πόσο θα διαρκέσει;
póso tha dhiarkési?

Πότε;
póte?

Πότε συνέβη;
póte sinévi?

Πριν λίγο.
prin lígo.

Προ δύο ημερών.
pro dhío imerón.

Προ τριών εβδομάδων.
pro trión evdhomádhon.

Προ μηνός.
pro minós.

Προκαταρκτικά.
prokatarktiká.

Προσωρινά.
prosoriná.

The whole month.
δε χόουλ μανθ.

A full hour.
ε φουλ άουαρ.

At any time.
ατ ένι τάιμ.

Not before seven o'clock.
νοτ μπιφόρ σέβεν οκλόκ.

Always.
όλγουεϊζ.

It's about two o'clock.
ιτ'ς αμπάουτ του οκλόκ.

Earlier.
έρλιερ.

What is the correct time?
χουάτ ιζ δε κορέκτ τάιμ;

How long will it last?
χάου λονγκ γουίλ ιτ λαστ;

When?
χουέν;

When did it happen?
χουέν ντιτ ιτ χάπεν;

A little while ago.
ε λιτλ γουάιλ εγκόου.

Two days ago.
του ντέις εγκόου.

Three weeks ago.
θρίι γουίκς εγκόου.

A month ago.
ε μανθ εγκόου.

Preliminary.
πριλίμιναρι.

Temporarily.
τεμπορέρλι.

Προχθές.
prohthés.

The day before yesterday.
δε ντέι μπιφόρ γιέστερ-ντι.

**Σας ευχαριστώ για το γράμ-
μα σας της 4 Ιουλίου.**
sas efharistó yia to grámma sas
tis 4 iulíu.

**Thanks for your letter of
July 4.**
θενκς φορ γιορ λέτερ οβ τζου-
λάι 4.

Σε ένα χρόνο ρεκόρ
se éna hróno rekór

In a record time.
ιν ε ρέκορ-ντ τάιμ.

Σε μια εβδομάδα.
se mia evdhomádha.

In a week.
ιν ε γουίκ.

Σήμερα.
símera.

Today.
του-ντέι.

Σήμερα το απόγευμα.
símera to apóyevma.

This afternoon.
δις άφτερνούν.

Σήμερα το βράδυ.
símera to vrádhi.

This evening.
δις ίβνινγκ.

Σήμερα το βράδυ.
símera to vrádhi.

Tonight.
τουνάιτ.

Σήμερα στις 12 το μεσημέρι.
símera stis dhódhekato mesi-
méri.

Today at noon.
του-ντέι ατ νουν.

Σήμερα το πρωί.
símera to proí.

This morning.
δις μόρνινγκ.

Στις δέκα Ιουλίου 1994.
stis dhéka iulíu 1994.

On July 10, 1994.
ον τζουλάι τεν, ναϊν-τίν νάι-
ντι φορ.

Στις δέκα η ώρα.
stis dhéka i óra.

At 10 o'clock.
ατ τεν οκλόκ.

Τελευταία.
teleftéa.

Recently.
ρίσεν-τλι.

Την ημέρα.
tin iméra.

By day.
μπάι ντέι.

**Την ημέρα της απελευθέρω-
σης.**
tin iméra tis apelefthérosis.

On liberation day.
ον λιμπερέισσον ντέι.

Του χρόνου την Πρωτομαγιά.	**On May first next year.**
tu hrónu tin protomayiá.	ον μέι φερστ νεκστ γίαρ.
Την Πρωτομαγιά φέτος.	**On May first this year.**
tin protomayiá fétos.	ον μέι φερστ δις γίαρ.
Τι ημέρα είναι σήμερα;	**What day is today?**
ti iméra íne símera?	χουάτ ντέι ιζ του-ντέι;
- Σήμερα είναι:	**- Today is:**
- símera íne:	- του-ντέι ιζ:
- Δευτέρα.	**- Monday.**
- dheftéra.	- μάν-ντεϊ.
- Τρίτη.	**- Tuesday.**
- tríti.	- τιούσ-ντεϊ.
- Τετάρτη.	**- Wednesday.**
- tetárti.	- γουένζ-ντεϊ.
- Πέμπτη.	**- Thursday.**
- pempti.	- θέρσ-ντεϊ.
- Παρασκευή.	**- Friday.**
- paraskeví.	- φράι-ντεϊ.
- Σάββατο.	**- Saturday.**
- sávvato.	- σάτερ-ντεϊ.
- Κυριακή.	**- Sunday.**
- kiriakí.	- σάν-ντεϊ.
Τι ημερομηνία είναι σήμερα;	**What's the date today?**
ti imerominía íne símera?	χουάτς δε ντέιτ του-ντέι;
- Σήμερα είναι τέσσερις Ιουλίου.	**- It's 4th of July.**
- símera íne téseris iulíu.	ιτ'ς φορθ οβ τζουλάι.
Τι ώρα είναι;	**What time is it?**
ti óra íne?	χουάτ τάιμ ιζ ιτ;
Το απόγευμα.	**In the afternoon.**
to apóyevma.	ιν δε άφτερνούν.
Το λεωφορείο ξεκινάει σε μισή ώρα.	**The bus starts in half an hour.**
to leoforío ksekinái se misí óra.	δε μπας σταρτς ιν χαφ εν άουαρ.

Το βράδυ.
to vrádhi.
In the evening.
ιν δε ίβνινγκ.

Το γράμμα στάλθηκε στις 10 Ιουλίου.
to grámma stálthike stis 10 iulíu.
The letter was sent on July 10th.
δε λέτερ γουόζ σεντ ον τζουλάι τενθ.

Τον περασμένο χρόνο.
ton perasméno hróno.
Last year.
λαστ γίαρ.

Το πρωί.
to proí.
In the morning.
ιν δε μόρνινγκ.

Τον επόμενο χρόνο.
ton epómeno hróno.
Next year.
νεκστ γίαρ.

Τρεις μήνες.
tris mínes.
Three months.
θρίι μανθς.

Τώρα.
tóra.
At this time.
ατ δις τάιμ.

Φθάσαμε στις 10 Ιουλίου.
fthásame stis 10 iulíu.
We arrived on July 10th.
γουί αράιβ-ντ ον τζουλάι τενθ.

Χθες.
hthes.
Yesterday.
γιέστερ-ντέϊ.

Ώρα.
óra.
Time.
τάιμ.

11. ΟΙ ΑΡΙΘΜΟΙ

i arithmí

Αριθμητής.
arithmitís.
Ένα στα εκατό [1%].
éna sta ekató [1%].
-Τέσσερα στα εκατό [4%].
-téssera sta ekató [4%].
Μετράω.
metráo.
Παρονομαστής.
paronomastís.
Πόσα;
pósa?
Το ολικό σύνολο.
to olikó sínolo.
Το σύνολο.
to sínolo.

ΚΛΑΣΜΑΤΑ

klásmata

1/2 ένα δεύτερο.
éna dhéftero.
1/4 ένα τέταρτο.
éna tétarto.
1/5 ένα πέμπτο.
éna pémpto.
2/3 δύο τρίτα.
dhío tríta.
4/5 τέσσερα πέμπτα.
téssera pémpta.

11. THE NUMBERS

δε νά-μπερς

Numerator.
νιουμερέίτερ.
One per cent [1%].
ουάν περ σεν-τ [1%].
-four per cent [4%].
-φορ περ σεν-τ [4%].
Count.
κάουν-τ.
Denominator.
ντινομινέιτορ.
How much?
χάου ματσς;
Sum total.
σαμ τόουταλ.
The sum.
δε σαμ.

FRACTIONS

φράκσσονς

1/2 a half.
ε χαφ.
1/4 a quarter.
ε κουόρτερ.
1/5 one fifth.
ουάν φιφθ.
2/3 two thirds.
του θερ-ντς.
4/5 four fifths.
φορ φιφθς.

1/10 ένα δέκατο.
éna dhékato.
1/100 ένα εκατοστό.
éna ekatostó.
1/1000 ένα χιλιοστό.
éna hiliostó.

1/10 one tenth.
ουάν τενθ.
1/100 one hundredth.
ουάν χάν-ντρετθ.
1/1000 one thousandth.
ουάν θάουζαν-τθ.

ΤΑ ΑΠΟΛΥΤΑ ΑΡΙΘΜΗΤΙΚΑ

ta apólita arithmitiká

CARDINAL NUMBERS

κάρ-ντιναλ νάμ-μπερς

0. μηδέν.
midhén.
1. ένα.
éna.
2. δύο.
dhío.
3. τρία.
tría.
4. τέσσερα.
téssera.
5. πέντε.
péde.
6. έξι.
éksi.
7. επτά.
eptá.
8. οκτώ.
októ.
9. εννέα.
ennéa.
10. δέκα.
dhéka.
11. έντεκα.
édeka.

0. zero.
ζίροου.
1. one.
ουάν.
2. two.
του.
3. three.
θρίι.
4. four.
φορ.
5. five.
φάιβ.
6. six.
σιξ.
7. seven.
σέβεν.
8. eight.
έιτ.
9. nine.
νάιν.
10. ten.
τεν.
11. eleven.
ιλέβεν.

12. δώδεκα.	**12. twelve.**
dhódheka.	τουέλβ.
13. δεκατρία.	**13. thirteen.**
dhekatría.	θερτίιν.
14. δεκατέσσερα.	**14. fourteen.**
dhekatéssera.	φορτίιν.
15. δεκαπέντε.	**15. fifteen.**
dhekapéde.	φιφτίιν.
16. δεκαέξι.	**16. sixteen.**
dhekaéksi.	σιξτίιν.
17. δεκαεπτά.	**17. seventeen.**
dhekaeptá.	σεβεν-τίιν.
18. δεκαοκτώ.	**18. eighteen.**
dhekaoktó.	εϊτίιν.
19. δεκαεννέα.	**19. nineteen.**
dhekaenéa.	ναϊν-τίιν.
20. είκοσι.	**20. twenty.**
íkosi.	τουέν-τι.
21. είκοσι ένα.	**21. twenty one.**
íkosi éna.	τουέν-τι ουάν.
22. είκοσι δύο.	**22. twenty two.**
íkosi dhío.	τουέν-τι του.
23. είκοσι τρία.	**23. twenty three.**
íkosi tría.	τουέν-τι θρίι.
30. τριάντα.	**30. thirty.**
triáda.	θέρτι.
31. τριάντα ένα.	**31. thirty one.**
triáda éna.	θέρτι ουάν.
40. σαράντα.	**40. forty.**
saráda.	φόρτι.
41. σαράντα ένα.	**41. forty one.**
saráda éna.	φόρτι ουάν.
50. πενήντα.	**50. fifty.**
pénida.	φίφτι.

51. πενήντα ένα.
penída éna.
60. εξήντα.
eksída.
61. εξήντα ένα.
eksída éna.
70. εβδομήντα.
evdhomída.
71. εβδομήντα ένα.
evdhomída éna.
80. ογδόντα.
ogdhóda.
81. ογδόντα ένα.
ogdhóda éna.
90. ενενήντα.
enenída.
91. ενενήντα ένα.
enenída éna.
100. εκατό.
ekató.
101. εκατόν ένα.
ekatón éna.
110. εκατόν δέκα.
ekatón dhéka.
120. εκατόν είκοσι.

ekatón íkosi.
125. εκατόν είκοσι πέντε.

ekatón íkosi péde.

200. διακόσια.
dhiakósia.
300. τριακόσια.
triakósia.

51. fifty one.
φίφτι ουάν.
60. sixty.
σίξτι.
61. sixty one.
σίξτι ουάν.
70. seventy.
σέβεν-τι.
71. seventy one.
σέβεν-τι ουάν.
80. eighty.
έιτι.
81. eighty one.
έιτι ουάν.
90. ninety.
νάιν-τι.
91. ninety one.
νάιν-τι ουάν.
100. one hundred.
ουάν χάν-ντρε-ντ.
101. one hundred and one.
ουάν χάν-ντρε-ντ εν-ντ ουάν.
110. one hundred and ten.
ουάν χάν-ντρε-ντ εν-ντ τεν.
120. one hundred and twenty.
ουάν χάν-ντρε-ντ εν-ντ τουέν-τι.
125. one hundred and twenty five.
ουάν χάν-ντρε-ντ εν-ντ τουέν-τι φάιβ.
200. two hundred.
του χάν-ντρε-ντ.
300. three hundred.
θρίι χάν-ντρε-ντ.

400. τετρακόσια. tetrakósia.	**400. four hundred.** φορ χάν-ντρε-ντ.
500. πεντακόσια. pedakósia.	**500. five hundred.** φάιβ χάν-ντρε-ντ.
600. εξακόσια. eksakósia.	**600. six hundred.** σιξ χάν-ντρε-ντ.
700. επτακόσια. eptakósia.	**700. seven hundred.** σέβεν χάν-ντρε-ντ.
800. οκτακόσια. oktakósia.	**800. eight hundred.** έιτ χάν-ντρε-ντ.
900. εννιακόσια. eniakósia.	**900. nine hundred.** νάιν χάν-ντρε-ντ.
1000. χίλια. hília.	**1000. one thousand** ουάν θάουζαν-ντ.
1001. χίλια ένα. hília éna.	**1001. one thousand and one.** ουάν θάουζαν-ντ εν-ντ ουάν.
2.000. δύο χιλιάδες. dhío hiliádhes.	**2.000. two thousand.** του θάουζαν-ντ.
10.000. δέκα χιλιάδες. dhéka hiliádhes.	**10.000. ten thousand.** τεν θάουζαν-ντ.
1.000.000. ένα εκατομμύριο. éna ekatommírio.	**1.000.000. one million.** ουάν μίλιον.
1.000.000.000. ένα δισεκατομμύριο. éna dhisekatommírio.	**1.000.000.000. one billion.** ουάν μπίλιον.

ΤΑΚΤΙΚΑ ΑΡΙΘΜΗΤΙΚΑ taktiká arithmitiká	**ORDINAL NUMBERS** όρ-ντιναλ νά-μπερς
1ος. πρώτος, -η, -ο. prótos, -i, -o.	**1. first.** φερστ.

2ος. δεύτερος, -η, -ο.
dhéfteros, -i, -o.
3ος. τρίτος, -η, -ο.
trítos, -i, -o.
4ος. τέταρτος, -η, -ο.
tétartos, -i, -o.
5ος. πέμπτος, -η, -ο.
pémptos, -i, -o.
6ος. έκτος, -η, -ο.
éktos, -i, -o.
7ος. έβδομος, -η, -ο.
évdhomos, -i, -o.
8ος. όγδοος, -η, -ο.
ógdhoos, -i, -o.
9ος. ένατος, -η, -ο.
énatos, -i, -o.
10ος. δέκατος, -η, -ο.
dhékatos, -i, -o.
11ος. ενδέκατος, -η, -ο.
endhékatos, -i, -o.
12ος. δωδέκατος, -η, -ο.
dhodhékatos, -i, -o.
13ος. δέκατος τρίτος, -η, -ο.
dhékatos trítos, -i, -o.
14ος. δέκατος τέταρτος, -η, -ο.
dhékatos tétartos, -i, -o.
15ος. δέκατος πέμπτος, -η, -ο.
dhékatos pémptos, -i, -o.
16ος. δέκατος έκτος, -η, -ο.
dhékatos éktos -i, -o.
17ος. δέκατος έβδομος, -η, -ο.
dhékatos évdhomos, -i, -o.

2. second.
σέκον-ντ.
3. third.
θερ-ντ.
4. fourth.
φορθ.
5. fifth.
φιφθ.
6. sixth.
σιξθ.
7. seventh.
σέβενθ.
8. eighth.
έιτθ.
9. ninth.
νάινθ.
10. tenth.
τενθ.
11. eleventh.
ιλέβενθ.
12. twelfth.
τουέλβθ.
13.thirteenth.
θερτίινθ.
14. fourteenth.

φορτίινθ.
15. fifteenth.

φιφτίινθ.
16. sixteenth.
σιξτίινθ.
17. seventeenth.

σεβεν-τίινθ.

18ος. δέκατος όγδοος, -η, -ο.
dhékatos ógdhoos, -i, -o.

18. eighteenth.
εϊτίινθ.

19ος. δέκατος ένατος, -η, -ο.
dhékatos énatos, -i, -o.

19. nineteenth.
ναϊν-τίινθ.

20ος. εικοστός, -ή, -ό.
ikostós, -i, -o.

20. twentieth.
τουέν-τιεθ.

21ος. εικοστός πρώτος, -η, -ο.
ikostós prótos, -i, -o.

21. twenty-first.
τουέν-τι-φερστ.

30ος. τριακοστός, -ή, -ό.
triakostós, -i, -o.

30. thirtieth.
θέρτιεθ.

31ος. τριακοστός πρώτος, -
η, -ο.
triakostós prótos, -i, -o.

31. thirty-first.

θέρτι-φερστ.

40ος. τεσσαρακοστός, -ή, -ό.
tessarakostós, -i, -o.

40. fortieth.
φόρτιεθ.

41ος. τεσσαρακοστός πρώ-
τος, -η, -ο.
tessarakostós prótos, -i, -o.

41. forty-first.

φόρτι-φερστ.

50ος. πεντηκοστός, -ή, -ό.
pedikostós, -i, -o.

50. fiftieth.
φίφτιεθ.

51ος. πεντηκοστός πρώτος,
-η, -ο.
pedikostós prótos, -i, -o.

51. fifty-first.

φίφτι-φερστ.

60ος. εξηκοστός, -ή, -ό.
eksikostós, -i, -o.

60. sixtieth.
σίξτιεθ.

61ος. εξηκοστός πρώτος, -η,
-ο.
eksikostós prótos, -i, -o.

61. sixty-first.

σίξτι-φερστ.

70ος. εβδομηκοστός, -ή, -ό.
evdhomikostós, -i, -o.

70. seventieth.
σέβεν-τιεθ.

71ος. εβδομηκοστός πρώ-
τος, -η, -ο.
evdhomikostós prótos, -i, -o.

71. seventy-first.

σέβεν-τι-φερστ.

80ος. ογδοηκοστός, -ή, -ό.
ogdhoikostós, -i, -o.

80. eightieth.
έιτιεθ.

81ος. ογδοηκοστός πρώτος, -η, -ο.
ogdhoikostós prótos, -i, -o.
90ος. ενενηκοστός, -ή, -ό.
enenikostós, -i, -o.
91ος. ενενηκοστός πρώτος, - η, -ο.
enenikostós prótos, -i, -o.
100ος. εκατοστός, -ή, -ό.
ekatostós, -i, -o.
101ος. εκατοστός πρώτος, -η, -ο.
ekatostós prótos, -i, -o.
110ος. εκατοστός δέκατος, -η, -ο.
ekatostós dhékatos, -i,-o.
120ος. εκατοστός εικοστός, -ή, -ό.
ekatostós ikostós, -i, -o.

125ος. εκατοστός εικοστός πέμπτος, -η, -ο.
ekatostós ikostós pémptos, -i, - o.
200ος. διακοσιοστός, -ή, -ό.
dhiakosiostós, -i, -o.
300ος. τριακοσιοστός, -ή, -ό.
triakosiostós, -i, -o.
1.000ος. χιλιοστός, -ή, -ό.
hiliostós, -i, -o.
1.000.000ος. εκατομμυριοστός, -ή, -ό.
ekatommiriostós, -i, -o.

81. eighty-first.
έιτι-φερστ.
90. ninetieth.
νάιν-τιεθ.
91. ninety-first.

νάιν-τι-φερστ.
100. one hundredth.
ουάν χάν-ντρετθ.
101. one hundred and first.

ουάν χάν-ντρε-ντ εν-ντ φερστ.
110. one hundred and tenth.
ουάν χάν-ντρε-ντ εν-ντ τενθ.
120. one hundred and twentieth.
ουάν χάν-ντρε-ντ εν-ντ τουέν-τιεθ.
125. one hundred and twenty-fifth.
ουάν χάν-ντρε-ντ εν-ντ τουέν-τι-φιφθ.
200. two hundredth.
του χάν-ντρε-ντθ.
300. three hundredth.
θρίι χάν-ντρε-ντθ.
1000. one thousandth.
ουάν θάουζεν-ντθ.
1.000.000. one millionth.

ουάν μίλιονθ.

12. ΜΟΝΑΔΕΣ ΜΕΤΡΗΣΗΣ	12. UNITS OF MEASURE
monádhes métrisis	γιούνιτς οβ μέζιερ

1 χιλιοστό.	**1 millimeter.**
éna hiliostó.	ουάν μίλιμίτερ.
10 χιλιοστά.	**10 millimeters.**
dhéka hiliostá.	τεν μίλιμίτερς.
1 εκατοστό.	**1 centimeter.**
ena ekatostó.	ουάν σέν-τιμίτερ.
1 ίντσα.	**1 inch.**
mía íntsa.	ουάν ιν-τς.
1 πόδι.	**1 foot.**
éna pódhi.	ουάν φουτ.
1 δεκατόμετρο.	**1 decimeter.**
éna dekatómetro.	ουάν ντέσιμίτερ.
1 μέτρο.	**1 meter.**
éna métro.	ουάν μίτερ.
1 χιλιόμετρο.	**1 kilometer.**
éna hiliómetro.	ουάν κίλομίτερ.
1 μίλι.	**1 mile.**
éna míli.	ουάν μάιλ.
1 τετραγωνικό μέτρο.	**1 square meter.**
éna tetragonikó métro.	ουάν σκουέαρ μίτερ.
1 εκτάριο [100μ x 100μ].	**1 hectare.**
éna ektário [100m x 100m].	ουάν χέκταρ.
1 τετραγωνικό χιλιόμετρο.	**1 square kilometer.**
éna tetragonikó hiliómetro.	ουάν σκουέαρ κίλομίτερ.
1 γραμμάριο.	**1 gram.**
éna grammário.	ουάν γκραμ.
1 χιλιόγραμμο.	**1 kilogram.**
éna hiliógrammo.	ουάν κίλογκραμ.
100 χιλιόγραμμα.	**1 quintal.**
ekató hiliógramma.	ουάν κουίν-ταλ.
1 τόνος.	**1 ton.**
énas tónos.	ουάν τον.

1 λίτρο.
éna lítro.
1 δεκάλιτρο.
éna dhekálitro.
1 εκατοστόλιτρο.
éna ekatostólitro.
1 κυβικό εκατοστό.
éna kivikó ekatostó.
1 κυβικό μέτρο
éna kivikó métro.
60 δευτερόλεπτα.
eksída dhefterólepta.
1 λεπτό.
éna leptó.
60 λεπτά.
eksínda leptá.
1 μοίρα.
mía míra.
90 μοίρες.
enenínda míres.
1/2 της διαμέτρου.
éna dhéftero tis dhiamétru.
360 μοίρες.
triakósies eksínda míres.

Ένας κύκλος.
énas kíklos.
Η ακτίνα του κύκλου.
i aktína tu kíklu.
Μία ορθή γωνία.
mía orthí gonía.
Περιφέρεια κύκλου.
periféria kíklu.

1 litre.
ουάν λίτερ.
1 decaliter.
ουάν ντέκαλίτερ.
1 hectoliter.
ουάν χέκτολίτερ.
1 cubic centimeter.
ουάν κιούμπικ σέν-τιμίτερ.
1 cubic metre.
ουάν κιούμπικ μίτερ.
60 seconds.
σίξτι σέκον-ντς.
1 minute.
ουάν μίνιτ.
60 minutes.
σίξτι μίνιτς.
1 degree.
ουάν ντιγκρίι.
90 degrees.
νάιν-τι ντιγκρίις.
1/2 the diameter.
ε χαφ δε νταϊάμιτερ.
360 degrees.
θρίι χάν-ντρε-ντ εν-ντ σίξτι ντι-
γκρίις.
1 circle.
ουάν σερκλ.
The radius of the circle.
δε ρά-ντιες οβ δε σερκλ.
1 right angle.
ουάν ράιτ ανγκλ .
1 circumference.
ουάν σερκάμφερανς.

13. ΧΡΩΜΑΤΑ, ΙΔΙΟΤΗΤΕΣ	13. COLORS, QUALITIES

hrómata, idhiótites   κάλερς, κουόλιτιζ

Αγαπητός, -ή, -ό.
agapitós, -í, -ó.

Dear.
ντίαρ.

Αδύνατος, -η, -ο.
adhínatos, -i, -ο.

Weak.
γουίκ.

Ακριβός, -ή, -ό.
akrivós, -í, -ό.

Dear.
ντίαρ.

Ανοικτός, -ή, -ό.
aniktós, -i, -ό.

Bright, (light), (open), (clear).
μπράιτ, (λάιτ), (όουπεν), (κλίαρ).

Ανοιχτός, -ή, -ό πράσινος, -η, -ο.
anihtós, -í, -ό prásinos, -i, -ο.

Light green.
λάιτ-γκρίιν.

Ασημένιος, -α, -ο.
asiménios, -a, -ο.

Silver.
σίλβερ.

Άσχημος, -η, -ο.
áshimos, -i, -ο.

Ugly.
άγκλι.

Βαθύ γκρι.
vathí gri.

Dark-grey.
νταρκ-γκρέι.

Βαθύ μπλε.
vathí ble.

Dark-blue.
νταρκ-μπλου.

Βαθύς, -ιά, -ύ πράσινος, -η, -ο.
vathís, -ia, -i prásinos, -i, -ο.

Dark-green.
νταρκ-γκρίιν.

Βιολετί.
violetí.

Violet.
βάιολετ.

Γαλάζιο του ουρανού.
galázio tu uranú.

Sky-blue.
σκάι-μπλου.

Γκρι.
gri.

Grey.
γκρέι.

Γρήγορος, -η, -ο.
grígoros, -i, -ο.

Quick.
κουίκ.

Δυνατός, -ή, -ό.	**Strong.**
dhinatós, -í, -ó.	στρονγκ.
Ενδιαφέρον.	**Interesting.**
endhiaféron.	ίν-τρεστινγκ.
Καινούργιος, -α, -ο.	**New.**
kenúryios, -a, -ο.	νιου.
Κακός, -ή, -ό.	**Bad.**
kakós, -í, -ό.	μπα-ντ.
Καλός, -ή, -ό.	**Good.**
kalós, -í, -ό.	γκου-ντ.
Καστανός, -ή, -ό.	**Chestnut.**
kastanós, -í, -ό.	τσέσνατ.
Κίτρινος, -n, -ο.	**Yellow.**
kítrinos, -i, -ο.	γιέλοου.
Κόκκινος, -n, -ο.	**Red.**
kókkinos, -i, -ο.	ρε-ντ.
Κοντός, -ή, -ό.	**Short.**
kondós, -í, -ό.	σσορτ.
Λευκός, -ή, -ό.	**White.**
lefkós, -í, -ό.	γουάιτ.
Μακρύς, -ιά, -ύ.	**Long.**
makrís, -iá. -í.	λονγκ.
Μαύρος, -n, -ο.	**Black**
mavros, -i, -ο.	μπλακ.
Μπεζ.	**Beige.**
bez.	μπέιζ.
Μπλε.	**Blue.**
ble.	μπλου.
Ξανθός, -ή, -ό.	**Blonde.**
ksanthós, -í, -ό.	μπλον-ντ.
Όμορφος, -n, -ο.	**Beautiful.**
ómorfos, -i, -ο.	μπιούτιφουλ.
Παλιός, -ά, -ό.	**Old.**
paliós, -á, -ό.	όουλ-ντ.

Πλατύς, -ιά, -ύ.
platís, -iá, -í.
Πολύχρωμος, -n, -ο.
políhromos, -i, -o.
Πορτοκαλί.
portokalí.
Πορφυρός, -ή, -ό.
porfirós, -í, -ó.
Πράσινος, -n, -ο.
prásinos, -i, -o.
Ροζ.
roz.
Σκοτεινός, -ή, -ό.
skotinós, -í, -ó.
Στενός, -ή, -ό.
stenós, -í, -ó.
Φτηνός, -ή, -ό.
ftinós, -í, -ó.
Φωτεινός, -ή, -ό.
fotinós, -í, -ó.
Χρυσαφί.
hrisafí.

Wide.
γουάι-ντ.
Multi-colored.
μάλτι-κάλαρ-ντ.
Orange.
όραν-τζ.
Crimson.
κρίμζν.
Green.
γκρίιν.
Pink.
πινκ.
Dark.
νταρκ.
Narrow.
νάροου.
Cheap.
τσίιπ.
Bright.
μπράιτ.
Golden.
γκόλ-ντεν.

14. ΕΠΙΓΡΑΦΕΣ, ΤΑΜΠΕΛΕΣ

14. INSCRIPTIONS, DOOR-PLATES

epigrafés, tabéles

ινσκρίπσονς, ντόορ-πλέιτς

Αίθουσα αναμονής.
éthusa anamonís.
Απαγορεύεται η είσοδος.
apagorévete i ísodhos.
Απαγορεύεται το κάπνισμα.
apagorévete to kápnisma.
Αρτοποιείο.
artopiío.
Ασανσέρ.
asansér.
Βιβλιοπωλείο.
vivliopolío.
Γούνες.
gúnes.
Γραφείο.
grafío.
Γραφείο πληροφοριών.
grafío pliroforión.
Δεύτερος όροφος.
dhéfteros órofos.
Διάβαση.
dhiávasi.
Είσοδος.
ísodhos.
Έξοδος.
éksodhos.
Έξοδος κινδύνου.
éksodhos kindhínu.
Έπιπλα.
épipla.
Ζαχαροπλαστείο.

Waiting-room.
γουέιτινγκ-ρουμ.
No entry.
νόου έν-τρι.
No smoking!
νόου σμόκινγκ!
Bakery.
μπέικερι.
Lift.
λιφτ.
Book-shop.
μπουκ-σσοπ.
Furs.
φερς.
Office.
όφις.
Information desk.
ινφορμέισσον ντεσκ.
Second floor.
σέκον-ντ φλόορ.
Pedestrian crossing.
πε-ντέστριαν κρόσινγκ.
Entrance.
έν-τρανς.
Exit.
έκσιτ.
Emergency-exit.
ιμέρτζενσι-έκσιτ.
Furniture.
φέρνιτσιουρ.
Pastry-shop.

zaharoplastío.

Ισόγειο.

isóyio.

Κατάστημα αθλητικών ειδών.

katástima athlitikón idhón.

Κατάστημα γυαλικών και πορσελάνης.

katástima yialikón ke porselánis.

Κατάστημα καλλυντικών.

katástima kalidikón.

Κρέας, ψάρι.

kréas, psári.

Κρεοπωλείο.

kreopolío.

Λαχανικά.

lahaniká.

Λουλούδια.

lulúdhia.

Ξενοδοχείο.

ksenodhohío.

Παντοπωλείο.

padopolío.

Πρόσεχε!

prósehe!

Προσοχή!

prosohí!

Προσοχή χρώματα!

prosohí hrómata!

Πρώτες βοήθειες.

prótes voíthies.

Πρώτος όροφος.

prótos órofos.

Στοπ!

πέιστρι-στορ.

Ground floor.

γκράουν-ντ φλόορ.

Sports goods.

σπορτς γκου-ντς.

China-shop.

τσάινα σσοπ.

Cosmetics shop.

κοζμέτικς σσοπ.

Meat, fish.

μίιτ, φις.

Butcher's shop.

μπούτσερ᾽ς σσοπ.

Vegetables.

βέτζετα-μπλς.

Flowers.

φλάουερς.

Hotel.

χοουτέλ.

Grocery store.

γκρόσερι στορ.

Look-out!

λουκ-άουτ!

Attention!

ατένσσόν!

Wet-paint!

γουέτ-πέιν-τ!

First aid.

φερστ έι-ντ.

First floor.

φερστ φλόορ.

Halt, (Stop)!

stop!
Στάση λεωφορείου.
stási leoforíu.
Συναγερμός φωτιάς.
sinagermós fotiás.
Συναγερμός.
sinagermós.
-Δίνω συναγερμό.
-dhíno sinagermó.
Ταμείο θεάτρου.
tamío theátru.
Το πρόγραμμα των παραστάσεων.
to prógramma ton parastáseon.
Υπηρεσία εμβολιασμού.
ipiresía emvoliasmú.
Υποδήματα.
ipodhímata.
Υφασματοπωλείο.
ifasmatopolío.
Φαρμακείο.
farmakío.
Φρούτα.
frúta.

αλτ, (στοπ)!
Bus-stop.
μπας-στοπ.
Fire-alarm.
φάιρ-αλάρμ.
Alarm.
αλάρμ.
-I give the alarm.
-άι γκιβ δι αλάρμ.
Box-office.
μποξ-όφις.
The program (theatre).

δε πρόγκραμ (θίατερ).

Vaccination service.
βακσινέισσον σέρβις.
Shoes.
σσουζ.
Textiles shop.
τέκσταϊλς σσοπ.
Pharmacy.
φάρμασι.
Fruit.
φρουτ.

15. ΤΑΞΙΔΙ ΜΕ ΑΕΡΟΠΛΑΝΟ	15. TRAVELLING BY AIR

taksídhi me aeropláno

τράβελινγκ μπάι έαρ

Αεριωθούμενο αεροπλάνο.
aeriothúmeno aeropláno.
Αεροδρόμιο.
aerodhrómio.
Αεροπορία.
aeroporía.
Αεροπορική εταιρία.
aeroporikí etería.
Αεροπορικό ατύχημα.
aeroporikó atíhima.
Αεροσυνοδός.
aerosinodhós.
Αναχώρηση.
anahórisi.
Από πού φεύγει το λεωφο-
ρείο για το αεροδρόμιο;
apó pu févyi to leoforío yia to
aerodrómio?
Απόσταση.
apóstasi.
Άρχισε να αυξάνει ταχύτητα.
árhise na afksáni tahítita.
Δεν αισθάνομαι καλά, το αε-
ροπλάνο με ζαλίζει.
dhén esthánome kalá, to
aeropláno me zalízi.
Δέστε τις ζώνες ασφαλείας.
dhéste tis zónes asfalías.
Διάδρομος προσγειώσεων-
απογειώσεων.
dhiádromos prosyióseon-apo-
yióseon.

Jet plane.
τζετ πλέιν.
Airport.
έαρπορτ.
Airforce.
έαρφορς.
Airline.
έαρλαϊν.
Aircrash.
έαρκρας.
Stewardess.
στιούαρ-ντες.
Departure.
ντιπάρτσουρ.
Where does the coach to the
airport leave from?
χουέρ νταζ δε κόοτς του δι έ-
αρπόρτ λίιβ φρομ;
Distance.
ντίστανς.
It began to pick up speed.
ιτ μπιγκάν του πικ απ σπι-ντ.
I don't feel well, I'm air sick.

άι ντον-τ φίιλ γουέλ, άι αμ έαρ
σικ.
Fasten the safety-belts.
φάσεν δε σέιφτι-μπελτς.
Runway.

ράνγουέι.

Ελικόπτερο.
elikóptero.
Εμπόρευμα.
ebórevma.
Ένα εισιτήριο με επιστροφή για ...
éna isitírio me epistrofí yiá ...
Ενδιάμεση στάση.
endhiámesi stási.
Έξοδος κινδύνου.
éksodhos kindhínu.
Επιβάτης.
epivátis.
Έχει αεροπλάνο απευθείας για ... στις ...;
éhi aeropláno apefthías yiá ... stis ...?
Ζαλισμένος.
zalisménos.
Η διεκπεραίωση των αποσκευών γίνεται από τους εργάτες του αεροδρομίου.
i dhiekperéosi ton aposkevon yínete apó tus ergátes tu aerodhromíu.
Η ζώνη ασφαλείας.
i zóni asfalías.
Η σκάλα του αεροπλάνου.
i skála tu aeroplá017nu.
Θα ζυγίσουμε τις αποσκευές;
tha ziyísume tis aposkevés?
Θα καθυστερήσει το αεροπλάνο από ... σήμερα;
tha kathisterísi to aeropláno apó ... símera?

Helicopter.
χέλικόπτερ.
Cargo.
κάαργκοου.
A return ticket for ...

ε ριτέρν τίκετ φορ ...
Stop-over.
στοπ-όβερ.
Emergency exit.
ιμέρτζενσι έγκζιτ.
Passenger.
πάσεν-τζερ.
Is there a direct flight to ... on ... ?
ιζ δέαρ ε ντάιρεκτ φλάιτ του ... ον ... ;
Airsick.
έαρσικ.
The baggage is handled by the airfield people.

δε μπάγκιτζ ιζ χαν-ντλι-ντ μπάι δι έαρφίλ-ντ πιπλ.
Safety belt.
σέιφτι μπελτ.
Ramp.
ραμ-π.
Shall we weigh the luggage?

σσαλ γουί γουέι δε λάγκιτζ;
Will the plane from ... be late today?
γουίλ δε πλέιν φρομ ... μπι λέιτ τουν-τέι;

**Θα τοποθετήσετε καμιά ετι-
κέτα στις αποσκευές;**
tha topothetísete kamiá etikéta
stis aposkevés?

Do I get a luggage tag?

ντου άι γκετ ε λάγκιτζ ταγκ;

Θέλω να πάω στο ...
thélo na páo sto ...

I want to fly to ...

άι γουόν-τ του φλάι του ...

Καμπίνα χειριστή.
kabína hiristí.

Cockpit.

κόκπιτ.

**Κοίταξε, πετάει πάνω από το
λόφο.**
kítakse, petái páno apó to lófo.

**Look, it is flying over the
hill.**

λουκ, ιτ ιζ φλάιινγκ όουβερ δε
χιλ.

Κράτηση.
krátisi.

Booking.

μπούκινγκ.

Κυβερνήτης.
kivernítis.

Captain.

κάπτεν.

Μηχανή.
mihaní.

Engine.

έν-ντζιν.

**Μπορώ να να έχω μια θέση
δίπλα στο παράθυρο;**
boró na ého mia thési dhípla sto
paráthiro?

**Can I have a seat by the
window?**

κεν άι χεβ ε σίιτ μπάι δε γουίν-
ντοου;

**Μπορώ να κλείσω δύο εισι-
τήρια για το Λονδίνο;**
boró na klíso dhío isitíria yiá to
londhíno?

**Can I book two tickets for
London?**

κεν άι μπουκ του τίκετς φορ
λάν-ντον;

**Ο μετεωρολόγος ενημέρωσε
τον πιλότο για τον καιρό.**

o meteorológos enimérose ton
pilóto yiá ton keró.

**The weather-man briefed
the pilot on the weather
there.**

δε γουέδερ-μαν μπριφ-ντ δε
πάιλοτ ον δε γουέδερ δέαρ.

Οι επιβάτες αποβιβάζονται.

i epivátes apovivázonde.

**The passengers are getting
off the plane.**

δε πάσεν-ντζερς αρ γκέτινγκ
οφ δε πλέιν.

Οι τροχοί.
i trohí.

Ουρά.
urá.

Πάρτε το, είναι κατά της ναυτίας.
párte to, íne katá tis naftías.

Πετώ.
petó.

Πηγαίνει κατ' ευθείαν;
piyéni kat'efthían?

Πλήρωμα αεροπλάνου.
plíroma aeroplánu.

Ποιός είναι ο αριθμός πτήσης ...;
piós íne o arithmós ptíisis ...?

Πόση ώρα σταματά το αεροπλάνο στο ...;
pósi óra stamatá to aeropláno sto ...?

Πόσο κοστίζει το εισιτήριο για ...;
póso kostízi to isitírio yiá ...?

Πότε έρχεται στην Αθήνα το αεροπλάνο από ...;
póte érhete stin Athína to aeropláno apó ...?

Πότε πρέπει να είμαι εκεί;
póte prépi na íme ekí?

Πότε φεύγει το αεροπλάνο;
póte févyi to aeropláno?

Landing wheels.
λάν-ντινγκ γουίιλς.

Tail.
τέιλ.

Take it, it's against air-sickness.
τέικ ιτ, ιτ'ς αγκένστ έαρσίκνες.

Fly.
φλάι.

Is this a direct flight?
ιζ δις ε ντάιρεκτ φλάιτ;

Air-crew.
έαρ-κρου.

What's the flight number?

ουάτς δε φλάιτ νάμ-μπερ;

How long does it stop in ... ?

χάου λονγκ νταζ ιτ στοπ ιν ... ;

How much does a ticket cost for ... ?

χάου ματς νταζ ε τίκετ κοστ φορ ... ;

When does the plane from ... arrive in Athens?

χουέν νταζ δε πλέιν φρομ ... α-ράιβ ιν Άθενς;

When must I be there?
χουέν μαστ άι μπι δέαρ;

When does the plane take off?
χουέν νταζ δε πλέιν τέικ οφ;

Πότε φθάνουμε στο ...;
póte fthánume sto ...?

When will we arrive in ...?
χουέν γουίλ γουί αράιβ ιν ... ;

Πού είναι η αίθουσα αναμονής;
pu íne i éthusa anamonís?

Where is the waiting lounge?
χουέαρ ιζ δε γουέιτινγκ λά-ουντζ;

Πού είναι το αεροπορικό πρακτορείο;
pu íne to aeroporikó praktorío?

Where's the air-travel agency?
χουέαρ΄ς δε έαρ-τράβελ έιτζεν-σι;

Πού είναι το γραφείο πληροφοριών;
pu íne to grafío pliroforión?

Where's the inquiry office?
χουέαρ΄ς δε ινκουάιερι όφις;

Πρέπει να ακυρώσω την πτήση.
prépi na akiróso tin ptísi.

I have to cancel the flight.
άι χεβ του κάνσελ δε φλάιτ.

Πρόγραμμα πτήσεων.
prógramma ptíseon.

Flight schedule.
φλάιτ σκέν-τζουλ.

Προσγειώνομαι.
prosyiónome.

Land.
λαν-ντ.

Πτέρυγα.
ptériga.

Wing.
γουίνγκ.

Πτήση.
ptísi.

Flight.
φλάιτ.

Πώς είναι ο καιρός στο ...;
pós íne o kerós sto ...?

What's the weather like in ...?
χουάτ΄ς δε γουέδερ λάικ ιν ... ;

Πώς μπορώ να πάω στο αεροδρόμιο;
pós boró na páo sto aerodhrómio?

How can I go to the airport?
χάου κεν άι γκόου του δι έαρπόρτ;

Σταματά το αεροπλάνο στο ...;
stamatá to aeropláno sto ...?

Does the plane stop in ...?
νταζ δε πλέιν στοπ ιν ... ;

Ταχύτητα.
tahítita.

Speed.
σπίι-ντ.

Το αεροπλάνο προσγειώθηκε πολύ καλά.
to aeropláno prosyióthike polí kalá.

The plane made a perfect landing.
δε πλέιν μέι-ντ ε πέρφεκτ λάν-ντινγκ.

Το αεροπλάνο για ... φεύγει σε δέκα λεπτά.
to aeropláno yia ... févyi se dhéka leptá.

The plane for ... leaves in 10 minutes.
δε πλέιν φορ ... λίιβς ιν τεν μίνιτς.

Τροχοδρομεί στο διάδρομο απογείωσης.
trohodhromí sto dhiádhromo apoyíosis.

It is taxiing along the runway.
ιτ ιζ τάξιινγκ αλόνγκ δε ράνγουέι.

Τώρα σταμάτησε.
tóra stamátise.

Now it has stopped.
νάου ιτ χαζ στοπ-ντ.

Υπάρχει αεροπλάνο για ...;
ipárhi aeropláno yia ...?

Is there a plane for ...?
ιζ δέαρ ε πλέιν φορ ...;

Υπάρχει ανταπόκριση για ...;
ipárhi andapókrisi yia ...?

Is there a connection to ...?
ιζ δέαρ ε κονέκσσον του ...?

Υπάρχει επιβάρυνση για κάθε κιλό υπέρβαρο.
ipárhi epivárinsi yiá káthe kiló ipérvaro.

There is a charge for each kilogram overweight.
δέαρ ιζ ε τσαρτζ φορ ίιτς κίλογκραμ όβερ γουέιτ.

Υπερηχητικό αεροπλάνο.
iperihitikó aeropláno.

Supersonic jet
σούπερσόνικ τζετ.

Ύψος.
ípsos.

Altitude.
άλτιτιου-ντ.

Χειριστής.
hiristís.

Pilot.
πάιλοτ.

Χρόνος πτήσης.
hrónos ptísis.

Flying time.
φλάιινγκ τάιμ.

16. ΤΑΞΙΔΙ ΜΕ ΠΛΟΙΟ　　16. TRAVELLING BY SHIP

taksídhi me plío　　τράβελινγκ μπάι σσιπ

Άγκυρα.　　**Anchor.**
ángira.　　άνκορ.
Άκου, κτυπά η σειρήνα.　　**Listen, the siren is going.**
áku, ktipá i sirína.　　λίσεν, δε σάιρεν ιζ γκόουινγκ.
Ακτή.　　**Coast.**
aktí.　　κόουστ.
Ανεβάζει τη σκάλα.　　**The ladder is raised.**
anevázi ti skála.　　δε λά-ντερ ιζ ρέιζ-ντ.
Ανεβάστε άγκυρες.　　**Weigh anchors.**
aneváste ágires.　　γουέι άνκορς.
Αξιωματικός καταστρώμα-　　**Deck officer.**
τος.
aksiomatikós katastrómatos.　　ντεκ όφισερ.
Αποβάθρα.　　**Wharf.**
apováthra.　　χουόρφ.
Αποβιβάζομαι.　　**Go ashore.**
apovivázome.　　γκόου ασόορ.
Αποβιβάζομαι.　　**Land.**
apovivázome.　　λαν-ντ.
Αρκετά αναπαυτικά.　　**Oh, yes, a very comfortable**
one.
arketá anapaftiká.　　ο, γιες, ε βέρι κόμφορτα-μπλ
　　ουάν.
Ατμόπλοιο.　　**Steamer.**
atmóplio.　　στίιμερ.
Αύρα.　　**Breeze.**
ávra.　　μπρίιζ.
Αυτό παίρνει και αφήνει ε-　　**It picks up and drops pas-**
πιβάτες, εμπορεύματα και　　**sengers, cargo and mail.**
το ταχυδρομείο.
aftó pérni ke afíni epivátes, e-　　ιτ πικς απ εν-ντ ντροπς πάσε-
borévmata ke to tahidhromío.　　ντζερς, κάργκοου εν-ντ μέιλ.

Βάρκα.
várka.

Boat.
μπόουτ.

Βάρκα ψαρέματος.
várka psarématos.

Fishing boat.
φίσινγκ μπόουτ.

Βάρκα διάσωσης.
várka dhiásosis.

Life boat.
λάιφ μπόουτ.

Βάρκα μηχανοκίνητη.
várka mihanokíniti.

Motor boat.
μόουτορ μπόουτ.

Βάρκα με πανιά.
várka me paniá.

Sailing boat.
σέιλινγκ μπόουτ.

Βοηθός πλοιάρχου.
voithós pliárhu.

Captain mate.
κάπτεν μέιτ.

Γέφυρα πλοίου.
géfira plíu.

Bridge.
μπριτζ.

Γιοτ.
yiót.

Yacht.
γιοτ.

Δωμάτιο καθιστικό.
dhomátio kathistikó.

Day-room.
ντέι-ρουμ.

Εδώ είναι το αμπάρι.
edhó íne to abári.

Here is the hold.
χίαρ ιζ δε χόλ-ντ.

Έλικας.
élikas.

Propeller.
προπέλερ.

Επιβάτης.
epivátis.

Passenger.
πάσεν-τζερ.

Θάλασσα.
thálassa.

Sea.
σίι.

Θάλασσα με κύμα.
thálassa me kíma.

Rough sea.
ραφ σίι.

Θαλάσσια γραμμή.
thalássia grammí.

Sea route.
σίι ρουτ.

Θέλω μια καμπίνα.
thélo mia kabína.

I want a cabin.
άι γουόν-τ ε κά-μπιν.

Θέλω να ταξιδεύσω κατά-στρωμα.
thélo na taksidéfso katástroma.

I want to travel deck.

άι γουόν-τ του τράβελ ντεκ.

Κάθε πότε έχει πλοίο;
káthe póte éhi plío?
How often do the ships leave?
χάου οφεν ντου δε σσιπς λίιβ;

Καμπίνα.
kabína.
Cabin.
κά-μπιν.

Καμπίνα του καπετάνιου.
kabína tu kapetániu.
Captain's cabin.
κάπτεν᾽ς κά-μπιν.

Κανάλι.
kanáli.
Channel.
τσάνελ.

Κανάλι στενό.
kanáli stenó.
Narrows.
νάροους.

Κάνουμε μια κρουαζιέρα με πλοίο;
kánume mia kruaziéra me plío?
Shall we go on a cruise?
σσαλ γουί γκόου ον ε κρουζ;

Καπετάνιος.
kapetános.
Captain.
κάπτεν.

Κατάστρωμα.
katástroma.
Deck.
ντεκ.

Κατεβάζει τη σκάλα.
katevázi ti skála.
It is lowering the gangway.
ιτ ιζ λόουερινγκ δε γκανγκγουέι.

Κατεβάστε τις άγκυρες.
kateváste tis ágires.
Drop anchors.
ντροπ άνκορς.

Κιγκλίδωμα.
kiglídhoma.
Railing.
ρέιλινγκ.

Κόμβος .
kómvos.
Knot.
νοτ.

Κουπί.
kupí.
Oar.
όορ.

Κύμα.
kíma.
Wave.
γουέιβ.

Κύριο κατάστρωμα.
kírio katástroma.
Main deck.
μέιν ντεκ.

Λιμάνι.
limáni.
Harbor.
χάρ-μπορ.

Μαούνα.
maúna.
Barge.
μπάαρτζ.

Μεταφέρει αυτοκίνητα αυτό το πλοίο;
metaféri aftokínita aftó to plío?

Does this ship carry cars?

Μήπως πρόκειται να μπει στο λιμάνι;
mípos prókite na bi sto limáni?

νταζ δις σσιπ κέρι κάαρς;
Is it entering the harbor?

Μήπως σ'έχει πιάσει η θάλασσα;
mípos s'éhi piási i thálassa?

ιζ ιτ έντερινγκ δε χάρ-μπορ;
Do you feel sea-sick?

Μόλις έφυγε για την ...
mólis éfige yia tin ...

ντου γιου φιλ σίι-σικ;
It has just left for ...

Μπορούμε να βγούμε στο κατάστρωμα;
borúme na vgúme sto katástroma?

ιτ χαζ τζαστ λεφτ φορ ...
Can we go up on deck?

Μπορώ να αγοράσω εισιτήρια με επιστροφή;
boró na agoráso isitíria me e-pistrofí?

κεν γουί γκόου απ ον ντεκ;
Can I buy return tickets?

Μπορώ να κλείσω μια θέση « ... »;
boró na klíso mia thési "..." ?

κεν άι μπάι ριτέρν τίκετς;
Can I book a passage on "..." ?

Μπορώ να κοιτάξω λίγο τον πίνακα δρομολογίων;
boró na kitákso lígo ton pínaka dhromoloyíon?

κεν άι μπουκ ε πάσιτζ ον «...» ;
Can I have a look at the time-table?

Μπροστινό κατάστρωμα.
brostinó katástroma.

κεν άι χεβ ε λουκ ατ δε τάιμ-τέι-μπλ;
Foredeck.

Ναύκληρος.
náfkliros.

φόρ-ντεκ.
Boatswain.

Ναυτιλιακή εταιρία.
naftiliakí etería.

μπόουτσγουέιν.
Shipping company.

Ναύτης.
náftis.

σσίπινγκ κόμ-πανι.
Sailor.

Νησί.
nisí.

σέιλορ.
Island.

άιλαν-ντ.

Ξεκινά για ...
ksekiná yiá ...

It departs for ...
ιτ ντιπάρτς φορ ...

Παλαμάρι.
palamári.

Rope.
ρόουπ.

Παράθυρα καμπινών.
paráthira kabinón.

Portholes.
πόρτχόουλς .

Παρακαλώ πηγαίντε με στο λιμάνι.
parakaló piyénde me sto limáni.

Please take me to the harbour.
πλίιζ τέικ μι του δε χάρ-μπορ.

Πέλαγος.
pélagos.

Open sea.
όουπεν σίι.

Πέρασα τρικυμία.
pérasa trikimía.

I went through a storm.
άι γουέντ θρου ε στορμ.

Περιλαμβάνει κανένα φαγητό;
perilambáni kanéna fayitó?

Does it include any meals?

νταζ ιτ ινκλιού-ντ ένι μίιλς;

Πηδάλιο.
pidhálio.

Rudder.
ρά-ντερ.

Πλήρωμα.
plíroma.

Crew.
κρου.

Πλώρη.
plóri.

Bow.
μπάου.

Πορεία.
poría.

Course.
κόουρς.

Πόση ώρα κρατά το ταξίδι μέχρι το ... ;
pósi óra kratá to taksídhi méhri to ... ?

How long does it take to sail to ... ?
χάου λονγκ νταζ ιτ τέικ του σέιλ του ... ;

Πόσο στοιχίζει για το αυτοκίνητό μου από ... μέχρι ... ;
póso stihízi yia to aftokínitó mu apó ... méhri ...?

How much does it cost for my car from ... to ...?
χάου ματς νταζ ιτ κοστ φορ μάι κάαρ φρομ ... του ...;

Πότε πρέπει να είμαστε στο πλοίο;
póte prépi na ímaste sto plío?

When must we be on board?
χουέν μαστ γουί μπι ον μπόουρ-ντ;

Πότε φεύγει το επόμενο πλοίο;
póte févyi to epómeno plío?

When does the next boat leave?

χουέν νταζ δε νεκστ μπόουτ λίιβ;

Πότε φθάνει το «...» ;
póte ftháni to «...» ?

When is ... due here?

χουέν ιζ ... ντιου χίαρ;

Πού είναι το ναυτιλιακό πρακτορείο;
pu íne to naftiliakó praktorío?

Where's the shipping agency?

χουέαρ'ς δε σσίπινγκ έιτζενσι;

Πρύμνη.
prímni.

Stern.

στερν.

Πώς ταξιδέψατε, με ήρεμη θάλασσα ή με κύμα;
pos taksidhépsate, me íremi thálassa í me kíma?

Did you have a rough, smooth voyage?

ντιντ γιου χεβ ε ραφ, σμουθ βόιετζ;

Ρυμουλκό.
rimulkó.

Tug.

ταγκ.

Σε μια ώρα αποβιβαζόμαστε στο ...
se mia óra apovivazómaste sto ...

We'll land in ... in one hour.

γουί'λ λαν-ντ ιν ... ιν όυάν άουαρ.

Σημαία.
siméa.

Flag.

φλαγκ.

Σκάλα του βαποριού.
skála tu vaporiú.

Gangway.

γκάνγκγουέι.

Σκοινί.
skiní.

Rope.

ρόουπ.

Σταματώ στο λιμάνι.
stamató sto limáni.

Call at.

κόολ ατ.

Σωσίβιο.
sosívio.

Life buoy.

λάιφ μπόι.

Ταξιδέψατε καλά;
taksidhépsate kalá?

Did you have a good voyage?

ντιντ γιου χεβ ε γκου-ντ βόιετζ;

Ταξίδι, κρουαζιέρα με πλοίο.
taksídhi, kruaziéra me plío.

Voyage, cruise.

βόιετζ, κρουζ

Τι ώρα σαλπάρει;	**What time does it sail?**
ti óra salpári?	χουάτ τάιμ νταζ ιτ σέιλ;
Τιμονιέρης.	**Helmsman.**
timoniéris.	χέλμζμαν.
Το κατάρτι.	**Mast.**
to katárti.	μάαστ.
Το πλοίο έφυγε στις ...	**It left at ...**
to plío éfige stis ...	ιτ λεφτ ατ ...
Το πλοίο μόλις πλεύρισε.	**The ship has just docked.**
to plío mólis plévrise.	δε σιπ χεζ τζαστ ντόκ-ντ.
Τραπεζαρία.	**Dining room.**
trapezaría.	ντάινινγκ ρουμ.
Υπεύθυνος των αποσκευών.	**Cargo-checker.**
ipéfthinos ton aposkevón.	κάργκοου-τσέκερ.
Φάρος.	**Light-house.**
fáros.	λάιτ-χάους.
Φεύγει στις ...	**It sails at ...**
févyi stis ...	ιτ σέιλς ατ ...
Φόροι του λιμανιού.	**Port tariff.**
fóri tu limaniú.	πορτ τάριφ.

17.ΤΑΞΙΔΙ ΜΕ ΑΥΤΟΚΙΝΗΤΟ

17. TRAVELLING BY CAR

taksídhi me aftokínito

τράβελινγκ μπάι καρ

Αναχώρηση.
anahórisi.
Departure.
ντιπάρτσιουρ.

Αμάξωμα.
amáksoma.
Body.
μπό-ντι.

Αμορτισέρ.
amortisér.
Shock absorber.
σοκ αμπζόορ-μπερ.

Ανεμιστήρας.
anemistíras.
Fan.
φαν.

Αντιψυκτικό.
andipsiktikó.
Anti-freeze.
αν-τιφρίιζ.

Ανταλλακτικά.
adallaktiká.
Spare parts.
σπέαρ παρτς.

Αντλία βενζίνης.
andlía venzínis.
Fuel pump.
φιούελ παμ-π.

Αντλία ελαίου.
andlía eléu.
Oil pump.
όιλ παμ-π.

Άξονας.
áksonas.
Axle.
αξλ.

Απαγορεύεται η στάθμευση εδώ.
apagorévete i státhmefsi edhó.
No parking here.
νόου πάρκινγκ χίαρ.

Απαγόρευση διάβασης.
apagórefsi dhiávasis.
Stop!
στοπ!

Απαγόρευση στάθμευσης.
apagórefsi státhmefsis.
No stopping!
νόου στόπινγκ!

Απεσταγμένο νερό
apestagméno neró.
Distilled water.
ντιστίλ-ντ γουότερ.

Αποδέχεσθε την ενοχή;
apodhéhesthe tin enohí?
Do you accept the blame?
ντου γιου αξέπτ δε μπλέιμ;

Αργά.
argá.
Slowly.
σλόουλι.

Αριθμός κυκλοφορίας.
arithmós kikloforías.

Number plate.
νάμ-μπερ πλέιτ.

Ασφάλειες.
asfálies.

Fuses.
φιούζις.

Αυτή είναι η θέση μου.
aftí íne i thési mu.

This is my seat.
δις ιζ μάι σίιτ.

Αυτή είναι η τελευταία στά-ση.
aftí íne i teleftéa stási.

This is the last stop.
δις ιζ δε λαστ στοπ.

Αυτό είναι το αυτοκίνητό μου.
aftó íne to aftokínitó mu.

This is my car.
δις ιζ μάι καρ.

Αυτό το λεωφορείο πηγαίνει στο ... ;
aftó to leoforío pigéni sto ... ?

Is this bus going to ... ?
ιζ δις μπας γκόουινγκ του ... ;

Αυτοκίνητο.
aftokínito.

Automobile.
οτομο-μπίλ.

Αυτοκίνητο.
aftokínito.

Car.
καρ.

Αυτόματο κιβώτιο ταχυτή-των.
aftómato kivótio tahitíton.

Automatic transmission.
οτομάτικ τρανσμίσσον.

Άφιξη.
áfiksi.

Arrival.
αράιβαλ.

Βαλβίδα.
valvídha.

Valve.
βαλβ.

Βεβαίως όχι.
vevéos óhi.

Of course not.
οφ κορς νοτ.

Βενζίνη.
venzíni.

Gas.
γκας.

Βενζίνη σούπερ.
venzíni súper.

High octane gas.
χάι οκτέιν γκας.

Βίδα.
vídha.

Bolt.
μπολτ.

Βοηθήστε με λίγο, σας πα-
ρακαλώ.
voithíste me lígo, sas parakaló.

Help me, please.

χελπ μι, πλιζ.

Βολάν / Τιμόνι
volán / timóni

Steering wheel.

στίιρινγκ γουίλ.

Γεμίστε το με λάδι, σας πα-
ρακαλώ.
yemíste to me ládhi, sas pa-
rakaló.

Fill it up with oil, please.

φιλ ιτ απ γουίθ όιλ, πλιζ.

Γκάζι.
gázi.

Accelerator.

αξελερέιτορ.

Γρασάρω.
grasáro.

Lubricate.

λού-μπρικέϊτ.

Γράσο.
gráso.

Lubricant.

λού-μπρικαντ.

- Σημεία γρασαρίσματος.
- simía grasarísmatos.

- Lubricating points.

- λού-μπρικεϊτινγκ πόιντς.

Γρήγορα.
grígora.

Fast.

φαστ.

Γυαλόχαρτο.
yialóharto.

Sand paper.

σαν-ντ πέιπερ.

Δακτυλίδι πιστονιού.
dhaktilídhi pistoniú.

Piston ring.

πίστον ρινγκ.

Δείκτης.
dhíktis.

Indicator.

ιν-ντικέιτορ.

Δείκτης κατεύθυνσης.
dhíktis katéfthinsis.

Direction indicator.

νταϊρέκσον ιν-ντικέιτορ.

Δείκτης λαδιού.
dhíktis ladhiú.

Oil dip-stick.

όιλ ντιπ-στικ.

Δεν ακούσατε την κόρνα;
dhen akúsate tin kórna?

Didn't you hear me tooting?

ντιντν'τ γιου χίαρ μι τούτινγκ;

Δεν είχα τι να έκανα.

There was nothing I could
do.

dhen íha ti na ékana.

δέαρ γουόζ νάθινγκ άι κου-ντ
ντου.

Δε βλέπετε το σήμα;
dhe vlépete to síma?

Don't you see the sign?
ντον'τ γιου σι δε σάιν;

Δέκα λίτρα πετρέλαιο, σας παρακαλώ.
dhéka lítra petréleo, sas parakaló.

Ten liters of diesel, please.
τεν λίτερς οβ ντίζελ, πλιζ.

Δεν δουλεύει.
dhen dhulévi.

It doesn't work.
ιτ νταζν'τ γουέρκ.

Δεν κρατάνε τα φρένα.
dhen kratáne ta fréna.

The brakes don't work.
δε μπρέικς ντον'τ γουέρκ.

Δεν λειτουργούν τα φρένα.
dhen liturgún ta fréna.

The brakes don't work.
δε μπρέικς ντον'τ γουέρκ.

Δεν μπορώ να βάλω ταχύτητα.
dhen boró na válo tahítita.

I can't put it into gear.
αί κεν'τ πουτ ιτ ίντου γκίαρ.

Δεν μπορώ να βάλω τη δεύτερη ταχύτητα.
dhen boró na válo ti dhéfteri tahítita.

I can't change into second.
άι κεν'τ τσέιντζ ίντου σέκοννντ.

Δεν μπορώ να βάλω την τελική ταχύτητα.
dhen boró na válo tin telikí tahítita.

I can't change into top gear.
άι κεν'τ τσέιν-τζ ίντου τοπ γκίαρ.

Δεν παίρνει ταχύτητα.
dhen pérni tahítita.

It won't go into gear.
ιτ γουόν'τ γκόου ίντου γκίαρ.

Διάβαση βουνού.
dhiávasi vunú.

Pass.
πας.

Διακόπτης.
dhiakóptis.

Switch.
σουίτς.

Διακόπτης μίζας.
dhiakóptis mízas.

Starter.
στάρτερ.

Διανομέας.
dhianoméas.

Distributor.
ντιστρί-μπιουτορ.

Διασταύρωση.
dhiastávrosi.

Crossing.
κρόσινγκ.

Διασταύρωση.
dhiastávrosi.

Cross-roads.
κρος-ρόου-ντς.

Διαφορικό. dhiaforikó.	**Differential.** ντιφερένσσιαλ.
Διαφορικό ταχύτητας. dhiaforikó tahítitas.	**Differential gear.** ντιφερένσσιαλ γκίαρ.
Δίσκος συμπλέκτη. dhískos siblékti.	**Cluch plate.** κλατς πλέιτ.
Δίσκος φρένων. dhískos frénon.	**Disk of the brakes.** ντισκ οβ δε μπρέικς.
Δοχείο βενζίνης. dhohío venzínis.	**Petrol can.** πέτρολ καν.
Δρόμος. dhrómos.	**Road.** ρόου-ντ.
Δρόμος φιδίσιος. dhrómos fidhísios.	**Winding road.** γουάιν-ντινγκ ρόου-ντ.
Δυναμό. dhinamó.	**Dynamo.** ντάιναμο.
Δύο εισιτήρια με επιστροφή για ..., παρακαλώ. dhío isitíria me epistrofí yiá ..., parakaló	**Two tickets to ... and return, please.** του τίκετς του ... εν-ντ ριτέρν πλιζ.
Εγώ φεύγω αύριο το πρωί στις ... egó févgo ávrio to proí stis ...	**I leave tomorrow morning at ...** άι λίιβ τουμόροου μόρνινγκ ατ ...
Είναι αυτή η θέση ελεύθερη; íne aftí i thési eléftheri?	**Is the seat free?** ιζ δε σίιτ φρίι;
Είναι σπασμένη μια σούστα. íne spasméni miá sústa.	**It has a broken spring.** ιτ χαζ ε μπρόουκεν σπρινγκ.
Είναι ένα επείγον περιστατικό. íne éna epígon peristatikó.	**It's an urgent case.** ιτ'ς εν έρτζεντ κέις.
Είναι τρυπημένο το λάστιχο. íne tripiméno to lástiho.	**The tyre has gone flat.** δε τάιερ χαζ γκον φλατ.
- Μπορείς να κολλήσεις αυτή τη σαμπρέλα;	**- Can you patch this inner tube?**

- borís na kollísis aftí ti sa-
mbréla?
**- Μπορείτε να το αναγομώ-
σετε;**
- boríte na to anagomósete?
**- Μπορείτε να το επισκευά-
σετε;**
- boríte na to episkevásete?
Είσαστε ανοικτοί τη νύχτα;
ísaste aniktí ti níkta?
**Είχα δικαίωμα προσπερά-
σματος.**
íha dhikéoma prosperásmatos.
**Είχα ένα αυτοκινητιστικό α-
τύχημα.**
íha éna aftokinitistikó atíhi-ma.
Είχα ένα κτύπημα πλευρικά.
íha éna ktípima plevriká.
Έξοδος.
éksodhos.
Έκανα ζημιά στο αμάξωμα.
ékana zimiá sto amáksoma.
Ελατήριο.
elatírio.
**Ελέγχετε τη στάθμη των υ-
γρών των φρένων;**
eléghete ti státhmi ton igrón
ton frénon?
**Ένα εισιτήριο για ... παρα-
καλώ.**
éna isistírio yiá ...parakaló.
Έναυση.
énafsi.
- Κλειδί έναυσης.
- klidhí énafsis.

- κεν γιου πατς δις ίνερ τιουμπ;
- Can you vulcanize?

- κεν γιου βαλκανάιζ;
- Can you repair it?

- κεν γιου ριπέαρ ιτ;
Are you open at night?
αρ γιου όουπεν ατ νάιτ;
I had the right to overtake.

άι χεντ δε ράιτ του όουβερτέικ.
I've had a car accident.

άι'β χεντ ε καρ άξιντεντ.
I had a bump sidewards.
άι χεντ ε μπαμ-π σάιντγουόρντς.
Exit.
έγκζιτ.
I damaged the body-work.
άι ντάματζιντ δε μπό-ντι-γουόρκ.
Spring.
σπρινγκ.
**Will you check the level of
the brake fluid?**
γουίλ γιου τσεκ δε λέβελ οβ δε
μπρέικ φλούι-ντ;
A ticket for ... please.

ε τίκετ φορ ... πλιζ.
Ignition.
ιγκνίσσον.
- Ignition key.
- ιγκνίσσον κι.

Εξάτμιση.
eksátmisi.
Επαφές πλατινών.
epafés platinón.
Επιδιορθώνω.
epidhiorthóno.
Επιθυμώ να καθήσω με πρό-σωπο προς τα εμπρός.
epithimó na kathíso me pró-sopo pros ta ebrós.
Επιτρέπεται η διέλευση δε-ξιά;
epitrépete i dhiélefsi dheksiá?
Επιτρέπεται η υπέρβαση;
epitrépete i ipérvasi?
Εργοτάξιο κατασκευής είναι αυτό;
ergotáksio kataskevís íne aftó?
Έχει μια βλάβη η αντλία βενζίνης.
éhi miá vlávi i andlía venzínis.

Έχει μια βλάβη η αντλία πε-τρελαίου.
éhi miá vlávi i andlía petreléu.

Έχει μια βλάβη η μηχανή.

éhi miá vlávi i mihaní.

Έχει κανένα γκαράζ εδώ;
éhi kanéna garáz edhó?
Έχει κανένα χώρο στάθ-μευσης εδώ γύρω;
éhi kanéna hóro státhmefsis edhó yíro?

Exhaust.
ιγκζόουστ.
Points.
πόιν-τς.
Repair.
ριπέαρ.
I would like a seat facing the engine.
άι γου-ντ λάικ ε σίιτ φέισινγκ δε έν-τζιν.
Is passing on the right allowed?
ιζ πάσινγκ ον δε ράιτ αλάου-ντ;
Is overtaking forbidden?
ιζ όουβερτέικινγκ φορμπί-ντεν;
Is this a construction site ?

ιζ δις ε κονστράκσσον σάιτ ;
There is something wrong with the fuel pump.
δέαρ ιζ σάμθινγκ ρονγκ γουίθ δε φιούελ παμ-π.
There is something wrong with the fuel pump.
δέαρ ιζ σάμθινγκ ρονγκ γουίθ δε φιούελ παμ-π.
There is something wrong with the engine.
δέαρ ιζ σάμθινγκ ρονγκ γουίθ δι έν-τζιν.
Is there any garage here?
ιζ δέαρ ένι γκαράτζ χίαρ;
Is there any parking lot around here?
ιζ δέαρ ένι πάρκινγκ λοτ αρά-ουν-ντ χίαρ;

Έχει πέσει η μπαταρία, χρει-
άζεται φόρτιση.
éhi pési i bataría, hriázete fórtisi.

The battery is flat, it needs
recharging.
δε μπάτερι ιζ φλατ, ιτ νίι-ντς ρι-
τσάρτζινγκ.

Έχετε άδεια οδήγησης;

éhete ádhia odhíyisis?

Do you have a driving licence?

ντου γιου χεβ ε ντράιβινγκ λάι-
σενς;

Έχετε ανταλλακτικά για ... ;

éhete adallaktiká yiá ... ?

Do you have spare parts for
... ?
ντου γιου χεβ σπέαρ παρτς
φορ ... ;

- Πότε σας έρχονται τα α-
νταλλακτικά;
póte sas érhonde ta andalaktiká?

- When will you have the
spare parts?
- χουέν γουίλ γιου χεβ δε σπέ-
αρ παρτς;

Έχετε βενζίνη υψηλής πε-
ριεκτικότητας σε οκτάνια;
éhete venzíni ipsilís periekti-
kótitas se oktánia?

Do you have high-octane
gas?
ντου γιου χεβ χάι-οκτέιν γκας;

Έχω έλθει με λεωφορείο.
ého élthi me leoforío.

I've come by bus.
άι'β καμ μπάι μπας.

Έχω έλθει με αυτοκίνητο.
ého élthi me aftokínito.

I've come by car.
άι'β καμ μπάι καρ.

Ζεσταίνεται πολύ.
zesténete polí.

It overheats.
ιτ όουβερχίτς.

Ζώνη ασφαλείας.
zóni asfalías.

Safety belt.
σείφτι μπελτ.

Η μηχανή δεν τραβάει.
i mihaní dhen travái.

The motor won't pull.
δε μόουτορ γουόν'τ πουλ.

Η μηχανή εργάζεται βαριά.
i mihaní ergázete variá.

The engine is laboring.
δε έντζιν ιζ λέι-μπορινγκ.

Ηλεκτρική βλάβη.
ilektrikí vlávi.

Electrical trouble.
ελέκτρικαλ τρά-μπλ.

Ήταν δικό σας σφάλμα.
ítan dhikó sas sfálma.

It was your fault.
ιτ γουόζ γιορ φόολτ.

Ήταν μια σύγκρουση.
ítan mia síngrusi.

It was a crash.
ιτ γουόζ ε κρασς.

Θα σταματήσουμε στο ... ;
tha stamatísume sto ... ?

Do we stop at ... ?
ντου γουί στοπ ατ ... ;

Θερμοστάτης.
thermostátis.

Thermostat.
θέρμοσται.

Καθαριστήρες
katharistíres.

Windscreen wipers.
γουίν-ντσκρίν γουάιπερς.

Κάθισμα.
káthisma.

Seat.
σίιτ.

Κάθισμα μπροστινό.
káthisma brostinó.

Front seat.
φρον-τ σίιτ.

Κάθισμα πισινό.
káthisma pisinó.

Back seat.
μπακ σίιτ.

Καθρέφτης
kathréftis.

Mirror.
μίρορ.

Καθρέφτης για να βλέπεις πίσω.
kathréftis yiá na vlépis píso.

Driving rear-view mirror.

ντράιβινγκ ρίαρ-βιου μίρορ.

Καλά, σε τρεις ημέρες θα είναι έτοιμο.
kalá, se tris iméres tha íne étimo.

All right, it will be ready in three days.

ολ ράιτ, ιτ γουίλ μπι ρέ-ντι ιν θρι ντέις.

Καλοριφέρ.
kalorifér.

Heater.
χίιτερ.

Κάλυμμα των αποσκευών του αυτοκινήτου.
kálima ton aposkevón tu aftokinítu.

Trunk-lid.

τρανκ-λι-ντ.

Κάναμε ένα πολύ καλό ταξίδι.
káname éna polí kaló taksídhi.

We had a very good trip.

γουί χε-ντ ε βέρι γκου-ντ τριπ.

Κανόνες οδικής κυκλοφορίας.
kanónes odhikís kikloforías.

Traffic rules.

τράφικ ρουλς.

Κάνουμε μια μικρή στάση ε-δώ;
kánume mia mikrí stási edhó?

May we make a brief stop here?
μέι γουί μέικ ε μπριφ στοπ χίαρ;

Κάνω πίσω / όπισθεν.
káno píso / ópisthen
Reverse.
ρεβέρς.

Καπό.
kapó.
Hood
χούου-ντ

Καρμπιρατέρ.
karbiratér.
Carburettor.
κααρμπιουρέτερ.

Κατσαβίδι.
katsavídhi.
Screw driver.
σκρου ντράιβερ.

Κατεύθυνση.
katéfthinsi.
Direction.
νταϊρέκσσον.

Κεντρικός άξονας.
kedrikós áksonas.
Crankshaft.
κράνκσαφτ.

Κιβώτιο ταχυτήτων.
kivótio tahitíton.
Gear box.
γκίαρ μποξ.

Κινητήρας.
kinitíras.
Motor.
μόουτορ.

Κινητήρας.
kinitíras.
Engine.
έντζιν.

- Δίχρονος κινητήρας.
- dhíhronos kinitíras.
- Two stroke motor.
- του στρόουκ μόουτορ.

- Τετράχρονος κινητήρας.
- tetráhronos kinitíras.
- Four stroke motor.
- φορ στρόουκ μόουτορ.

Κλάξον.
kláxon.
Horn.
χορν.

Κλειδαριά.
klidhariá.
Lock.
λοκ.

Κλειδί.
klidhí.
Spanner.
σπάνερ.

Κλειδί αυτοκινήτου.
klidhí aftokinítu.
Car key.
καρ κι.

Κλειδί παπαγαλάκι.
klidhí papagaláki.
Slip-joint pliers.
σλιπ-τζόιντ πλάιερς.

Κοίταξε, εδώ έχει ένα χώρο στάθμευσης αυτοκινήτων.
kítakse, edhó éhi éna hóro státhmefsis aftokiníton.

Look, here is a car-park.
λουκ, χίαρ ιζ ε καρ-παρκ.

Κόρνα.
kórna.

Horn.
χορν.

Μου κτυπάει η μηχανή.
mu ktipái i mihaní.

There is a knock in the motor.
δέαρ ιζ ε νοκ ιν δε μόουτορ.

Κυκλοφορία.
kikloforía.

Traffic.
τράφικ.

- Οδική κυκλοφορία.
- odhikí kikloforía.

- Motorway traffic.
- μότοργουέι τράφικ.

Κύλινδρος.
kílindhros.

Cylinder.
σίλιντερ.

Κύριος δρόμος.
kírios dhrómos.

Main road.
μέιν ρόουντ.

Λάδι.
ládhi.

Oil.
όιλ.

Λάδι κιβωτίου ταχυτήτων.
ládhi kivotíu tahitíton.

Gear-box oil.
γκίαρ-μποξ όιλ.

Λάδι μηχανής.
ládhi mihanís.

Engine oil.
έντζιν όιλ.

Λάμπα.
lába.

Lamp bulb.
λαμ-π μπαλ-μπ.

Λασπωτήρας.
laspotíras.

Mudguard.
μά-ντγκαρ-ντ.

Λάστιχο.
lástiho.

Tyre.
τάιρ.

Λεβιέ ταχυτήτων.
levié tahitíton.

Gear lever.
γκίαρ λέβερ.

Λεωφορείο.
leoforío.

Bus.
μπας.

Λίμα.
líma.

File.
φάιλ.

Λουρίδα ανεμιστήρα.
lurídha anemistíra.

Λωρίδα κυκλοφορίας.
lorídha kikloforías.

Με εμπόδισε το κόκκινο φως του σηματοδότη.
me ebódhise to kókkino fos tu simatodhóti.

Μετασχηματιστής.
metashimatistís.

Μεταφορά.
metaforá.

Μην εμποδίζετε τη διέλευση.
min ebodhízete ti dhiélefsi.

Μην πηγαίνεις όπισθεν, κάνε στροφή.
min pigénis ópisthen, káne strofí.

Μήπως ήσασταν μάρτυρας εκεί;
mípos ísastan mártiras ekí?

Μήπως πηγαίνετε για ... ;
mípos pigénete yiá ... ?

Μήπως πρέπει να αλλάξω το μπουζί;
mípos prépi na allákso to buzí?

Μηχανάκι.
mihanáki.

Μηχανή.
mihaní.

Μηχανική βλάβη.
mihanikí vlávi.

Μια καινούρια σαμπρέλα, σας παρακαλώ.
miá kenúria sabréla, sas para-

Fanbelt.
φάν-μπέλτ.

Lane.
λέιν.

I was held up by the red light.
άι γουόζ χελ-ντ απ μπάι δε ρε-ντ λάιτ.

Alternator.
όλτερνέιτορ.

Transmission.
τρανσμίσσον.

Don't block the passage.
ντον'τ μπλοκ δε πάσατζ.

Don't drive in reverse, turn around.
ντον'τ ντράιβ ιν ριβέρς, τερν α-ράουν-ντ.

Were you an eye-witness?
γουέαρ γιου εν άι-ουίτνες;

Are you driving to ... ?
αρ γιου ντράιβινγκ του ... ;

Should I change the spark plug?
σσουντ άι τσέιν-τζ δε σπαρκ πλαγκ;

Motorcycle.
μόουτορσάικλ.

Engine.
έντζιν.

Mechanical trouble.
μεκάνικαλ τρα-μπλ

A new inner tube, please.
ε νιου ίνερ τιου-μπ, πλιζ.

kaló.

Μίζα.
míza.

Μοτοποδήλατο.
motopodhílato.

Μου σβήνει η μηχανή.
mu svíni i mihaní.

Μπαταρία.
bataría.

Μπες στη λωρίδα και σταμάτησε δύο χιλιόμετρα μακρύτερα.
bes sti lorídha ke stamátise dhío hiliómetra makrítera.

Μπιέλα.
biéla.

Μπορείς να μου τοποθετήσεις το εφεδρικό λάστιχο;
borís na mu topothetísis to efedhrikó lástiho?

Μπορείς να το γεμίσεις;
borís na to yemísis?

Μπορείτε να αλλάξετε αυτό το λάστιχο, σας παρακαλώ;
boríte na alláksete aftó to lástiho, sas parakaló?

Μπορείτε να ελέγξετε το καρμπιρατέρ;
boríte na elégsete to karbiratér?

Μπορείτε να καθαρίσετε το καρμπιρατέρ;
boríte na katharísete to karbiratér?

Μπορείτε ν'αλλάξετε το λά-

Starter.
στάρτερ.

Scooter.
σκούτερ.

The motor cuts out, stops.
δε μόουτορ κατς άουτ, στοπς.

Battery.
μπάτερι.

Get into the lane and stop two kilometers further on.
γκετ ίν-του δε λέιν εν-ντ στοπ του κιλόμιτερς φέρδερ ον.

Connecting rod.
κονέκτινγκ ρο-ντ.

Will you put the spare wheel on for me?
γουίλ γιου πουτ δε σπέαρ γουίλ ον φορ μι;

Can you fill it up?
κεν γιου φιλ ιτ απ;

Would you change this tyre, please?
γουντ γιου τσέιντζ δις τάιερ, πλιζ;

Will you check the carburettor?
γουίλ γιου τσεκ δε κααρμπιουρέτερ;

Can you clean the carburettor?
κεν γιου κλίιν δε κααρμπιουρέτερ;

Can you change the oil,

δι, παρακαλώ;
boríte n'alláksete to ládhi, parakaló?

Μπορείτε να γεμίσετε και αυτό το δοχείο, σας παρακαλώ;
boríte na yemísete ke aftó to dhohío, sas parakaló?

Μπορείτε να καταθέσετε γι'αυτό;
boríte na katathésete yi'aftó?

Μπορείτε να με ρυμουλκήσετε;
boríte na me rimulkísete?

Μπορείτε να ελέγξετε τη στάθμη του λαδιού;
boríte na elégsete ti státhmi tu ladhiú?

Μπορείτε να ελέγξετε λίγο τα φρένα;
boríte na elégsete lígo ta fréna?

Μπορείτε να μου το δείξετε στο χάρτη;
boríte na mu to dhíksete ston hárti?

Μπορείτε να μου πλύνετε το αυτοκίνητο, σας παρακαλώ;
boríte na mu plínete to aftokínito, sas parakaló?

Μπορείτε να μου δανείσετε ... ;
boríte na mu dhanísete ... ?

Μπορούμε να αλλάξουμε θέσεις, παρακαλώ;
borúme na alláksume thésis, parakaló?

please?
κεν γιου τσέιν-τζ δι όιλ, πλιζ;

Can you fill this petrol-can too, please?
κεν γιου φιλ δις πέτρολ-καν του, πλιζ;

Can you testify to that?
κεν γιου τέστιφάι του δατ;

Can you tow my car?
κεν γιου τόου μάι καρ;

Can you check the oil level?
κεν γιου τσεκ δι όιλ λέβελ;

Can you check the brakes, please?
κεν γιου τσεκ δε μπρέικς, πλιζ;

Can you show me this on the map?
κεν γιου σόου μι δις ον δε μαπ;

Can you wash my car, please?
κεν γιου γουός μάι καρ, πλιζ;

Could you lend me ... ?
κουντ γιου λεν-ντ μι ... ;

Could we change seats, please?
κου-ντ γουί τσέιν-τζ σίιτς, πλιζ;

Μπορούμε να πάρουμε με-
ρικές φωτογραφίες εδώ;
borúme na párume merikés
fotografíes edhó?

Can we take some pictures
here?
κεν γουί τέικ σαμ πίκτιουρς
χίαρ;

Μπορώ να ανοίξω το παρά-
θυρο;
boró na aníkso to paráthiro?

Do you mind if I open the
window?
ντου γιου μάιν-ντ ιφ άι όουπεν
δε γουίν-ντοου;

Μπορώ να αφήσω το αυτο-
κίνητο εδώ;
boró na afíso to aftokínito e-
dhó?

Can I leave the car here?

κεν άι λιβ δε καρ χίαρ;

Μπορώ να κλείσω το παρά-
θυρο;
boró na klíso to paráthiro?

Do you mind if I close the
window?
ντου γιου μάιν-ντ ιφ άι κλόουζ
δε γουίν-ντοου;

Μπορώ να τη φουσκώσω λί-
γο;
boró na ti fuskóso lígo?

Can I pump it up?

κεν άι παμ-π ιτ απ;

Μπορώ να χρησιμοποιήσω
το τηλέφωνο;
boró na hrisimopiíso to tiléfo-
no?

May I use the telephone?

μέι άι γιουζ δε τέλεφόουν;

Μπουζί.
buzí.

Sparking plug.
σπάρκινγκ πλαγκ.

Μπουλόνια.
bulónia.

Bolts.
μπολτς.

Να ανάψω τη μηχανή;
na anápso ti mihaní?

Shall I start the engine?
σαλ άι σταρτ δι έν-τζιν;

Να ανέβουμε;
na anévume?

Shall we get on?
σαλ γουί γκετ ον;

Να κατέβουμε;
na katévume?

Shall we get off?
σαλ γουί γκετ οφ;

Να συνεχίσω κατευθείαν ε-
μπρός;

Shall I drive straight ahead?

na sinehíso katefthían embrós?

Νερό.
neró.

Νερό για ψύξη.
neró yiá psíksi.

Νερό αποσταγμένο.
neró apostagméno.

Νοσοκομείο.
nosokomío.

Ο διακόπτης αλλαγής των φώτων δεν δουλεύει καλά.
o dhiakóptis allayís ton fóton dhen dulévi kalá.

Ο οδηγός ήταν πολύ καλός και προσεκτικός.
o odhigós ítan polí kalós ke prosektikós.

Ο συμπλέκτης δεν αποσυμπλέκει.
o sibléktis dhen aposibléki.

Οδηγός.
odhigós

Οδηγώ.
odhigó.

Όπισθεν.
ópisthen.

Οροφή.
orofí.

Οχήματα.
ohímata.

Όχημα βυτιοφόρο.
óhima vitiofóro.

Όχημα εφοδιασμού.
óhima efodhiasmú.

Όχι, εσείς;

σαλ άι ντράιβ στρέιτ αχέ-ντ;

Water.
γουότερ.

Cooling water.
κούλινγκ γουότερ.

Distilled water.
ντιστίλ-ντ γουότερ.

Hospital.
χόσπιταλ.

The dip switch doesn't work properly.
δε ντιπ σουίτς νταζν'τ γουόρκ πρόπερλι.

The driver was very good and careful.
δε ντράιβερ γουόζ βέρι γκου-ντ εν-ντ κέαρφουλ.

The clutch doesn't disengage.
δε κλατς νταζν'τ ντίσενγκέιτζ.

Driver.
ντράιβερ.

Drive.
ντράιβ

Reverse.
ριβέρς.

Roof.
ρουφ.

Vehicles.
βίικλς.

Tanker truck.
τάνκερ τρακ.

Delivery van.
ντιλίβερι βαν.

No, do you?

óhi, esís?

Παρακαλώ, απαγορεύεται η στάση εδώ.

parakaló, apagorévete i stási e-dhó.

Πάρα λίγο θα έχανα το λεω-φορείο.

pára lígo tha éhana to leofo-río.

Παρέκκλιση.

paréklisi.

Παξιμάδι.

paximádhi.

Παράθυρο.

paráthiro.

Παρμπρίζ.

parbríz.

Πάρτε το πόδι από το γκάζι.

párte to pódhi apó to gázi.

Πάτα γκάζι.

páta gázi.

Περάστε μπροστά, παρακα-λώ.

peráste brostá, parakaló.

Πετρέλαιο.

petréleo.

Πετρελαιομηχανή.

petreleomihaní.

Πίεση ελαστικού.

píesi elastikú.

Πίεση λαδιού.

píesi ladhiú.

Πιστόνι.

pistóni.

νόου, ντου γιου;

Please, no stopping here.

πλιζ, νόου στόπινγκ χίαρ.

I nearly missed the bus.

άι νίαρλι μισ-ντ δε μπας.

Bypass.

μπαϊπάς.

Nut.

νατ.

Window.

γουίν-ντοου.

Wind-screen.

γουίν-ντσκρίιν.

Take your foot off the accelerator.

τέικ γιορ φουτ οφ δε αξελερέι-τορ.

Step on the accelerator.

στεπ ον δε αξελερέιτορ.

Move to the front, please.

μουβ του δε φρον-τ, πλιζ.

Diesel fuel.

ντίιζελ φιούελ.

Diesel motor.

ντίιζελ μόουτορ.

Tyre pressure.

τάιερ πρέσιουρ.

Oil pressure.

όιλ πρέσιουρ.

Piston.

πίστον.

- Ελατήριο πιστονιού.
- elatírio pistoniú.

Πίσω φώτα.
píso fóta.

Πίσω άξονας.
píso áxonas.

Πλαϊνά φώτα.
plainá fóta.

Πλαίσιο.
plésio.

Πλύσιμο.
plísimo.

Ποδήλατο.
podhílato.

Ποδόφρενο.
podhófreno.

Ποιες είναι οι ώρες στάθμευσης;
piés íne i óres státhmefsis?

Ποιο είναι το μέγιστο επιτρεπόμενο όριο ταχύτητας στην Ελλάδα;
pió íne to méyisto epitrepómeno όrio tahítitas stin elládha?

Ποιο λεωφορείο πηγαίνει στο ... ;
pió leoforío pigéni sto ... ?

Ποιος είναι ο δρόμος για το ... ;
piós íne o dhrómos yiá to ... ?

Πόσο είναι από εδώ μέχρι το ... ;
póso íne apó edhó méhri to ... ?

Πόσο είναι το κόστος στάθμευσης για μια νύχτα;

- Piston ring.
- πίστον ρινγκ.

Rear lights.
ρίαρ λάιτς.

Rear axle.
ρίαρ αξλ.

Sidelights.
σάι-ντλάιτς.

Chassis-frame.
τσέισις-φρέιμ.

Carwash.
κάργουόσς

Bicycle.
μπάισικλ.

Footbrake.
φούτ-μπρέικ.

What are the parking hours?

χουάτ αρ δε πάρκινγκ άουαρς;

What's the speed limit in Greece?

χουάτ'ς δε σπίιντ λίμιτ ιν γκρίις;

Which bus goes to ... ?

χουίτς μπας γκόουζ του ... ;

Which is the road to ... ?

χουίτς ιζ δε ρόου-ντ του ... ;

How far is ... from here?
χάου φαρ ιζ ... φρομ χίαρ;

What's the parking charge for one night?

póso íne to kóstos státhmefsis
yiá miá níkta?

Πόσο θα μείνουμε εδώ;
póso tha mínume edhó?

Πόσο κοστίζει;
póso kostízi?

Πόσο μακριά είναι το ... από εδώ;
póso makriá íne to ... apó edhó?

Πόσο μπορώ να αφήσω το αυτοκίνητό μου εδώ;
póso boró na afíso to aftokí-nitó mu edhó?

Πότε θα είναι έτοιμο, παρα-καλώ;
póte tha íne étimo, parakaló?

Πότε θα φθάσουμε στον /στη /στο ... ;
póte tha fthásume ston /sti /sto ... ?

Πότε φεύγει το πρώτο λεω-φορείο για ... ;
póte févyi to próto leoforío yiá ...?

Πότε φεύγει το δεύτερο λεω-φορείο για ... ;
póte févyi to déftero leoforío yiá ... ?

Πού είμαστε τώρα;
pu ímaste tóra?

Πού είναι η στάση των ταξί;
pu íne i stási ton taksí;

Πού είναι το επόμενο πρα-τήριο βενζίνης;
pu íne to epómeno pratírio

χουάτ ιζ δε πάρκινγκ τσαρτζ
φορ ουάν νάιτ;

How long shall we stay here?
χάου λονγκ σαλ γουί στέι χίαρ;

How much is it?
χάου ματς ιζ ιτ;

How far is ... from here?
χάου φαρ ιζ ... φρομ χίαρ;

How long can I park my car here?
χάου λονγκ κεν άι παρκ μάι κά-αρ χίαρ;

When will it be ready, please?
χουέν γουίλ ιτ μπι ρέ-ντι, πλιζ;

When will we arrive in ... ?
χουέν σαλ γουί αράιβ ιν ... ;

When does the first bus leave for ... ?
χουέν νταζ δε φερστ μπας λίιβ φορ ... ;

When does the second bus leave for ... ?
χουέν νταζ δε σέκον-ντ μπας λίιβ φορ ... ;

Where are we now?
χουέαρ αρ γουί νάου;

Where's the taxi rank?
χουέαρ΄ς δε τάκσι ρανκ;

Where's the next filling station?
χουέαρ΄ς δε νεξτ φίλινγκ στέισ-

venzíinis?

Πού είναι ο αριθμός ...;
pu íne o arithmós ...?

Πού είναι ο πίνακας αναχωρήσεων;
pu íne o pínakas anahoríseon?

Πού είναι ο σταθμός του λεωφορείου;
pu íne o stathmós tu leoforíu?

Πού είναι το γραφείο ταξιδίων;
pu íne to grafío taksidhíon?

Πού μπορώ να αφήσω το αυτοκίνητό μου;
pu boró na afíso to aftokínitó mu?

Πού πηγαίνει αυτό το λεωφορείο;
pu piyéni aftó to leoforío?

Πού πουλιούνται τα εισιτήρια;
pu puliúnde ta isitíria?

Προειδοποιητικό σήμα.
proidhopiitikó síma.

Προσοχή!
prosohí!

Προσοχή! Χώρος εργοταξίου!
prosohí! hóros ergotaksíu!

Προσοχή! Γλιστερή επιφάνεια!
prosohí! glisterí epifánia!

Προσοχή! Τρένο!
prosohí! tréno!

σον;

Where's seat No. ...?
χουέαρ΄ς σίπ νάμμπερ ...;

Where's the time-table?

χουέαρ΄ς δε τάιμ-τέιμπλ;
Where's the bus-stop?

χουέαρ΄ς δε μπας-στοπ;
Where's the travel agency?

χουέαρ΄ς δε τράβελ έιτζενσι;
Where can I park my car?

χουέαρ κεν άι παρκ μάι καρ;

Where does this bus go to?

χουέαρ νταζ δις μπας γκόου του;
Where's the ticket office?

χουέαρ΄ς δε τίκετ όφις;
Warning triangle.
γουόρνινγκ τράιενγκλ.
Caution!
κόσσον!
Caution! Construction Site!

κόσσον! κονστράκσσον σάιτ!
Danger! Slippery surface!

ντέιντζερ! σλίπερι σέρφες.
Beware! Railway!
μπιγουέαρ! ρέιλγουέι!

Προσπέρασμα.
prospérasma.
Προφυλακτήρας.
profilaktíras.
Πώς μπορώ να πάω στο ... ;
pós boró na páo sto ... ?
Ρελαντί.
reladí.
- Λειτουργεί στο ρελαντί.
- lituryí sto relandí.
Ρουλεμάν.
rulemán.
Ρυμουλκούμενο.
rimulkúmeno.
Σαμπρέλα.
sambréla.
Σας παρακαλώ, κάντε τις πιο απαραίτητες επισκευές.
sas parakaló, kánde tis pió aparétites episkevés.
Σας παρακαλώ, με παίρνετε με το αυτοκίνητό σας;
sas parakaló, me pérnete me to aftokínitó sas?
Σασμάν αυτόματο.
sasmán aftómato.
Σ'αυτή την κατεύθυνση.
s'aftí tin katéfthinsi.
Σήματα κυκλοφορίας.
símata kikloforías.
Σηματοδότης φωτεινός.
simatodhótis fotinós.
Σημείο εφοδιασμού με καύσιμη ύλη.
simío efodhiasmú me káfsimi íli.

Passing.
πάσινγκ.
Bumper.
μπάμ-περ.
How can I go to ... ?
χάου κεν άι γκόου του ... ;
Idling.
άιντλινγκ.
- Idle run.
- άι-ντλ ραν.
Ball bearing.
μπολ μπέαρινγκ.
Trailer.
τρέιλερ.
Inner tube.
ίνερ τιου-μπ.
Please, do the most necessary repairs.
πλιζ, ντου δε μοστ νέσεσερι ριπέαρς.
Please, would you take me in your car?
πλιζ, γου-ντ γιου τέικ μι ιν γιορ καρ;
Automatic gear change.
οτομάτικ γκίαρ τσέιντζ.
In this direction.
ιν δις νταϊρέκσσον.
Road signs.
ρόου-ντ σάινς.
Semaphore.
σέμαφορ.
Petrol station.

πέτρολ στέισσον.

Σιδηροδρομική διάβαση φυλασσόμενη.
sidhirodromikí dhiávasi filassómeni.

Manned railway crossing.
μαν-ντ ρέιλγουέι κρόσινγκ.

Σιδηροδρομική διάβαση μη φυλασσόμενη.
sidhirodromikí dhiávasi mi filassómeni.

Unmanned railway crossing.
ανμάν-ντ ρέιλγουέι κρόσινγκ.

Σκέπασμα.
sképasma.

Roof.
ρουφ.

Σκοινί ρυμούλκησης.
skiní rimúlkisis.

Towrope.
τόουροουπ.

Σκοινί.
skiní.

Packthread.
πάκθρεντ.

Σούστα.
sústa.

Spring.
σπρινγκ.

Σταματώ.
stamató.

Stop.
στοπ.

Στάση.
stási.

Stop.
στοπ.

Στουπί.
stupí.

Wad.
γουά-ντ.

Στρίβω.
strívo.

Turn.
τερν.

Στρίψε αριστερά.
strípse aristerá.

Turn to the left.
τερν του δε λεφτ.

Στρίψε δεξιά.
strípse dheksiá.

Turn to the right.
τερν του δε ράιτ.

Στροφή.
strofí.

Curve.
κερβ.

Συγκρατώ.
sigrató.

Brake.
μπρέικ.

Συμπλέκτης.
sibléktis.

Clutch.
κλατς.

- Πετάλ συμπλέκτη.

- Clutch pedal.

- petál siblékti.
- κλατς πέ-νταλ.

Σύνδεσμος.
síndhesmos.
Jack.
τζακ.

Σύστημα διεύθυνσης.
sístima dhiéfthinsis.
Car steering mechanism.
καρ στίρινγκ μέκανίσμ.

Σύστημα θέρμανσης.
sístima thérmansis.
Heating system.
χίτινγκ σίστεμ.

Σύστημα φωτισμού.
sístima fotismú.
Light system.
λάιτ σίστεμ.

Σύρμα.
sírma.
Wire.
γουάιερ.

- Ένα κομμάτι σύρμα.
- éna kommáti sírma.
- Length of wire.
- λενγκθ οβ γουάιερ.

Σφυρί.
sfirí.
Hammer.
χάμερ.

Τα φρένα του είναι πολύ ε-λεύθερα.
ta fréna tu íne polí eléfthera.
The brakes are too slack.
δε μπρέικς αρ του σλακ.

Τα φρένα ήταν χαλασμένα.
ta fréna ítan halasména.
The brakes were faulty.
δε μπρέικς γουέαρ φόλτι.

Τα φρένα του είναι πολύ σφιγμένα.
ta fréna tu íne polí sfigména.
The brakes are overtightened.
δε μπρέικς αρ όουβερτάιτεν-ντ.

Τα φώτα δεν αλλάζουν σκά-λα.
ta fóta dhen allázun skála.
The lights don't dip.
δε λάιτς ντον't ντιπ.

Τα φώτα δεν λειτουργούν.
ta fóta dhen liturgún.
The lights don't work.
δε λάιτς ντον't γουέρκ.

Τανάλια.
tanália.
Pincers.
πίντσερς.

Ταξιδεύω για ...
taksidhévo yiá ...
I am travelling to ...
άι αμ τράβελινγκ του ...

Ταξίδι με αυτοκίνητο.
taksídhi me aftokínito.
Travelling by car.
τράβελινγκ μπάι καρ.

Τάσι (των τροχών).
Hub-cap.

tási (ton trohón).

Ταχύμετρο.
tahímetro.

Ταχύτητα.
tahítita.

- Μοχλος ταχύτητας.
- mohlós tahítitas.

- Πρώτη ταχύτητα.
- próti tahítita.

- Υψηλή ταχύτητα.
- ipsilí tahítita.

- Ταχύτητα όπισθεν.
- tahítita ópisthen.

Το δεύτερο σήμα δεξιά.

to dhéftero síma dheksiá.

Το πετάλ γκαζιού.
to petál gaziú.

Το καλοριφέρ δεν λειτουργεί.
to kalorifér dhen lituryí.

Το κιβώτιο ταχυτήτων στάζει λάδι.
to kivótio tahítiton stázi ládhi.

Το μέγιστο όριο ταχύτητας.
to méyistoório tahítitas.

Τούνελ.
túnel.

Τριάντα λίτρα βενζίνης, σας παρακαλώ.
triánda lítra venzínis, sas parakaló.

Τροχός.
trohós.

χαμπ-καπ.

Speedometer.
σπι-ντόμιτερ.

Gear.
γκίαρ.

- Gear lever.
- γκίαρ λέβερ.

- First gear.
- φερστ γκίαρ.

- Top gear.
- τοπ γκίαρ.

- Reverse.
- ριβέρς.

Second traffic sign on the right.
σέκον-ντ τράφικ σάιν ον δε ράιτ.

Accelerator pedal.
αξελερέιτορ πέ-νταλ.

The heater doesn't work.

δε χίτερ νταζν'τ γουέρκ.

The gear-box leaks oil.

δε γκίαρ-μποξ λικς όιλ.

Maximum speed limit.
μάξιμουμ σπίι-ντ λίμιτ.

Tunnel.
τάνελ.

Thirty liters of gas, please.

θέρτι λίτερς οβ γκας, πλιζ.

Wheel.
γουίλ.

Τροχός μπροστινός.
trohós brostinós.
Τροχός οπίσθιος.
trohós opísthios.
Τροχός εφεδρικός.
trohós efedhrikós.
Τρύπημα ελαστικού.
trípima elastikú.
Υαλοκαθαριστήρας.
ialokatharistíras.
Υπάρχει δυνατότητα να ειδοποιήσεις την Τροχαία;
ipárhi dhinatótita na idho-piísis tin trohéa?
Υπέρβαση.
ipérvasi.
Φίλτρο αέρα.
fíltro aéra.
Φλας.
flas.
Φορτηγό.
fortigó.
Φρένα.
fréna.
- Ταμπούρο φρένων.
- tabúro frénon.
- Υγρό φρένων.
- igró frénon.
- Πετάλ φρένων.
- petál frénon.
- Δισκόφρενα.
- dhiskófrena.
- Ποδόφρενο.
- podhófreno.
- Χειρόφρενο.

Front wheel.
φροντ γουίλ.
Rear wheel.
ρίαρ γουίλ.
Spare wheel.
σπέαρ γουίλ.
Blow-out.
μπλόου-άουτ.
Wind-screen wiper.
γουίν-ντ σκρίιν γουάιπερ.
Can you inform the traffic police?
κεν γιου ινφόρμ δε τράφικ πολίς;
Passing.
πάσινγκ.
Air filter.
έαρ φίλτερ.
Flash.
φλας.
Truck.
τρακ.
Braeks.
μπρέικς.
- Brake drum.
- μπρέικ ντραμ.
- Brake fluid.
- μπρέικ φλούιντ.
- Brake pedal.
- μπρέικ πέ-νταλ.
- Disk brakes.
- ντισκ μπρέικς.
- Foot brake.
- φουτ μπρέικ.
- Hand brake.

- hirófreno.

Φώτα.
fóta.

- Φώτα χαμηλά.
- fóta hamilá.

- Φώτα μακρινά.
- fóta makriná.

- Φώτα στοπ.
- fóta stop.

- Φώτα στάθμευσης.
- fóta státhmefsis.

Χερούλι.
herúli.

Χιλιομετρητής.
hiliometritís.

Χρειάζεται και γρασάρισμα, ή όχι;
hriázete ke grasárisma, i óhi?

Χρειάζομαι ένα ...
hriázome éna ...

Χωνί.
honí.

Χώρος στάθμευσης.
hóros státhmefsis.

- χαν-ντ μπρέικ.

Headlights.
χέ-ντλάιτς.

- Dipped.
- ντιπ-ντ.

- Full beam.
- φουλ μπίιμ.

- Stop lights.
- στοπ λάιτς.

- Parking lights.
- πάρκινγκ λάιτς.

Handle.
χαν-ντλ.

Speedometer.
σπί-ντομίτερ.

It also needs lubricating, doesn't it?
ιτ όλσο νίιντς λου-μπρικέιτινγκ, νταζν't ιτ;

I need a ...
άι νίι-ντ ε ...

Funnel.
φάνελ.

Parking.
πάρκινγκ.

18. ΤΑΞΙΔΙ ΜΕ ΜΟΤΟΣΙΚΛΕΤΑ	18. TRAVELLING BY MOTOR-CYCLE
taksídhi me motosikléta	τράβελινγκ μπάι μότορ-σάικλ

Ακτίνα.	**Spoke.**
aktína.	σπόουκ.
Αλυσίδα.	**Chain.**
alissídha.	τσέιν.
Αμορτισέρ.	**Shock-absorbers.**
amortisér.	σσόκ-α-μπσόρ-μπερς.
Άξονας.	**Shaft.**
áxonas.	σσαφτ.
Γκάζι.	**Accelerator.**
gázi.	αξελερέιτορ.
Κάθισμα	**Saddle.**
káthizma	σα-ντλ
Μίζα.	**Starter.**
míza.	στάρτερ.
Μαρσπιέ.	**Running-board.**
marspié.	ράνινγκ-μπόρ-ντ.
Μοτοποδήλατο.	**Moped (motorbike).**
motopodhílato.	μόουπ-ντ (μότορ-μπάικ)
Μοτοσικλέτα.	**Motorcycle.**
motosikléta	μοτορσάικλ.
Μοτοσικλετιστής.	**Motorcyclist.**
motosikletistís.	μοτορσάικλιστ.
Σέλα	**Saddle.**
séla.	σα-ντλ
Καθρέφτης.	**Mirror.**
kathréftis	μίρορ.
Τιμόνι	**Handlebars.**
timóni.	χάν-ντλ-μπάρς.
Χερούλι.	**Handle.**
herúli.	χάν-ντλ.

19. ΤΑΞΙΔΙ ΜΕ ΤΡΕΝΟ	**19. TRAVELLING BY RAIL**
taxídhi me tréno	τράβελλινγκ μπάι ρέιλ
Αυτή η θέση είναι πιασμένη;	**Is this seat taken?**
aftí i thési íne piasméni?	ιζ δις σίιτ τέικεν;
Αυτό είναι για ...	**This is for ...**
aftó íne yia ...	δις ιζ φορ ...
Αυτοκινητάμαξα.	**Railway car (coach).**
aftokinitámaxa.	ρέιλγουέι καρ (κόουτς).
Βάλτε τη βαλίτσα μου στο ράφι, παρακαλώ.	**Put my case on the rack please.**
válte ti valítsa mu sto ráfi, parakaló.	πουτ μάι κέιζ ον δε ρακ πλίιζ.
Είναι η ταχεία ή το τοπικό;	**Is it the express or the local?**
ine i tahía i to topikó?	ιζ ιτ δε εξπρές ορ δε λόκαλ;
Είναι αυτό το τρένο για ...;	**Is that the train to ...?**
ine aftó to tréno yia ...?	ιζ δατ δε τρέιν του ...;
Εκτροχιάστηκε.	**It derailed.**
ektrohiástike.	ιτ ντιρέιλ-ντ.
Ένα εισιτήριο για Αθήνα.	**One ticket for Athens.**
éna isitírio yia Athína.	ουάν τίκετ φορ Άθενς.
Εισιτήριο πρώτης, δεύτερης, τρίτης θέσης.	**One ticket first, second, third class.**
isitírio prótis, dhéfteris, trítis thésis.	ουάν τίκετ φερστ, σέκον-ντ, θερ-ντ κλας.
Εισιτήρια, παρακαλώ.	**Tickets, please.**
isitíria, parakaló.	τίκετς, πλιζ.
Έχει έλθει το τρένο από ...;	**Has the train from ... arrive?**
éhi élthi to tréno apó ...?	χεζ δε τρέιν φρομ ... αράιβ;
Θα σας πείραζε αν ...?	**Would you mind if ...?**
tha sas píraze an ...?	γου-ντ γιού μάιν-ντ ιφ ...;
Θέλω ένα εισιτήριο για ...	**I want a one ticket to ...**
thélo éna isitírio yia ...	άι γουόν-τ ουάν τίκετ του ...
Θέλω ένα κρεβάτι.	**I want a couchette.**
thélo éna kreváti.	άι γουόν-τ ε κουσέτ.

Πόση ώρα σταματά εδώ το
τρένο;
pósi óra stamatá edhó to tréno?

How long does the train stop
here?
χάου λονγκ νταζ δε τρέιν στοπ
χίαρ;

Πότε έρχεται εδώ;
póte érhete edho?

When does the train get here?
χουέν νταζ δε τρέιν γκετ χίαρ;

Πότε φτάνει το τρένο στο ... ;
póte ftáni to tréno sto ... ?

When does the train get to ... ?
χουέν νταζ δε τρέιν γκετ του ... ;

Πού είναι ο σιδηροδρομι-
κός σταθμός;
pu íne o sidhirodhromikós
stathmós?

Where is the railway station?

χουέαρ ιζ δε ρέιλγουέι στέισσον;

Πού είναι το κυλικείο;
pu íne to kilikío?

Where is the buffet?
χουέρ ιζ δε μπουφέ;

Πού είναι το γραφείο εισιτη-
ρίων;
pu íne to grafío isistiríon?

Where is the ticket office?

χουέαρ ιζ δε τίκετ όφις;

Πρέπει να αλλάξω τρένο;
prépi na alákso tréno?

Do I have to change train?
ντου άι χεβ του τσέιννιτζ τρέιν;

Σε ποιά αποβάθρα είναι το
τρένο για ...;
se piá aponáthra íne to tréno yia
...?

Which platfolm is the train to
...?
χουίτς πλάτφορμ ιζ δε τρέιν
του ...;

Τι ώρα φεύγει το τρένο;
ti óra févyi to tréno?

What time does the train leave?
χουάτ τάιμ νταζ δε τρέιν λίιβ;

20. ΤΑΞΙΔΙ ΜΕ ΛΕΩΦΟΡΕΙΟ	**20. TRAVELLING BY BUS**
taksídhi me leoforío	τράβελινγκ μπάι μπας
Αναχώρηση.	**Departure.**
anahórisi.	ντιπάρτσουρ.
Αργά.	**Slowly.**
argá.	σλόουλι.
Αριθμός κυκλοφορίας.	**Number plate.**
arithmós kikloforías.	νάμ-μπερ πλέιτ.
Αυτή είναι η θέση μου.	**This is my seat.**
aftí íne i thési mu.	δις ιζ μάι σίιτ.
Αυτή είναι η τελευταία στά-ση.	**This is the last stop.**
aftí íne i teleftéa stási.	δις ιζ δε λαστ στοπ.
Αυτό το λεωφορείο πηγαίνει στο ... ;	**Is this bus going to ... ?**
aftó to leoforío pigéni sto ... ?	ιζ δις μπας γκόουινγκ του ... ;
Άφιξη.	**Arrival.**
áfiksi.	αράιβαλ.
Βεβαίως όχι.	**No, of course not.**
vevéos óhi.	νόου, οφ κορς νοτ.
Βοηθήστε με λίγο, σας παρακαλώ.	**Help me, please.**
voithíste me lígo, sas parakaló.	χελπ μι, πλιζ.
Γρήγορα.	**Quickly.**
grígora.	κουίκλι.
Δεν είχα τι να έκανα.	**There was nothing I could do.**
dhen íha ti na ékana.	δέαρ γουόζ νάθινγκ άι κου-ντ ντου.
Δε βλέπετε το σήμα;	**Don't you see the sign?**
dhe vlépete to síma?	ντον't γιου σι δε σάιν;
Διασταύρωση.	**Crossing.**
dhiastávrosi.	κρόσινγκ.

Δρόμος.
dhrómos.

Road.
ρόου-ντ.

Δρόμος φιδίσιος.
dhrómos fidhísios.

Winding road.
γουάιν-ντινγκ ρόου-ντ.

Δύο εισιτήρια με επιστροφή για ..., παρακαλώ.
dhío isitíria me epistrofí yiá ..., parakaló

Two tickets to ... and return, please.
του τίκετς του ... εν-ντ ριτέρν πλιζ.

Εγώ φεύγω αύριο το πρωί στις ...
egó févgo ávrio to proí stis ...

I leave tomorrow morning at ...
άι λίιβ τουμόροου μόρνινγκ ατ ...

Είναι αυτή η θέση ελεύθερη;
íne aftí i thési eléftheri?

Is the seat free?
ιζ δε σίιτ φρίι;

Είναι ένα επείγον περιστατικό.
íne éna epígon peristatikó.

It's an urgent case.
ιτ'ς εν έρτζεντ κέις.

Είσαστε ανοικτοί τη νύκτα;
ísaste aniktí ti níkta?

Are you open at night?
αρ γιου όουπεν ατ νάιτ;

Ένα εισιτήριο για ... παρακαλώ.
éna isistírio yiá ...parakaló.

A ticket for ... please.
ε τίκετ φορ ... πλιζ.

Έχει κανένα χώρο στάθμευσης εδώ γύρω;
éhi kanéna hóro státhmefsis edhó yíro?

Is there any parking around here?
ιζ δέαρ ένι πάρκινγκ αράουν-ντ χίαρ;

Έχω έλθει με λεωφορείο.
ého élthi me leoforío.

I've come by bus.
άι'β καμ μπάι μπας.

Σταματάμε στο ...;
stamatáme sto ...?

Do we stop at ... ?
ντου γουί στοπ ατ ... ;

Κάθισμα.
káthisma.

Seat.
σίιτ.

Κάναμε ένα πολύ καλό ταξίδι.
káname éna polí kaló taksídhi.

We had a very good trip.
γουί χε-ντ ε βέρι γκου-ντ τριπ.

Κανόνες οδικής κυκλοφο-
ρίας.
kanónes odhikís kikloforías.

Κάνουμε μια μικρή στάση ε-
δώ;
kánume mia mikrí stási edhó?

Κυκλοφορία.
kikloforía.

Κύριος δρόμος.
kírios dhrómos.

Λεωφορείο.
leoforío.

Λωρίδα κυκλοφορίας.
lorídha kikloforías.

Μεταφορά.
metaforá.

Μην εμποδίζετε τη διέλευση.
min ebodhízete ti dhiélefsi.

Μην πηγαίνεις όπισθεν, κά-
νε στροφή.
min pigénis ópisthen, káne
strofí.

Μήπως πηγαίνετε για ... ;
mípos pigénete yiá ... ?

Μπορείτε να μου το δείξετε
στον χάρτη;
boríte na mu to dhíksete ston
hárti?

Μπορούμε να αλλάξουμε
θέσεις, παρακαλώ;
borúme na alláksume thésis,
parakaló?

Μπορώ να ανοίξω το παρά-
θυρο;
boró na aníkso to paráthiro?

Traffic rules.
τράφικ ρουλς.

May we make a brief stop
here?
μέι γουί μέικ ε μπριφ στοπ
χίαρ;

Traffic.
τράφικ.

Main road.
μέιν ρόου-ντ.

Bus.
μπας.

Lane.
λέιν.

Transmission.
τρανσμίσσον.

Don't block the passage.
ντον'τ μπλοκ δε πάσατζ.

Don't drive in reverse, turn
around.
ντον'τ ντράιβ ιν ριβέρς, τερν α-
ράουν-ντ.

Are you driving to ... ?
αρ γιου ντράιβινγκ του ... ;

Can you show me this on
the map?
κεν γιου σόου μι δις ον δε μαπ;

Could we change seats,
please?
κου-ντ γουί τσέιν-τζ σίιτς, πλιζ;

Do you mind if I open the
window?
ντου γιου μάιν-ντ ιφ άι όουπεν

**Μπορώ να κλείσω το παρά-
θυρο;**
boró na klíso to paráthiro?

**Do you mind if I close the
window?**
ντου γιου μάιν-ντ ιφ άι κλόουζ
δε γουίν-ντοου;

**Μπορώ να χρησιμοποιήσω
το τηλέφωνο;**
boró na hrisimopiíso to tiléfo-
no?

δε γουίν-ντοου;

May I use the telephone?
μέι άι γιουζ δε τέλεφόουν;

Να ανέβουμε;
na anévume?

Shall we get on?
σσαλ γουί γκετ ον;

Να κατέβουμε;
na katévume?

Shall we get off?
σσαλ γουί γκετ οφ;

**Ο οδηγός ήταν πολύ καλός
και προσεκτικός.**
o odhigós ítan polí kalós ke
prosektikós.

**The driver was very good
and careful.**
δε ντράιβερ γουόζ βέρι γκου-ντ
εν-ντ κέαρφουλ.

Οχήματα.
ohímata.

Vehicles.
βίεκλς.

Όχι, εσείς;
óhi, esís?

No, do you?
νόου, ντου γιου;

**Πάρα λίγο να χάσω το λεω-
φορείο.**
pára lígo na háso to leoforío.

I nearly missed the bus.

άι νίαρλι μισ-ντ δε μπας.

Παράθυρο.
paráthiro.

Window.
γουίν-ντοου.

**Περάστε μπροστά, παρακα-
λώ.**
peráste brostá, parakaló.

Move to the front, please.
μουβ του δε φρον-τ, πλιζ.

**Ποιο λεωφορείο πηγαίνει
στο ... ;**
pió leoforío pigéni sto ... ?

Which bus goes to ... ?
χουίτς μπας γκόουζ του ... ;

**Ποιος είναι ο δρόμος για το
... ;**
piós íne o dhrómos yiá ... ?

Which is the road to ... ?
χουίτς ιζ δε ρόου-ντ του ... ;

Πόσο είναι από εδώ μέχρι το ... ;	**How far is ... from here?**
póso íne apó edhó méhri to ... ?	χάου φαρ ιζ ... φρομ χίαρ;
Πόσο θα μείνουμε εδώ;	**How long shall we stay here?**
póso tha mínume edhó?	χάου λονγκ σσαλ γουί στέι χίαρ;
Πόσο κάνει παρακαλώ;	**How much is it please?**
póso káni parakaló?	χάου ματς ιζ ιτ πλίιζ;
Πόσο μακριά είναι το ... από εδώ;	**How far is ... from here?**
póso makriá íne to ... apó edhó?	χάου φαρ ιζ ... φρομ χίαρ;
Πότε θα φθάσουμε στο ... ;	**When will we arrive to ... ?**
póte tha fthásume sto ... ?	χουέν γουίλ γουί αράιβ του ... ;
Πότε φεύγει το πρώτο λεωφορείο για ... ;	**When does the first bus leave for ... ?**
póte févyi to próto leoforío yiá ...?	χουέν νταζ δε φερστ μπας λίιβ φορ ... ;
Πότε φεύγει το δεύτερο λεωφορείο για ... ;	**When does the second bus leave for ... ?**
póte févyi to déftero leoforío yiá ... ?	χουέν νταζ δε σέκον-ντ μπας λίιβ φορ ... ;
Πού είμαστε τώρα;	**Where are we now?**
pu ímaste tóra?	χουέαρ αρ γουί νάου;
Πού είναι η στάση των ταξί;	**Where's the taxi rank?**
pu íne i stási ton taksí;	χουέαρ'ς δε τάξσι ρανκ;
Πού είναι ο πίνακας δρομολογίων;	**Where's the time-table?**
pu íne o pínakas dhromoloyíon?	χουέαρ'ς δε τάιμ-τέι-μπλ;
Πού είναι ο σταθμός του λεωφορείου;	**Where's the bus-stop?**
pu íne o stathmós tu leoforíu?	χουέαρ'ς δε μπας-στοπ;
Πού είναι το γραφείο ταξιδίων;	**Where's the travel agency?**
pu íne to grafío taksidhíon?	χουέαρ'ς δε τράβελ έιτζενσι;
Πού πηγαίνει αυτό το λεωφορείο;	**Where does this bus go to?**
pu pigéni aftó to leoforío?	χουέαρ νταζ δις μπας γκόου

Πού πουλιούνται τα εισιτή-ρια;
pu puliúnde ta isitíria?
Προσοχή!
prosohí!
Πώς μπορώ να πάω στο ... ;
pós boró na páo sto ... ?
Στάση.
stási.
Ταξιδεύω για ...
taksidhévo yiá ...
Χρειάζομαι ένα ...
hriázome éna ...
Χώρος στάθμευσης.
hóros státhmefsis.

του;
Where's the ticket office?

χουέαρ'ς δε τίκετ όφις;
Caution!
κόσσιον!
How can I go to ... ?
χάου κεν άι γκόου του ... ;
Stop.
στοπ.
I am travelling to ...
άι αμ τράβελινγκ του ...
I need a ...
άι νίι-ντ ε ...
Parking.
πάρκινγκ.

21. ΣΤΟ ΤΕΛΩΝΕΙΟ	**21. AT THE CUSTOMS**
sto telonío	ατ δε κάστομς

Ανάστημα.
anástima.

Αναχώρηση.
anahórisi.

Ανήκω στην ομάδα ταξιδιω-τών ...
aníko stin omádha taksidhi-otón ...

Ανοίξτε αυτή τη τσάντα, πα-ρακαλώ.
aníkste aftí ti tsánda, parakaló.

Ανοίξτε το, παρακαλώ.
aníkste to, parakaló.

Αριθμός διαβατηρίου.
arithmós dhiavatiríu.

Αυτές είναι οι αποσκευές μου.
aftés íne i aposkevés mu.

Αυτή δεν είναι δική μου.
aftí dhen íne dhikí mu.

Αυτή είναι δική μου.
aftí íne dhikí mu.

Αυτή είναι χωρίς δασμό.
aftí íne horís dhasmó.

Βίζα.
víza.

Βίζα εισόδου.
víza isódhu.

Βίζα εξόδου.
víza eksódhu.

Γι' αυτό πρέπει να πληρώ-σεις δασμό.

Height.
χάιτ.

Departure.
ντιπάρτσιουρ.

I belong to the ... travel group.
άι μπιλόνγκ του δε ... τράβελ γκρουπ.

Open this bag please.
όπεν δις μπαγκ πλίιζ.

Open it, please.
όπεν ιτ, πλιζ.

Number of passport.
νάμ-μπερ οβ πάσπορτ.

This is my luggage.
δις ιζ μάι λάγκετζ.

This is not mine.
δις ιζ νοτ μάιν.

This is mine.
δις ιζ μάιν.

Well, it's a duty free.
γουέλ, ιτ'ς ε ντιούτι φρι.

Visa.
βίιζα.

Entry visa.
έντρι βίιζα.

Exit visa.
έκσιτ βίιζα.

This is liable to duty.

y'aftó prépi na plirósis dha-
smó.

**Δασμός για εισαγωγή εμπο-
ρεύματος.**
dhasmós yiá isagoyí eboré-
vmatos.

**Δασμός για εξαγωγή εμπο-
ρεύματος.**
dhasmós yiá eksagoyí eborév-
matos.

Δασμός τελωνείου.
dhasmós teloníu.

**Δεν έχω πιστοποιητικό εμ-
βολίου.**
dhen ého pistopiitikó emvolíu.

**Δεν έχω τίποτε παρά τα προ-
σωπικά μου είδη.**
dhen ého típote pará ta pro-
sopiká mu ídhi.

Δήλωση τελωνείου.
dhílosi teloníu.

Διαβατήριο ταξιδιωτικό.
dhiavatírio taksidhiotikó.

Δίπλωμα οδήγησης.
dhíploma odhíyisis.

Εθνικότητα.
ethnikótita.

Ειδικά σήματα.
idhiká símata.

Ειδικοί κανονισμοί.
idhikí kanonismí.

Είσοδος.
ísodhos.

Εκείνη είναι δική μου.

δις ιζ λάιε-μπλ του ντιούτι.

Import- duty.

ίμπορτ- ντιούτι.

Export- duty.

έκσπορτ- ντιούτι.

Customs duty.
κάστομς ντιούτι.

**I have no vaccination cer-
tificate.**
άι χεβ νόου βάκσινέισσον σερτί-
φικέιτ.

**I have nothing but my
personal items.**
άι χεβ νάθινγκ μπατ μάι πέρσο-
ναλ άιτεμς

Customs declaration.
κάστομς ντεκλαρέισσον.

Passport.
πάσπορτ.

Driving license.
ντράιβινγκ λάισενς.

Nationality.
νασσονάλιτι.

Special signs.
σπέσιαλ σάινς.

Special rules.
σπέσιαλ ρουλς.

Entry.
έν-τρι.

That is mine.

ekíni íne dhikí mu.

Έλεγχος διαβατηρίου.
éleghos dhiavatiríu.

Εντάξει.
entáksi.

Έξοδος.
éksodhos.

Επάγγελμα.
epángelma.

Επώνυμο.
epónimo.

Έχετε άλλες αποσκευές;

éhete álles aposkevés?

Έχετε τίποτε να δηλώσετε;

éhete típote na dhilósete?

**- Έχω μόνο τα προσωπικά
μου είδη.**
ého móno ta prosopiká mu
ídhi.

Έχω έρθει εδώ για δουλειές.

ého érthi edhó yiá dhuliés.

**Έχω κάνει εμβόλιο κατά της
ευλογιάς.**
ého káni emvólio katá tis evlo-
yiás.

**Έχω κάνει εμβόλιο κατά της
χολέρας.**
ého káni emvólio katá tis holé-
ras.

Έχω μόνο μια βαλίτσα.

δατ ιζ μάιν.

Passport control.
πάσπορτ κον-τρόλ.

That's all right.
δατς ολ ράιτ.

Exit.
έκσιτ.

Occupation.
οκιουπέισσον.

Surname.
σερνέιμ.

**Do you have any more
luggage?**
ντου γιού χεβ ένι μόορ λάγκε-
τζ;

**Do you have anything to
declare?**
ντου γιού χεβ ένιθινγκ του ντι-
κλέαρ;

**- I have only my personal
things.**
άι χεβ όνλι μάι πέρσοναλ θιν-
γκς.

I have come here on business.

άι χεβ καμ χίαρ ον μπίζνες.

**I have been vaccinated against
smallpox.**
άι χεβ μπίιν βακτσινέιτι-ντ ε-
γκένστ σμόλποκς.

**I have been vaccinated against
cholera.**
άι χεβ μπίιν βακτσινέιτι-ντ ε-
γκένστ κόλερα.

I have only one suitcase.

ého móno mia valítsa.

Η έξοδος είναι αριστερά.

i éksodhos íne aristerá.

Ημερομηνία γέννησης.

imerominía yénisis.

Θα σας τις φέρουνε σε ένα λεπτό.

tha sas tis férune se éna leptó.

Ισχύον.

ishíon.

Καλύτερα κοιτάξτε μόνος.

kalítera kitákste mónos.

Κανονισμοί.

kanonismí.

Λυπούμαι, δεν σας καταλαβαίνω.

lipúme dhen sas katalavéno.

Μπορείτε να μου θεωρήσετε το διαβατήριο εδώ;

boríte na mu theorísete to dhiavatírio edhó?

Μπορείτε να περιμένετε στο μπαρ μέχρις ότου τελειώσουν όλοι;

boríte na periménete sto bar mehris ótu teliósun óli?

Μπορώ να τηλεφωνήσω στην πρεσβεία;

boró na tilefoníso stin presvía?

Μπορώ να το φέρω εδώ;

boró na to féro edhó?

Οι τελωνειακές διατυπώσεις

άι χεβ όνλι ουάν σούτκεϊς.

The exit is on the left.

δε έκσιτ ιζ ον δε λεφτ.

Date of birth.

ντέιτ οβ μπερθ.

You'll get it in a minute.

γιουλ γκετ ιτ ιν ε μίνιτ.

Valid.

βάλι-ντ.

You better have a look yourself.

γιου μπέτερ χεβ ε λουκ γιορσέλφ.

Regulations.

ρεγκιουλέισσονς.

Sorry, I don't understand you.

σόρι, άι ντον-τ αν-ντερστέν-ντ γιου.

Can you issue me a visa here?

κεν γιου ίσιου μι ε βίιζα χίαρ;

Will you wait in the bar until everyone has gone through?

γουίλ γιου γουέιτ ιν δε μπαρ αντίλ έβριουάν χαζ γκον θρου;

Can I telephone my embassy?

κεν άι τέλεφοουν μάι έμμπασι;

Shall I bring it here?

σσαλ άι μπρινγκ ιτ χίαρ;

The customs formalities

είναι απλές.

i teloniakés dhiatipósis íne ap-
lés.

Οικογενειακή κατάσταση:

ikoyeniakí katástasi:

- **Άγαμος.**

- ágamos.

- **Παντρεμένος, [- n].**

- pandreménos, [- i].

- **Χήρα, [- ος].**

- híra [- os].

Όνομα.

ónoma.

Όνομα της μητέρας.

ónoma tis mitéras.

Όνομα του πατέρα.

ónoma tu patéra.

Παρακαλώ, πληρώστε σ' αυτό το γραφείο.

parakaló, pliróste s' aftó to grafío.

Παρατείνω τη βίζα.

paratíno ti víza.

Πόσο θα μείνετε;

póso tha mínete?

- **Μόνο λίγες ημέρες.**

- móno líyes iméres.

- **Μια εβδομάδα.**

- mia evdhomádha.

- **Μια ημέρα.**

- mia iméra.

- **Ένα μήνα.**

- éna mína.

Πού είναι οι θεωρήσεις δια-βατηρίων, παρακαλώ;

pu íne i theorísis dhiavatiríon,

are simple in Greece.

δε κάστομς φορμάλιτις αρ σι-
μπλ ιν γκρίις.

Family status:

φάμιλι στάτους:

- **Bachelor.**

- μπάτσελορ.

- **Married.**

- μέριντ.

- **Widow(er).**

- ουί-ντοου(ερ).

Name.

νέιμ.

Mother's name.

μάδερς νέιμ.

Father's name.

φάδερς νέιμ.

Please pay at that office.

πλίιζ πέι ατ δατ όφις.

Extend the visa.

ικστέν-ντ δε βίιζα.

How long will you stay?

χάου λονγκ γουίλ γιου στέι;

- **Just a few days.**

- τζαστ ε φιου ντέις.

- **A week.**

- ε γουίκ.

- **A day.**

- ε ντέι.

- **One month.**

- ουάν μανθ.

Where are your visas, please?

χουέαρ αρ γιορ βίιζας, πλιζ;

parakaló?

Πρέπει να το εκτελωνίσω;
prépi na to ekteloníso?

Πρέπει να πληρώσω δασμό γι' αυτό;
prépi na pliróso dhasmó yi' aftó?

- Παρακαλώ, ορίστε!
- parakaló, oríste!

Πού μπορώ να πάρω τις α- ποσκευές;
pu boró na páro tis aposkevés?

Συμπληρώστε αυτό το πι- στοποιητικό.
sibliróste aftó to pistopiitikó.

Σύνορο.
sínoro.

Τα παιδιά είναι γραμμένα στο διαβατήριό μου.
ta pedhiá íne graména sto dhiavatírió mu.

Τα χαρτιά μου, παρακαλώ.
ta hartiá mu, parakaló.

Ταυτότητα.
taftótita.

Τελείωσα τη δουλειά με το τελωνείο.
telíosa ti dhuliá me to telonío.

Τελωνείο.
telonío.

Τελωνειακός έλεγχος.
teloniakós éleghos.

Τι έχετε εκεί μέσα;
ti éhete ekí mésa;

Do I have to declare it?
ντου άι χεβ του ντικλέαρ ιτ;

Do I have to pay duty on this?
ντου άι χεβ του πέι ντιούτι ον δις;

- Sorry, here you are!
- σόρι, χίαρ γιου αρ!

Where can I get my luggage?
χουέαρ καν άι γκετ μάι λάγκετζ;

Fill in this certificate.
φιλ ιν δις σερτίφικεϊτ.

Border.
μπόρ-ντερ.

The children are registered in my passport.
δε τσίλντρεν αρ ρέτζιστερ-ντ ιν μάι πάσπορτ.

My papers, please.
μάι πέιπερς, πλιζ.

Identity card.
αϊ-ντέν-τιτι καρ-ντ.

I have been cleared through customs.
άι χεβ μπίιν κλίαρ-ντ θρου κά- στομς.

Customs.
κάστομς.

Customs controls.
κάστομς κον-τρόλ.

What do you have in there?
χουάτ ντου γιου χεβ ιν δέαρ;

Τι πρέπει να κάνω;
ti prépi na káno?

What must I do?
χουάτ μαστ άι ντου;

Το αυτοκίνητο είναι έτοιμο.
to aftokínito íne étimo.

The bus is waiting for us.
δε μπας ιζ γουέιτινγκ φορ ας.

Το διαβατήριό σας, παρακαλώ!
to dhiavatírió sas, parakaló!

Your passport, please!
γιορ πάσπορτ, πλιζ!

- Ορίστε!
- oríste!

- Here you are!
- χίαρ γιου αρ!

Το ταξίδι σας στην Ελλάδα ξεκινάει από εδώ.
to taksídhi sas stin Elládha ksekinái apó edhó.

Your trip to Greece starts from here.
γιορ τριπ του Γκρίις σταρτς φρομ χίαρ.

Τόπος διαμονής.
tópos dhiamonís.

Residence.
ρέζι-ντενς.

Υπάρχει κάποιος εδώ που να μιλάει αγγλικά;
ipárhi kápios edhó pu na milái angliká?

Is there anyone here who speaks English?
ιζ δέαρ ένιουάν χίαρ χου σπικς ίνγκλις;

Χαρτί ασφαλείας.
hartí asfalías.

Insurance paper.
ινσούρανς πέιπερ.

Χρώμα μαλλιών.
hróma malión.

Colour of the hair.
κάλαρ οβ δε χέαρ.

Χρώμα ματιών.
hróma matión.

Colour of the eyes.
κάλαρ οβ δι άιζ.

22. ΣΤΗΝ ΤΡΑΠΕΖΑ

stin trápeza

Αγγλικό νόμισμα.
anglikó nómisma.
Δολλάριο.
dhollário.
Δραχμή.
dhrahmí.
Εκατό δραχμές.
ekató dhrahmés.
Επιθυμώ να ανταλλάξω μερικά δολάρια, μάρκα και λοιπά.
epithimó na andallákso meriká dholária, márka ke lipá.
Επιταγή.
epitayí.
Θα ήθελα να μου ανταλλάξετε ένα ταξιδιωτικό τσεκ.
tha íthela na mu andalláksete éna taksidhiotikó tsek.
Κέρμα.
kérma.
Μπορείτε να μου ανταλλάξετε αυτό;
boríte na mu andaláksete aftó?
- Δεν έχω λιανά.
- dhen ého lianá.
- Τότε φέρτε μου ένα πακέτο τσιγάρα.
- tóte férte mu éna pakéto tsigára.
- Σας ευχαριστώ!
- sas efharistó!

22. AT THE BANK

ατ δε μπανκ

English money
ίγγλισς μάνι.
Dollar.
ντόλαρ.
Drachma.
dráhma.
One hundred drachmas.
ουάν χάν-ντρεντ ντράχμας.
I want to change some dollars, marks, etc.
άι γουόν-τ του τσέιντζ σαμ ντόλαρς, μαρκς, ετσέτερα.
Cheque.
τσεκ.
I would like to cash a traveller's cheque.
άι γου-ντ λάικ του κασς ε τράβελερ'ς τσεκ.
Coin.
κόιν.
Can you change this?

κεν γιου τσέιντζ δις;
- I have no small change.
- άι χεβ νόου σμολ τσέιντζ.
- bring me a packet of cigarettes, then.
- μπρινγκ μι ε πάκετ οβ σίγκαρετς, δεν.
- Thank you!
- θενκ γιου!

Μπορώ να ανταλλάξω μερι-
κές λίρες Αγγλίας;
boró na andallákso merikés líres
anglías?

Νόμισμα.
nómisma.

Ποιά είναι η τιμή ξένου
συναλλάγματος;
piá íne i timí ksénu sinalágma-
tos?

Πού είναι η θυρίδα της α-
νταλλαγής των χρημάτων;
pu íne i thirídha tis andallayís
ton hrimáton?

Πού είναι η τράπεζα;
pu íne i trápeza?

Πού μπορώ να ανταλλάξω
αυτά τα χρήματα;
pu boró na andalákso aftá ta
hrímata?

Συνάλλαγμα.
sinállagma.

Ταμείο.
tamío.

Τραπεζογραμμάτιο.
trapezogramátio.

Χαρτονόμισμα.
hartonómisma.

Χρηματιστήριο.
hrimatistírio.

Do you change British pounds?

ντου γιου τσέιν-τζ μπρίτις πά-
ουν-ντς;

Coin.
κόιν.

What is the rate of ex-
change?
χουάτ ιζ δε ρέιτ οβ έξτσέιν-τζ;

Where is the money ex-
change?
χουέαρ ιζ δε μάνι εκτσέιν-τζ;

Where is the bank?
χουέαρ ιζ δε μπανκ;

Where can I change this
money?
χουέαρ κεν άι τσέιν-τζ δις μάνι;

Exchange.
εξτσέιν-τζ.

Cashier's desk.
κάσσιερ's ντεσκ.

Bank note.
μπανκ νόουτ.

Bank note (paper money).
μπανκ νόουτ (πέιπερ μάνι).

Bourse / Stock Exchange.
μπουρς / στοκ εκστέιν-τζ

23. ΣΤΟ ΞΕΝΟΔΟΧΕΙΟ

sto ksenodhohío

23. AT THE HOTEL

ατ δε χοουτέλ

Αερισμός.
aerismós.
- Σύστημα αερισμού.
- sístima aerismú.
Ανακοίνωση.
anakínosi.
Αναχώρηση.
anahórisi.
Αναχωρώ το πρωί.
anahoró to proí.
Ανελκυστήρας.
anelkistíras.
Ανεμιστήρας.
anemistíras.
Απουσιάζει.
apusiázi.
Ασπρόρουχα.
aspróruha.
Αυτό είναι το τιμολόγιο του ξενοδοχείου.
aftó íne to timolóyio tu ksenodhohíu.
Άφιξη.
áfiksi.
Βάζο.
vázo.
Βρύση.
vrísi.
Βύσμα.
vísma.
Γεύμα.
yévma.

Ventilation.
βεν-τιλέισσον.
- Air conditioning (system).
- έρ κονντίσσονινγκ (σίστεμ).
Announcement.
ανάουνσμεν-τ.
Departure.
ντιπάρτσιουρ.
I am leaving tomorrow.
άι αμ λίβινγκ τουμόροου.
Lift (elevator).
λιφτ (ελεβέιτορ).
Fan.
φαν.
He is absent.
χι ιζ ά-μπσεν-τ.
Linen.
λίνεν.
Here's the hotel-bill.

χίαρ'ζ δε χοουτέλ-μπιλ.

Arrival.
αράιβαλ.
Vase.
βέιζ.
Tap.
ταπ.
Plug.
πλαγκ.
Lunch.
λαντς.

Γράφτε το εδώ, παρακαλώ.
gráfte to edhó, parakaló.
Δείπνο.
dhípno.
Δεν ξέρω ακόμη.
dhen kséro akómi.
Δεν έρχεται ζεστό νερό.
dhen érhete zestó neró.
Δεν έχει φως στο δωμάτιό μου.
dhen éhi fos sto dhomátió mu.
Δεν λειτουργεί.
dhen lituryí.
Δεν λειτουργεί το σιφόνι της τουαλέτας.
dhen lituryí to sifóni tis tualétas.
Δεν χρειάζομαι ιδιαίτερο μπάνιο.
dhen hriázome idhiétero bánio.
Διαμέρισμα.
dhiamérisma.
Δώμα.
dhóma.
Δωμάτιο.
dhomátio.
Δωμάτιο καθιστικό.
dhomátio kathistikó.
Δωμάτιο τραπεζαρίας
dhomátio trapezarías.
Είμαστε ικανοποιημένοι.
ímaste ikanopiiméni.
Είναι οι αποσκευές μου στο δωμάτιο;
íne i aposkevés mu sto dhomátio?
Είναι έτοιμο το δωμάτιο;
íne étimo to dhomátio?

Write it down, please.
ράιτ ιτ ντάουν, πλιζ.
Dinner.
ντίνερ.
I don't know yet.
άι ντον-τ νόου γιετ.
There is no hot water.
δέρ ιζ νόου χατ γουότερ.
There is no light in my room.
δέρ ιζ νόου λάιτ ιν μάι ρουμ.
It doesn't work.
ιτ νταζν'τ γουόρκ.
The toilet won't flush.

δε τόιλετ γουόν'τ φλασς.
I don't need a private bath.

άι ντον-τ νίι-ντ ε πράιβετ μπαθ.
Apartment.
απάρτμεν-τ.
Terrace.
τέρας.
Room.
ρουμ.
Sitting-room.
σίτινγκ-ρουμ.
Dinning-room.
ντάινινγκ-ρουμ.
We are satisfied.
γουί αρ σατισφάι-ντ.
Is my luggage in the room?

ιζ μάι λάγκετζ ιν δε ρουμ;
Is my room ready?
ιζ μάι ρουμ ρέ-ντι;

Εισέρχομαι.
isérhome.

I enter.
άι έν-τερ.

Είσοδος.
ísodhos.

Entrance.
έν-τρανς.

Έλα μαζί μου.
éla mazí mu.

Come with me.
καμ γουίθ μι.

Ένα λεπτό, παρακαλώ!
éna leptó, parakaló!

One minute, please!
ουάν μίνιτ, πλιζ!

Ενοικιάζω.
enikiázo.

Rent.
ρεν-τ.

Ενοίκιο.
eníkio.

Rent.
ρεν-τ.

Εξέταση.
eksétasi.

Inquiry.
ίνκουιρι.

Εξώπορτα.
eksóporta.

Front dor.
φρον-τ ντοορ.

Επιθυμώ:
epithimó:

I would like:
άι γου-ντ λάικ:

- **Ένα διαμέρισμα.**
- éna dhiamérisma.

- **An apartment.**
- εν απάρτμεν-τ.

- **Ένα δωμάτιο διπλό.**
- éna dhomátio dhipló.

- **A double room.**
- ε ντα-μπλ ρουμ.

- **Ένα δωμάτιο με δύο κρεβάτια.**
- éna dhomátio me dhío krevátia.

- **A double room with twin beds.**
- ε ντα-μπλ ρουμ γουίθ τουίν μπε-ντς.   '

- **Ένα δωμάτιο με μπάνιο.**

- éna dhomátio me bánio.

- **A room with a private bathroom.**
- ε ρουμ γουίθ ε πράιβετ μπάθρουμ.

- **Ένα δωμάτιο με ντους.**
- éna dhomátio me dus.

- **A room with shower.**
- ε ρουμ γουίθ σσάουερ.

- **Ένα δωμάτιο με ζεστό και κρύο νερό.**
- éna dhomátio me zestó ke krío neró.

- **A room with hot and cold water.**
- ε ρουμ γουίθ χατ εν-ντ κολ-ντ γουότερ.

- **Ένα δωμάτιο με θέα προς ...** | - A room facing the ...
- éna dhomátio me théa pros ... | - ε ρουμ φέισινγκ δε ....
- **Ένα δωμάτιο με θέα προς τη θάλασσα.** | - A room facing the sea.
- éna dhomátio me théa pros ti thálassa. | ε ρουμ φέισινγκ δε σι.
- **Ένα δωμάτιο με μπαλκόνι.** | - A room with a balcony.
- éna dhomátio me balkóni. | - ε ρουμ γουίθ ε μπάλκονι.
- **Ένα δωμάτιο στον πρώτο όροφο.** | - A room on the first floor.
- éna dhomátio ston próto órofo. | - ε ρουμ ον δε φερστ φλορ.
- **Ένα δωμάτιο στο ισόγειο.** | - A room on the ground floor.
- éna dhomátio sto isóyio. | - ε ρουμ ον δε γκράουν-ντ φλορ.
- **Ένα δωμάτιο για ... άτομα.** | - A room for ... persons.
- éna dhomátio yiá ... átoma. | - ε ρουμ φορ ... πέρσονς.
- **Ένα ήσυχο δωμάτιο.** | - A quiet room .
- éna ísiho dhomátio. | - ε κουάιετ ρουμ.
- **Ένα δωμάτιο για ένα βράδυ.** | - A room for one night.
- éna dhomátio yiá éna vrádhi. | - ε ρουμ φορ ουάν νάιτ.
- **Ένα δωμάτιο για δύο ημέρες.** | - A room for two days.
- éna dhomátio yiá dhío iméres. | - ε ρουμ φορ του ντέις.
Εποχή. | **Season.**
epohí. | σίζον.
Έρευνα. | **Inquiry.**
érevna. | ίνκουιρι.
Εστιατόριο. | **Restaurant.**
estiatório. | ρέστοραν-τ.
Εστιατόριο ξενοδοχείου. | **Hotel-restaurant.**
estiatório ksenodhohíu. | χοουτέλ-ρέστοραν-τ.
Έχει έκπτωση για τα παιδιά; | **Is there a reduction for children?**

éhi ékptosi yiá ta pedhiá?

Έχει φράξει η αποχέτευση της τουαλέτας.
éhi fráksi i apohétefsi tis tualétas.

Έχετε ένα διπλό δωμάτιο ε-λεύθερο;
éhete éna dhipló dhomátio eléfthero?

Έχετε ένα μονό δωμάτιο ε-λεύθερο;
éhete éna monó dhomátio eléfthero?

Έχει κανένα γκαράζ;
éhi kanéna garáz?

Έχετε κανένα παράπονο;
éhete kanéna parápono?

- Όχι, περάσαμε πολύ κα-λά, πραγματικά.
- óhi, perásame polí kalá, pragmatiká.

Έχετε γραμματόσημα, ταχυ-δρομικές κάρτες;
éhete grammatósima, tahidhromikés kártes?

Έχουμε περάσει πολύ καλά στην Ελλάδα.
éhume perási polí kalá stin elládha.

Έχω κλείσει ένα δωμάτιο στο ξενοδοχείο σας.
ého klísi éna dhomátio sto ksenodhohío sas.

Έχω μερικά παράπονα.

ιζ δέαρ ε ριντάκσσον φορ τσίλ-ντρεν;
The toilet is clogged up.

δε τόιλετ ιζ κλόογκ-ντ απ.

Do you have a double room vacant?
ντου γιου χεβ ε ντα-μπλ ρουμ βέικαν-τ;
Do you have a single room vacant?
ντου γιου χεβ ε σινγκλ ρουμ βέικαν-τ;
Is there any garage?
ιζ δέαρ ένι γκαράτζ;
Have you any complaints?
χεβ γιου ένι κομπλέιν-τς;
- No, it was very nice, indeed.
- νόου, ιτ γουόζ βέρι νάις, ιν-ντίι-ντ.
Do you have postage stamps, postcards?
ντου γιου χεβ πόστατζ στάμ-πς, πόστκάρ-ντς;
We have had a very nice time in Greece.
γουί χεβ χα-ντ ε βέρι νάις τάιμ ιν Γκρίις.
I've booked a room at your hotel.
άι'β μπούκ-ντ ε ρουμ ατ γιορ χοουτέλ.
I want to make some

ého meriká parápona.

complaints.
άι γουόν-τ του μέικ σαμ κο-μπλέιν-τς.

Έχω χάσει το κλειδί.
ého hási to klidhí.

I've lost my key.
άι'β λοστ μάι κι.

- Το έχω αφήσει στο δωμάτιο.
- to ého afísi sto dhomátio.

- I've left it in the room.
- άι'β λεφτ ιτ ιν δε ρουμ.

Η βρύση δεν λειτουργεί.
i vrísi den lituryí.

I get no water from my tap.
άι γκετ νόου γουότερ φρομ μάι ταπ.

Η βρύση δε βγάζει νερό.
i vrísi dhen vgázi neró.

I get no water from my tap.
άι γκετ νόου γουότερ φρομ μάι ταπ.

Η βρύση τρέχει.
i vrísi tréhi.

The tap drips.
δε ταπ ντριπς.

Η εξυπηρέτηση ήταν πολύ καλή.
i eksipirétisi ítan polí kalí.

The service was very good.
δε σέρβις γουόζ βέρι γκου-ντ.

Η θέρμανση δεν λειτουργεί.
i thérmansi dhen lituryí.

The heating doesn't work.
δε χίτινγκ νταζν'τ γουέρκ.

Η πρίζα δεν λειτουργεί.

i príza dhen lituryí.

The power-outlet doesn't work.
δε πάουερ-άουτλετ νταζν'τ γουέρκ.

Ήθελα να παραπονεθώ για ...
íthela na paraponethó yia ...

I want to complain about ...
άι γουόν-τ του κομπλέιν αμπά-ουτ...

Ηλεκτρική ασφάλεια.
ilektrikí asfália.

Fuse.
φιουζ.

Ηλεκτρική λάμπα.
ilektrikí lába.

Electric bulb.
ιλέκτρικ μπαλ-μπ.

Ηλεκτρική συσκευή.
ilektrikí siskeví.

Electrical appliance.
ιλέκτρικαλ απλάιανς.

Ηλεκτρικό ρεύμα.
ilektrikó révma.

Electric current.
ιλέκτρικ κάρεν-τ.

Ηλεκτρικός διακόπτης.
ilektrikós diakóptis.

Switch.
σουίτς.

**Θα είμαι στην αίθουσα ανα-
μονής.**
tha íme stin éthusa anamonís.

**I will be in the sitting-
room.**
άι γουίλ μπι ιν δε σίτινγκ-ρουμ.

Θα είμαι στο μπαρ.
tha íme sto bar.

I will be at the bar.
άι γουίλ μπι ατ δε μπαρ.

Θα επιστρέψω σε ...
tha epistrépso se ...

I'll be back in ...
άι'λ μπι μπακ ιν ...

**Θα ήθελα να κάνω μια τηλε-
φωνική πρόσκληση εις ...**
tha íthela na káno mia tilefo-
nikí prósklisi is ...

**I would like to make a
telephone call to ...**
άι γου-ντ λάικ του μέικ ε τέλε-
φοουν κολ του ...

Θα μείνετε στο ξενοδοχείο ...

tha mínete sto ksenodhohío ...

**You will be staying in the hotel
...**
γιου γουίλ μπι στέινγκ ιν δε χο-
ουτέλ ...

**Θα σας δω στην είσοδο του
ξενοδοχείου αύριο το πρωί.**
tha sas dho stín ísodho tu kse-
nodhohíu ávrio to proí.

**I'll see you in the hotel
lobby tomorrow morning.**
άι'λλ σι γιου ιν δε χοουτέλ λό-
μπι τουμόροου μόρνινγκ.

Θερμάστρα.
thermástra.

Stove.
στόουβ.

Θερμογόνος συσκευή.
thermogónos siskeví.

Radiator.
ρεϊ-ντιέιτορ.

Θερμότητα.
thermótita.

Heating.
χίτινγκ.

Θέση υποδοχής.
thési ipodhohís.

Reception.
ριοέπσσον.

Θήκη.
thíki.

Case.
κέις.

Θυρωρός.
thirorós.

Porter.
πόρτερ.

Κάδος.
kádhos.

Bucket.
μπάκετ.

Καθαρίστρια δωματίων.
katharístria dhomatíon.

Κάθομαι.
káthome.

Καθρέπτης.
kathréptis.

Κάλυμμα κρεβατιού.
kálima krevatiú.

Κι η κουζίνα σας είναι πολύ καλή.
k' i kuzína sas íne polí kalí.

Καλώς ήλθατε!
kalós ílthate!

Καναπές.
kanapés.

Καρέκλα.
karékla.

Κατοικία.
katikía.

Κεντρική θέρμανση.
kedrikí thérmansi.

Κλειδί.
klidhí.

Κλειδί της πόρτας.
klidhí tis pórtas.

Κοιμάμαι.
kimáme.

Κομοδίνο.
komodhíno.

Κουβάς.
kuvás.

Κουβέρτα.
kuvérta.

Κουβέρτα μάλλινη.
kuvérta mállini.

House maid.
χάους μέι-ντ.

Sit.
σιτ.

Mirror.
μίρορ.

Bed-spread.
μπε-ντ-σπρε-ντ.

Your cuisine is excellent, too.
γιορ κουιζίν ιζ έκσελεν-τ, του.

Welcome!
γουέλκαμ!

Sofa.
σόφα.

Chair.
τσέαρ.

Dwelling house.
ντουέλινγκ χάους.

Central heating.
σέν-τραλ χίτινγκ.

Key.
κι.

Key to the door.
κι του δε ντορ.

Sleep.
σλίιπ.

Bedside-table.
μπε-ντσάι-ντ τέι-μπλ.

Pail.
πέιλ.

Blanket.
μπλάνκετ.

Woolen blanket.
γούλεν μπλάνκετ.

Κουδούνι.
kudhúni.

Bell.
μπελ.

Κουδούνι ηλεκτρικό.
kudhúni ilektrikó.

Electric bell.
ιλέκτρικ μπελ.

Κουδούνι της πόρτας.
kudhúni tis pórtas.

Door-bell.
ντορ-μπελ.

Κουρτίνα.
kurtína.

Curtains.
καρτνς.

Κουτί.
kutí.

Box.
μποκς.

Κουζίνα.
kuzína.

Kitchen.
κίτσεν.

Κρεβάτι.
kreváti.

Bed.
μπε-ντ.

Κρεμάστρα ρούχων.
kremástra rúhon.

Coat hanger.
κόουτ χάνγκερ.

Λάμπα.
lába.

Lamp.
λαμ-π.

Λείπουν.
lípun.

They are missing.
δέι αρ μίσινγκ.

Λογαριασμός.
logariasmós.

Bill.
μπιλ.

Μαξιλάρι.
maksilári.

Pillow.
πίλοου.

Μαξιλαροθήκη.
maksilarothíki.

Pillow-case.
πίλοου κέις.

Με ζήτησε κανένας;
me zítise kanénas?

Has anyone asked for me?
χαζ ένιουάν ασκ-ντ φορ μι;

Με καταλαβαίνετε;
me katalavénete?

Do you understand me?
ντου γιου αν-ντερστέν-ντ μι;

- Ναι, σας καταλαβαίνω.
- ne, sas katalavéno.

- Yes, I do.
- γιες, άι ντου.

- Δεν καταλαβαίνω τίποτε.
- dhen katalavéno típote.

- I understand nothing.
- άι αν-ντερστέ-ντ νάθινγκ.

- Τι σημαίνει αυτό;

- What does this mean?

- ti siméni aftó?

Μιλάτε αγγλικά;
miláte angliká?

Μιλάει κανένας αγγλικά;

milái kanénas angliká?

Μπαίνω.
béno.

Μπαλκόνι.
balkóni.

Μπάνιο.
bánio.

Μπορεί κάποιος να με οδη-γή-σει εκεί;
borí kápios na me odhiyísi ekí?

Μπορείτε να αφήσετε τις α-ποσκευές εκεί.
boríte na afísete tis aposkevés
eki.

Μπορείτε να καλέσετε ένα ταξί για μένα, παρακαλώ;
boríte na kalésete éna taksí yiá ména, parakaló?

Μπορείτε να με ξυπνήσετε-στις ... το πρωί;
boríte na me ksipnísete stis ... to proí?

Μπορείτε να με πάτε στο δω-μάτιο;
boríte na me páte sto dho-mátio?

Μπορείτε να μου πλύνετε αυτά τα ασπρόρουχα;
boríte na mu plínete aftá ta a-

- χουάτ νταζ δις μιν;

Do you speak English?
ντου γιου σπικ ίνγκλις;

Is there anyone who speaks English?
ιζ δέαρ ένιουάν χου σπικς ίν-γκλις;

I enter.
άι έν-τερ.

Balcony.
μπάλκονι.

Bathroom.
μπάθρουμ.

Is there anyone to lead me there?
ιζ δέαρ ένιουάν του λι-ντ μι δέαρ;

You can leave the luggage there.
γιου κεν λιβ δε λάγκετζ δέαρ.

Can you call a taxi for me, please.?
κεν γιου κολ ε τάκσι φορ μι, πλιζ;

Will you call me up at ... tomorrow?
γουίλ γιου κολ μι απ ατ ... τουμόροου;

Can you show me up to the room?
κεν γιου σσόου μι απ του δε ρουμ;

Can I have these things laundered?
κεν άι χεβ δίιζ θινγκς λόν-ντερ-

spróruha?

Μπορώ να έχω το πρωινό στο δωμάτιο;

boró na ého to proinó sto dhomátio?

Μπορείτε να οδηγήσετε το αυτοκίνητο πιο αργά, παρακαλώ;

boríte na odhiyísete to afto-kínito pió argá, parakaló?

Μπορείτε να πάρετε τις αποσκευές μαζί σας.

boríte na párete tis aposkevés mazí sas.

Μπορείτε να με συνδέσετε με την πρεσβεία, παρακαλώ;

boríte na me sindhésete me tin presvía, parakaló?

Μπορείτε να μου δείξετε ένα άλλο δωμάτιο;

boríte na mu dhíksete éna álo dhomátio?

Μπορείτε να μου φυλάξετε αυτά τα πράγματα αξίας;

boríte na mu filáksete aftá ta prágmata aksías?

Μπορείτε να περιμένετε άλλα πέντε λεπτά;

boríte na periménete álla pénde leptá?

Μπορείτε να το συλλαβίσετε, παρακαλώ;

boríte na to silavísete, parakaló?

Μπορείτε να τοποθετήσετε και ένα άλλο κρεβάτι;

ντ;

Can I have breakfast in my room?

κεν άι χεβ μπρέκφαστ ιν μάι ρουμ;

Would you drive more slowly, please?

γου-ντ γιου ντράιβ μορ σλόουλι, πλιζ;

You can take the luggage with you.

γιου κεν τέικ δε λάγκετζ γουίθ γιου.

Can you put me through to the embassy, please?

κεν γιου πουτ μι θρου του δε έμμπασι, πλιζ;

Can you show me another room?

κεν γιου σόου μι ενάδερ ρουμ;

Can you look after these valuables for me?

κεν γιου λουκ άφτερ δίιζ βάλιουα-μπλς φορ μι;

Can you wait another 5 minutes?

κεν γιου γουέιτ ενάδερ φάιβ μίνιτς;

Can you spell it, please?

κεν γιου σπελ ιτ, πλιζ;

Can you put in another bed?

boríte na topothetísete ke éna
álo kreváti;

**Μπορείτε να τοποθετήσετε
και ένα κρεβάτι παιδικό;**

boríte na topothetísete ke éna
krevati pedhikó?

**Μπορώ να αφήσω τις απο-
σκευές μου εδώ;**

boró na afíso tis aposkevés mu
edó?

Μου αρέσει το δωμάτιο.

mu arési to dhomátio.

Μου φέρνετε, παρακαλώ:

mu férnete parakaló:

- Ένα σταχτοδοχείο.

- éna stahtodhohío.

**- Ένα άλλο τραπεζομάντι-
λο.**

- éna állo trapezomándilo.

- Το πρωινό.

- to proinó.

- Και μια πετσέτα προσώπου.

- ke mia petséta prosópu.

- Και μερικές κρεμάστρες.

- ke merikés kremástres.

- Και ένα σαπούνι.

- ke éna sapúni.

- Ένα σαπούνι.

- éna sapúni.

- Μια κουβέρτα μάλλινη.

- mia kuvérta málini.

- Ένα άλλο σεντόνι.

- éna állo sedóni.

**Να αφήσουμε τα διαβατή-
ρια για καταγραφή;**

κεν γιου πουτ ιν ενάδερ μπε-ντ;

**Can you put in a bed for
a child?**

κεν γιου πουτ ιν ε μπε-ντ φορ
ε τσάιλ-ντ;

**Shall I leave the luggage
here?**

σαλ άι λίιβ δε λάγκετζ χίαρ;

I like the room.

άι λάικ δε ρουμ.

Would you please bring me:

γου-ντ γιου πλίζ μπρινκγ μι:

- An ash-tray.

- εν άς-τρέι.

- Another table-cloth.

- ενάδερ τέι-μπλ-κλοθ.

- The breakfast.

- δε μπρέκφαστ.

- Another face towel.

- ενάδερ φέις τάουελ.

- Some more hangers.

- σαμ μορ χάνγκερς.

- Another cake of soap.

- ενάδερ κέικ οβ σόουπ.

- Some soap.

- σαμ σόουπ.

- A woolen blanket.

- ε γούλεν μπλάνκετ.

- Another sheet.

- ενάδερ σσίιτ.

**Shall we leave the passports
behind for registration?**

na afísume ta dhiavatíria yiá ka-
tagrafí?
Νιπτήρας.
niptíras.
Ντουλάπα ρούχων.
dulápa rúhon.
Ντους.
dús.
Ξενοδοχείο.
ksenodhohío.
Ξενοδοχείο παραλιακό.
ksenodhohío paraliakó.
**Ο διακόπτης είναι χαλασμέ-
νος.**
o dhiakóptis dhen ergázete.
**Ο θυρωρός θα πάρει τις α-
ποσκευές σας.**
o thirorós tha pári tis aposke-
vés sas.
**Οι άνθρωποι είναι πολύ φι-
λόξενοι στα αλήθεια.**
i ánthropi íne polí filókseni sta
alíthia.
Οι ασφάλειες έχουν καεί.
i asfálies éhun kaí.
Οικογένεια.
ikoyénia.
Ομπρέλα ηλίου.
obréla ilíu.
Όροφος.
órofos.
Παιδικό κρεβάτι.
pedhikó kreváti.
Παράθυρο.
paráthiro.

σσαλ γουί λίιβ δε πάσπορτς
μπιχάιν-ντ φορ ρετζιστρέισσον;
Hand basin.
χαν-ντ μπέισν.
Wardrobe.
γουόρ-ντρόου-μπ.
Shower.
σσάουερ.
Hotel.
χοουτέλ.
Seaside hotel.
σίισάι-ντ χοουτέλ.
The switch is out of order.

δε σουίτς ιζ άουτ οβ όρ-ντερ.
**The porter will take your
luggage.**
δε πόρτερ γουίλ τέικ γιορ λά-
γκετζ.
**People are really very
hospitable.**
πίπλ αρ ρίαλι βέρι χόσπιτε-μπλ.

The fuses have blown.
δε φιούζις χεβ μπλόουν.
Family.
φάμιλι.
Sun-umbrella.
σαν-α-μπρέλα.
Floor.
φλορ.
Cot.
κοτ.
Window.
γουίν-ντοου.

Παρακαλώ, επιθυμώ να κλείσω δύο αεροπορικά εισιτήρια για Λονδίνο στις ...
parakaló, epithimó na klíso dhío aeroporiká isitíria yiá Londhíno stis ...

Please, I would like to book two air-travel tickets for London for ...
πλιζ, άι γου-ντ λάικ του μπουκ του έαρ-τράβελ τίκετς φορ λάνντον φορ ...

Παρακαλώ, ετοιμάστε μου το λογαριασμό.
parakaló, etimáste mu to logariasmó.

Please, make up my account.
πλιζ, μέικ απ μάι ακάουν-τ.

Παρακαλώ μου κρατάτε δύο θεατρικά εισιτήρια για αύριο;
parakaló mu kratáte dhío theatriká isitíria yiá ávrio?

Can you please book two theatre-tickets for tomorrow?
κεν γιου πλιζ μπουκ του θίατερ-τίκετς φορ τουμόροου.

Παραλία.
paralía.

Beach.
μπίιτς.

Παράπονα.
parápona.

Complaints.
κομπλέιν-τς.

Πάρτε τον διερμηνέα μαζί σας.
párte ton dhierminéa mazí sas.

Take along the interpreter.
τέικ αλόνγκ δε ιντέρπρετερ.

Περάστε μέσα!
peráste mésa!

Come in!
καμ ιν!

Περιμένω ένα τηλεφώνημα από ...
periméno éna tilefónima apó ...

I expect a call from ...
άι εξπέκτ ε κολ φρομ ...

Πηγαίνουμε στην πόλη.
piyénume stin póli.

We are going downtown.
γουί αρ γκόουινγκ ντάουν-τάουν.

Πηγαίνομε στην πλαζ.
piyénome stin plaz.

We are going to the beach.
γουί αρ γκόουινγκ του δε μπίιτς.

Πισίνα.
pisína.

Swimming-pool.
σουίμινγκ-πουλ.

Πλένω.
pléno.

Πληροφορία.
pliroforía.

Πληρωμή.
pliromí.

Πολυθρόνα.
polithróna.

Ποιές είναι οι ώρες φαγητού;
piés íne i óres fayitú?

Πόρτα.
pórta.

Πορτατίφ.
portatíf.

Πόση είναι η ηλεκτρική τάση εδώ;
pósi íne i ilektrikí tási edhó?

Πόσο κάνουν όλα, παρακαλώ;
póso kánun óla, parakaló?

Πόσο κοστίζουν τα ταχυδρομικά για Ιταλία;
póso kostízun ta tahidhromiká yiá Italía?

Πόσο κοστίζει το δωμάτιο την εβδομάδα;
póso kostízi to dhomátio tin evdhomádha?

Πόσο κοστίζει το δωμάτιο την ημέρα;
póso kostízi to dhomátio tin iméra?

- Με πρωινό;
- me proinó?

- Περιλαμβάνονται όλα;

Wash.
γουόσς.

Information.
ινφορμέισσον.

Payment.
πέιμεν-τ.

Armchair.
άρμτσέαρ.

What are the meal times?
χουάτ αρ δε μιλ τάιμς;

Door.
ντόορ.

Table-lamp.
τέι-μπλ λαμ-π.

What is the voltage here?
χουάτ ιζ δε βόουλτιτζ χίαρ;

What is the total bill, please?
χουάτ ιζ δε τόουταλ μπιλ, πλιζ;

What is the postage to Italy?
χουάτ ιζ δε πόστιτζ του Ίταλι;

How much is the room per week?
χάου ματς ιζ δε ρουμ περ γουίκ;

How much is the room per day?
χάου ματς ιζ δε ρουμ περ ντέι;

- Including breakfast?
- ινκλιού-ντινγκ μπρέκφαστ;

- All included?

- perilamvánode óla?

Πόσο κοστίζει το μονό δω-μάτιο;

póso kostízi to monó dhomátio?

Πόσο πρέπει να πληρώσω;

póso prépi na pliróso?

Πού είναι ένα ξενοδοχείο παρακαλώ;

pu íne éna ksenodhohío para-kaló.

Πού είναι το δωμάτιο ...;

pu íne to dhomátio ...?

Πού είναι το τηλέφωνο;

pu íne to tiléfono?

Πού είναι ο τηλεφωνικός θά-λαμος;

pu íne o tilefonikós thálamos?

Πού είναι το εστιατόριο;

pu íne to estiatório?

Πρέπει να συμπληρώσετε αυτό το έντυπο.

prépi na siblirósete aftó to éndi-po.

Πρωινό.

proinó.

Πυρίμαχο.

pirímaho.

Πώμα.

róma.

Πώς λειτουργεί;

pos lituryí?

Πώς μπορώ να σας πληροφο-ρήσω για την εκδρομή εις ...;

pos boró na sas pliroforíso yiá

- ολ ινκλιού-ντι-ντ;

How much extra for a single room?

χάου ματς έκστρα φορ ε σινγκλ ρουμ;

How much must I pay?

χάου ματς μαστ άι πέι;

Where is a hotel please?

χουέαρ ιζ ε χοτέλ πλίιζ;

Where is the room ...?

χουέαρ ιζ δε ρουμ ...;

Where is the telephone booth?

χουέαρ ιζ δε τέλεφοουν μπουθ;

Where is the telephone booth?

χουέαρ ιζ δε τέλεφοουν μπουθ;

Where is the restaurant?

χουέαρ ιζ δε ρέστοραν-τ;

Here is the card you're required to fill in.

χίαρ ιζ δε καρ-ντ γιου'ρ ρικου-άιρ-ντ του φιλ ιν.

Breakfast.

μπρέκφαστ.

Fire-proof.

φάιρ-προυφ.

Cork.

κορκ.

How does this work?

χάου νταζ δις γουέρκ;

How can I let you know about the excursion to ... ?

χάου κεν άι λετ γιου νόου αtin ekdhromí is ...?

Ρεσεπσιόν.
resepsión.

Ρεύμα εναλλασσόμενο.
révma enalassómeno.

Ρευματοδότης.
revmatodhótis.

Σας ευχαριστώ για όλα.
sas efharistó yiá óla.

Σας ευχαριστώ πολύ.
sas efharistó polí.

Σας χρειάζονται τα διαβατήριά μας;
sas hriázonde ta dhiavatíriá mas?

Σεζλόγκ.
shezlong.

Σεντόνι.
sedoni.

Σερβιτόρισσα.
servitórisa.

Σερβιτόρος.
servitóros.

Σιδερώνω.
sidheróno.

Σκάλα.
skála.

Σκέπασμα.
sképasma.

Σπίτι.
spíti.

Στα αλήθεια ευχαριστηθήκαμε εδώ.
sta alíthia efharistithíkame edhó.

μπάουτ δε εκσκέρσσον του ...;

Reception.
ρισέπσσον.

Alternating current.
όλτερνέιτινγκ κάρεν-τ.

Power-outlet.
πάουερ άουτλετ.

Thank you for everything.
θενκ γιου φορ έβριθίνγκ.

Thank you very much.
θενκ γιου βέρι ματς.

Do you need our passports?
ντου γιου νίι-ντ άουαρ πάσπορτς;

Chaise longue.
σέιζλόνγκ.

Sheet.
σίιτ.

Waitress.
γουέιτρες.

Waiter.
γουέιτερ.

Iron.
άιρον.

Stairs.
στέαρς.

Cover.
κάβερ.

House.
χάους.

We have really enjoyed the time here.
γουί χεβ ρίαλι ιντζόιντ δε τάιμ χίαρ.

Στο ξενοδοχείο ... παρακαλώ.	**To the hotel ... please.**
sto ksenodhohío ... parakaló.	του δε χοτέλ ... πλίιζ.
Στέγαση.	**Housing.**
stégasi.	χάουσινγκ.
Στεγνώνω.	**Dry.**
stegnóno.	ντράι.
Στρώμα.	**Mattress.**
stróma.	μάτρες.
Συρτάρι.	**Drawer.**
sirtári.	ντρόουερ.
Συρτάρι ασπρορούχων.	**Linen drawer.**
sirtári asprorúhon.	λίνεν ντρόουερ.
Τα λινά σκεπάσματα του κρεβατιού.	**Bed linen, (sheets).**
ta liná skepásmata tú krevatiú.	μπε-ντ λίνεν, (σίιτς).
Τάπητας.	**Carpet.**
tápitas.	κάρπετ.
Τάπητας κρεβατιού.	**Bedside-rug.**
tápitas krevatiú.	μπέ-ντσάι-ντ-ραγκ.
Τάση ρεύματος.	**Voltage.**
tási révmatos.	βόουλτιτζ.
Τηλέφωνο.	**Telephone.**
tiléfono.	τέλεφοουν.
Τηλεφωνικός θάλαμος.	**Telephone booth.**
tilefonikós thálamos.	τέλεφοουν μπουθ.
Τιμή.	**Price.**
timí.	πράις.
Τιμολόγιο.	**Invoice.**
timológio.	ινβόις.
Το ... , παρακαλώ!	**The ... please!**
to ..., parakaló!	δε ... πλιζ!
Το κλειδί, παρακαλώ!	**The key, please!**
to klidhí, parakaló!	δε κι, πλιζ!
Το κουδούνι δεν λειτουργεί.	**The door-bell doesn't work.**
to kudhúni dhen lituryí.	δε ντορ-μπελ νταζν't γουόρκ.

Το παράθυρο δεν ανοίγει.	**The window doesn't open.**
to paráthiro dhen aníyi.	δε γουίν-ντοου νταζν't όουπεν.
Το παράθυρο δεν κλείνει.	**The window doesn't shut.**
to paráthiro dhen klíni.	δε γουίν-ντοου νταζν't σσατ.
Το ταξιδιωτικό πρακτορείο ... έχει κλείσει ένα δωμάτιο για μένα.	**The ... travel agency has reserved a room for me.**
to taksidhiotikó praktorío ... éhi klísi éna dhomátio yiá ména.	δε ... τράβελ έιτζενσι χαζ ριζέρβ-ντ ε ρουμ φορ μι.
Τοίχος.	**Wall.**
tíhos.	γουόλ.
Τουαλέτα [WC].	**Toilet (WC).**
tualéta [ve se].	τόιλετ (WC).
Τουαλέτα [WC] γυναικών.	**Women's toilet (WC).**
tualéta [ve se] yinekón.	γουίμεν'ς τόιλετ (WC).
Τουαλέτα [WC] ανδρών.	**Men's toilet (WC).**
tualéta [ve se] andhrón.	μεν'ς τόιλετ (WC).
Τζάκι.	**Fire-place.**
tzáki.	φάιρ-πλέις.
Τζάμι παραθύρου.	**Window pane.**
tzámi parathíru.	γουίν-ντοου πέιν.
Τραπέζι.	**Table.**
trapézi.	τέι-μπλ.
Τραπεζομάντιλο.	**Table-cloth.**
trapezomándilo.	τέι-μπλ-κλοθ.
Τσάι.	**Tea.**
tsái.	τίι.
Υπηρεσία.	**Service.**
ipiresía.	σέρβις.
Ύπνος.	**Sleep.**
ípnos.	σλίιπ.
Υπνοδωμάτιο.	**Bedroom.**
ipnodhomátio.	μπέ-ντρουμ.
Υπογράψετε εδώ, παρακαλώ!	**Sign here, please!**
ipográpste edhó, parakaló!	σάιν χίαρ, πλιζ!

Υποδοχή.
ipodhohí.

Φωτισμός.
fotismós.

Χαρτί υγείας.
hartí iyías.

Ψησταριά.
psistariá.

Ψητό.
psito.

Reception.
ρισέπσσον.

Illumination, (lighting).
ιλουμινέισιον (λάιτινγκ).

Toilet-paper.
τόιλιτ πέιπερ.

Grill-room.
γκριλ-ρουμ

Roast.
ρόουστ.

24. ΕΞΟΠΛΙΣΜΟΣ ΤΟΥ ΤΡΑΠΕ-ΖΙΟΥ

24. TABLE-WARE

eksoplismós tu trapeziú

τέι-μπλ-γουέαρ

Αλατιέρα.
alatiéra.
Salt-shaker.
σολτ-σέικερ.

Ανοιχτήρι.
anihtíri.
Bottle opener.
μποτλ-όπενερ.

Αυγοθήκη.
avgothíki.
Egg-cup.
εγκ-καπ.

Δίσκος.
dhískos.
Plate.
πλέιτ.

Δοχεία λαδόξιδου.
dhohía ladhóksidhu.
Oil and vinegar bottles.
όιλ εν-ντ βίνεγκαρ μποτλς.

Δοχείο.
dhohío.
Pot.
πατ.

Δοχείο για γάλα.
dhohío yiá gála.
Milk-jug.
μιλκ-τζαγκ.

Δοχείο ζάχαρης.
dhohío záharis.
Sugar- bowl.
σούγκαρ-μπόουλ.

Δοχείο σάλτσας.
dhohío sáltsas.
Gravy boat.
γκρέιβι-μπόουτ.

Κανάτα.
kanáta.
Carafe.
καράφ.

Κουταλάκι για καφέ.
kutaláki yiá kafé.
Coffee spoon.
κόφι σπουν.

Κουταλάκι τσαγιού.
kutaláki tsayiú.
Tea spoon.
τίι σπουν.

Κουτάλι.
kutáli.
Spoon.
σπουν.

Κουτί πιπεριού.
kutí piperiú.
Pepper-pot.
πέπερ πατ.

Μαχαίρι.
mahéri.
Knife.
νάιφ.

Μην το ξεχάσεις, παρακαλώ.
min to ksehásis, parakaló.

Don't forget it, please.

ντο-ν't φοργκέτ ιτ, πλιζ.

Μου λέτε, σας παρακαλώ ...
mu léte, sas parakaló ...

Would you please, tell me ...

γου-ντ γιου πλιζ, τελ μι ...

Μου φέρνετε, σας παρακαλώ ...
mu férnete, sas parakaló ...

Would you please, bring me ...

γου-ντ γιου πλιζ, μπρινγκ μι ...

Μπουκάλι.
bukáli.

Bottle.

μποτλ.

Μπρίκι για καφέ.
bríki yiá kafé.

Coffee pot.

κόφι πατ.

Πετσέτα.
petséta.

Napkin.

νάπκιν.

Πιατάκι φλιτζανιού.
piatáki flitzaniú.

Saucer.

σόσερ.

Πιάτο.
piáto.

Dish.

ντισς

Ποτήρι.
potíri.

Glass.

γκλας.

Ποτήρι για κρασί κόκκινο.
potíri yiá krasí kókkino.

Red wine glass.

ρε-ντ γουάιν γκλας.

Ποτήρι για κρασί άσπρο.
potíri yiá krasí áspro.

White wine glass.

γουάιτ γουάιν γκλας.

Τι εννοείτε παρακαλώ;
ti enoíte parakaló?

What do you mean, please?

χουάτ ντου γιου μίιν, πλιζ;

Σερβίτσιο.
servítsio.

Place-setting.

πλέις-σέτινγκ.

Τραπέζι.
trapézi.

Table.

τέι-μπλ.

Τραπεζομάντιλο.
trapezomádilo.

Table-cloth.

τέι-μπλ-κλοθ.

Τσαγερό.
tsayeró.

Tea-pot.

τίι-ποτ.

Φυσικά, όχι.

Of course, not.

fisiká, óhi.

Ψωμιέρα.

psomiéra.

οφ κορς, νοτ.

Bread basket.

μπρε-ντ μπάσκετ.

25. ΣΤΟ ΕΣΤΙΑΤΟΡΙΟ, ΚΑΦΕΝΕΙΟ

25. AT THE RESTAURANT, CAFE

sto estiatório, kafenío

ατ δε ρέστοραν-τ, καφέ

Αγγουροσαλάτα.
angurosaláta.
Cucumber salad.
κιούκα-μπερ σάλα-ντ.

Αλάτι.
aláti.
Salt.
σολτ.

Ανανάς.
ananás.
Pineapple.
πάϊναπλ.

Αντίο.
andío.
Good bye.
γκου-ντ μπάι.

Αντιρρήσεις.
andirísis.
Objections.
ο-μπτζέκτιονς.

Αρκετά, ευχαριστώ.
arketá, efharistó.
Enough, thank you.
ινάφ, θενκ γιου.

Αρχικά θέλουμε να μας φέρετε ...
arhiká thélume na mas férete ...
We would like to start with ...
γουί γου-ντ λάικ του σταρτ γουίθ ...

Αρχισερβιτόρος.
arhiservitóros.
Head-waiter.
χέ-ντ-γουέιτερ.

Αυγό.
avgó.
Egg.
εγκ.

Αυγό πολύ βραστό.
avgó polí vrastó.
Hard boiled egg.
χαρ-ντ μπόιλ-ντ εγκ.

Αυγό μελάτο.
avgó meláto.
Soft boiled egg.
σοφτ μπόιλ-ντ εγκ.

Αυγό τηγανητό.
avgó tiganitó.
Fried egg.
φράι-ντ εγκ.

Αυγό μάτι.
avgó máti.
Fried egg.
φράι-ντ εγκ.

Αυγό ομελέτα.
avgó omeléta.
Omelette.
όμλετ.

Αυτό είναι πολύ λιπαρό, κα-
This is very fatty, better

λύτερα να μου φέρετε κάτι
άλλο.

bring me something else.

aftó íne polí liparó, kalítera na
mu férete káti állo.

δις ιζ βέρι φάτι, μπέτερ μπρινγκ
μι σάμθινγκ ελς.

Αυτό θέλω και εγώ.

**That is what I would like,
too.**

aftó thélo ke egó.

δατ ιζ χουάτ άι γου-ντ λάικ, του.

**Αυτό το φαγητό είναι πολύ
καλό.**

This dish is very good.

aftó to fayitó íne polí kaló.

δις ντις ιζ βέρι γκου-ντ.

- Επιθυμώ και λίγο απ' αυτό.

**- I would like a little more of
this.**

- epithimó ke lígo ap' aftó.

- άι γου-ντ λάικ ε λιτλ μορ οβ δις.

Αχλάδι.

Pear.

ahládhi.

πέαρ.

Βερίκοκο.

Apricot.

veríkoko.

έιπρικοτ.

Βοδινό κρέας.

Beef.

vodhinó kréas.

μπίιφ.

Βότκα.

Vodka.

vótka.

βό-ντκα.

Βούτυρο.

Butter.

vútiro.

μπάτερ.

Βραστός.

Boiled.

vrastós.

μπόιλ-ντ.

Γάλα.

Milk.

gála.

μιλκ.

Γαλοπούλα.

Turkey.

galopúla.

τέρκι.

Γεμιστές πιπεριές.

Stuffed green peppers.

yemistés piperiés.

σταφ-ντ γκριν πέπερς.

Γεμιστός.

Stuffed.

yemistós.

σταφ-ντ.

Γεύμα.

Dinner.

yévma.

ντίνερ.

Γκούλας.
gúlas.
Γκρέιπ φρουτ.
gréip frut.
Δείπνο.
dhípno.
Εγώ θέλω ...
egó thélo...
- Εμείς θέλουμε...
- emís thélume...
Είμαι πεινασμένος.
íme pinasménos.
Είναι πολύ αλμυρό.
íne polí almiró.
Είναι πολύ νόστιμο.
íne polí nóstimo.
- Από τι είναι φτιαγμένο;
- apó ti íne ftiagméno?
Ελαιόλαδο.
eleóladho.
Εμείς είχαμε και ...
emís íhame ke ...
Εμένα δεν μου αρέσουν ποτά δυνατά.
eména dhen mu arésun potá dhinatá.
Εμπρός, πιείτε αυτό το ποτήρι μαζί μας.
ebrós, piíte aftó to potíri mazí mas.
Ένα μπουκάλι κρασί κόκκινο.
éna bukáli krasí kókkino.
Ένα ποτήρι κρασί κόκκινο.
éna potíri krasí kókkino.

Goulash.
γκούλασς.
Grapefruit.
γκρέιπφρουτ.
Supper.
σάπερ.
I would like ...
άι γου-ντ λάικ ...
- We would like ...
- γουί γου-ντ λάικ ...
I am hungry.
άι αμ χάνγκρι.
There's too much salt in it.
δέαρ'ζ του ματς σολτ ιν ιτ.
It's very tasty.
ιτ'ς βέρι τέιστι.
- What's it made of?
- χουάτ'ς ιτ μέι-ντ οβ;
Olive-oil.
όλιβ όιλ.
We also had and ...
γουί όλσο χε-ντ ...
I don't like strong drinks.

άι ντον'τ λάικ στρονγκ ντρινκς.

Come on, have this glass with us.

καμ ον, χεβ δις γκλας γουίθ ας.
A bottle of red wine.

ε μποτλ οβ ρε-ντ γουάιν.
A glass of red wine.
ε γκλας οβ ρε-ντ γουάιν.

Ένα μπουκάλι κρασί άσπρο.
éna bukáli krasí áspro.
A bottle of white wine.
ε μποτλ οβ γουάιτ γουάιν.

Ένα ποτήρι κρασί άσπρο.
éna potíri krasí áspro.
A glass of white wine.
ε γκλας οβ γουάιτ γουάιν.

Επιθυμείτε κάτι άλλο;
epithimíte káti állo?
What else do you like?
χουάτ ελς ντου γιου λάικ;

Ευχαριστώ.
efharistó.
Thank you.
θενκ γιου.

Ευχαριστώ, επίσης.
efharistó, epísis.
Thanks, the same to you.
θενκς, δε σέιμ του γιου.

Έχω ακούσει για ένα ποτό ελληνικό, το ρακί, θα πάρω ρακί.
eho akúsi yiá éna potó ellinikó, to rakí, tha páro rakí.
I've heard of a greek drink, raki, I'll have that.
άι'β χερ-ντ οβ ε γκρίικ ντρινκ, ρακί, άι'λ χεβ δατ.

Έχω χορτάσει, δεν μπορώ άλλο, ευχαριστώ.
ého hortási, dhen boró állo, efharistó.
I've had enough, thanks.
άι'β χε-ντ ινάφ, θενκς.

Ζάχαρη.
záhari.
Sugar.
σούγκαρ.

Ζαχαρωτά.
zaharotá.
Candies.
κάν-ντις.

Ζωμός κρέατος.
zomós kréatos.
Clear meat soup.
κλίαρ μίιτ σουπ.

Ήθελα ...
ithela ...
I would like ...
άι γου-ντ λάικ ...

Θα ήθελα και για αύριο το μεσημέρι αυτό το γεύμα.
tha íthela ke yiá ávrio to mesi-méri aftó to yevma..
I would like this for lunch, tomorrow, too.
άι γου-ντ λάικ δις φορ λαν-τσς, τουμόροου, του.

Θα μπορούσατε παρακαλώ να μας φέρετε ... ;
tha borúsate parakaló na mas férete ... ;
Would you please bring us ... ?
γου-ντ γιου πλιζ μπρινγκ ας ... ?

Θα πληρώσω εγώ σήμερα.
tha pliróso egó símera.

Κακάο.
kakáo.

Καλή όρεξη!
kalí óreksi!

Καλοψημένος.
kalopsiménos.

Καλύτερα να μου φέρετε ...
kalítera na mu férete ...

Καπνιστός.
kapnistós.

Καρπούζι.
karpúzi.

Καρύδια.
karídhia.

Καφές.
kafés.

Κέικ.
kéik.

Κεράσι.
kerási.

Κολοκυθόπιτα.
kolokithópita.

Κομπόστα.
kobósta.

Κονιάκ.
koniák.

Κονιάκ κερασιού.
koniák kerasiú.

Κρασί κόκκινο.
krasí kókkino.

Κρασί λευκό.
krasí lefkó.

Κρέας.
kréas.

I'll pay the bill today.
άι'λ πέι δε μπιλ του-ντέι.

Cocoa.
κόκο.

Good appetite!
γκου-ντ απετάιτ!

Overdone.
όβερ-ντάν.

I would rather have ...
άι γου-ντ ράδερ χεβ ...

Smoked.
σμοκ-ντ.

Water-melon.
γουότερ-μέλον.

Walnuts.
γουόλνατς.

Coffee.
κόφι.

Cake.
κέικ.

Cherry.
τσέρι.

Pumpkin-pie.
πάμκιν-πάι.

Stewed fruits.
στιου-ντ φρουτς.

Cognac.
κόουνιακ.

Cherry brandy.
τσέρι μπράν-ντι.

Red wine.
ρε-ντ γουάιν.

White wine.
γουάιτ γουάιν.

Meat.
μίιτ.

Κρέας κριαριού.
kréas kriariú.
Mutton.
μουτόν.

Κρέας προβάτου.
kréas provátu.
Mutton.
μουτόν.

Κιμάς.
kimás.
Ground meat.
γκράου-ντ μίιτ.

Λαμπρά!
labrá!
Excellent!
έκσελεν-τ!

Λαχανόσουπα.
lahanósupa.
Vegetable soup.
βέτζετα-μπλ σουπ.

Λείπει μια μερίδα.
lípi mia merídha.
We are one portion short.
γουί αρ ουάν πόρσσον σσορτ.

Λεμονάδα.
lemonádha.
Lemonade.
λεμονέι-ντ.

Λεμόνι.
lemóni.
Lemon.
λέμον.

Λευκό ψωμί.
lefkó psomí.
White bread.
γουάιτ μπρε-ντ.

Λιγάκι.
ligáki.
Just a little.
τζαστ ε λιτλ.

Λικέρ.
likér.
Liqueur.
λικιούρ.

Λικέρ μέντας.
likér médas.
Crème de menthe.
κρεμ ντε μενθ.

Λίπος.
lípos.
Fat.
φατ.

Μακαρόνια.
makarónia.
Macaroni.
μακαρόουνι.

Χηλοπίτες.
hilopítes.
Noodles.
νου-ντλς.

Μαλακός.
malakós.
Soft.
σοφτ.

Μαρμελάδα.
marmeládha.
Marmalade.
μάρμαλεϊ-ντ.

Μαρμελάδα.
marmeládha.
Jam.
τζαμ.

Με καρικεύματα.	**Spicy.**
me karikévmata.	σπάισι.
Μέλι.	**Honey.**
méli.	χάνι.
Μεταλλικό νερό.	**Mineral water.**
metallikó neró.	μίνεραλ γουότερ.
Μήλο.	**Apple.**
mílo.	απλ.
Μια φέτα ψωμί.	**A slice of bread.**
mia féta psomí.	ε σλάις οβ μπρε-ντ.
Μισογινωμένος.	**Medium-done.**
misoyinoménos.	μί-ντιουμ-νταν.
Μισοψημένος.	**Medium-done.**
misopsiménos.	μί-ντιουμ-νταν.
Μπιζέλια.	**Peas.**
bizélia.	πίιζ.
Μπίρα.	**Beer.**
bíra.	μπίιρ.
Μπισκότα.	**Biscuits.**
biskóta.	μπίσκιτς.
Μπιφτέκι.	**Haburger.**
biftéki.	χάμ-μπουργκερ.
Μπριζόλα.	**Steak.**
brizóla.	στέικ.
Μπορείτε να μου κάνετε μια χάρη;	**Would you do me a favour?**
boríte na mu kánete miá hári?	γου-ντ γιου ντου μι ε φέιβορ;
Μπορείτε να μου πείτε ... ;	**Would you please tell me ... ?**
boríte na mu píte ... ;	γου-ντ γιου πλίζ τελ μι ... ;
Μου δίνετε, σας παρακαλώ ... ;	**Would you please give me ... ?**
mu dhínete, sas parakaló ... ?	γου-ντ γιου πλίζ γκιβ μι ... ;
Ναι, με ευχαρίστηση, ευχαριστώ.	**Yes, I would, thank you.**
ne, me efharístisi, efharistó.	γιες, άι γου-ντ, θενκ γιου.

Ντοματοσαλάτα.
domatosaláta.
Ντοματόσαλτσα.
domatósaltsa.
Ξεχωριστό λογαριασμό.
ksehoristó logariasmó.
Ξεροψημένος.
kseropsiménos.
Ξηρός.
ksirós.
Ξίδι.
ksídhi.
Ορεκτικά.
orektiká.
Ουίσκι.
uiski.
Όχι, ευχαριστώ.
óhi, efharistó.
Όχι, ευχαριστώ, δεν ήθελα αυτό.
óhi, efharistó, dhen íthela aftó.

Όχι καλοψημένο.
óhi kalopsiméno.
Όχι καλοβρασμένο.
óhi kalovrasméno.
Όχι, όχι εκείνο, το άλλο.
óhi, óhi ekíno, to állo.
Παγωτό.
pagotó.
Παγωτό με φρούτα και καρύδια.
pagotó me frúta ke karídhia.
Πάπια.
pápia.

Tomato salad.
τομέιτο σάλα-ντ.
Tomato sauce.
τομέιτο σος.
Separate bills, please.
σέπαρεϊτ μπιλς, πλιζ.
Overdone.
όβερ-ντάν.
Dry.
ντράι.
Vinegar.
βίνεγκαρ.
Appetizer.
απετάιζερ.
Whisky.
ουίσκι.
No, thank you.
νόου, θενκ γιου.
No, thank you, I did not want this.
νόου, θενκ γιου, άι ντι-ντ νοτ γουόν-τ δις.
Underdone.
άν-ντερ-ντάν.
Underdone.
άν-ντερ-ντάν.
No, not that, the other one.

νόου, νοτ δατ, δι άδερ ουάν.
Ice-cream.
άις-κρίιμ.
Tutti-frutti.

τούτι-φρούτι.
Duck.
ντακ.

Παραγεμισμένος.
parayemisménos.

Stuffed.
σταφ-ντ.

Παράπονα.
parápona.

Complains.
κομ-πλέινς.

Πάστες.
pastes.

Pastries.
πέιστρις.

Πάπρικα.
páprika.

Paprika.
παπρίκα.

Πατάτες τσιπς.
patátes tsips.

Chips.
τσιπς.

Πατάτες τηγανητές.
patátes tiganités.

French fries.
φρεν-τς φράις.

Πατατόσουπα.
patatósupa.

Potato soup.
ποτέιτοου σουπ.

Παχύ.
pahí.

Fatty.
φάτι.

Πεπόνι.
pepóni.

Melon.
μέλον.

Πιλάφι.
piláfi.

Rice casserole.
ράις κάσεροουλ.

Πολύ δυνατός-ή-ό.
polí dhinatós-í-ó.

Very strong.
βέρι στρονγκ.

Πολύ ζεστός-ή-ό
polí zestós-í-ó.

Very hot.
βέρι χατ.

Πολύ κρύος-α-ο
polí kríos-a-o.

Very cold.
βέρι κολ-ντ.

Πολύ ξινός-ή-ό
polí ksinós-í-ó.

Very sour.
βέρι σάουρ.

Πορτοκάλι.
portokáli.

Orange.
όραν-τζ.

Πουρές.
purés.

Mashed potatoes.
μασσ-ντ ποτέιτοους.

Πώς ονομάζεται αυτό το φα-γητό;
pos onomázete aftó to fayitó?

What is this dish called?

χουάτ ιζ δις ντις κολ-ντ;

Ρακί.
rakí.
Ραπανοσαλάτα.
rapanosaláta.
Ρούμι.
rúmi.
Ρύζι.
rízi.
Ρυζόσουπα.
rizósupa.
Σαλάμι.
salámi.
Σαλάτα φασόλια.
saláta fasólia.
Σαλάτα καρότα.
saláta karóta.
**Σαλάτα με κρεμμύδι και κου-
νουπίδι.**
saláta me kremidhi ke kunu-
pídhi.
Σαλάτα με μελιτζάνα.
saláta me melitzána.
Σαλάτα με ελιές.
saláta me eliés.
Σαλάτα με άσπρο γογγύλι.
saláta me áspro gongíli.
Σας άρεσε αυτό το φαγητό;
sas árese aftó to fayitó?
Σας ευχαριστώ.
sas efharistó.
Σας ευχαριστώ πολύ.
sas efharistó polí.
Σις κεμπάπ.
sis kebáp.
Σοκολάτα.
sokoláta.

Raki.
ρακί.
Radish salad.
ράντισς σάλα-ντ.
Rum.
ραμ.
Rice.
ράις.
Rice soup.
ράις σουπ.
Salami.
σαλάμι.
Bean salad.
μπίιν σάλα-ντ.
Carrot salad.
κάροτ σάλα-ντ.
**Salad with onions and
cauliflower.**
σάλα-ντ γουίθ όνιονς εν-ντ κό-
λιφλαουερ.
Egg-plant salad.
εγκ πλαν-τ σάλα-ντ.
Olive salad.
όλιβ σάλα-ντ.
White turnip salad.
γουάιτ τέρνιπ σάλα-ντ.
Did you like this dish?
ντι-ντ γιου λάικ δις ντις;
Thank you.
θενκ γιου.
Thank you very much.
θενκ γιου βέρι ματς.
Shish kebab.
σισς κε-μπά-μπ.
Chocolate.
τσόκλετ.

Σουβλάκι.
suvláki.

Σνίτσελ.
snítsel.

Σπανάκι.
spanáki.

Σταφύλια.
stafília.

Συκώτι.
sikóti.

Τζιν.
tzin.

Τηγανητός.
tiganitós.

Τι θα θέλατε;
ti tha thélate?

Τι θα πιούμε;
ti tha piúme?

Το λογαριασμό, παρακαλώ.
to logariasmó, parakaló.

Το μενού, παρακαλώ.
to menú, parakaló.

Τούρτες.
túrtes.

Τρυφερός.
triferós.

Τσάι.
tsái.

Τσάι δυνατό.
tsái dhinató.

Τυρί.
tirí.

**Τώρα απολαμβάνω αληθινά
την κουζίνα σας.**
tóra apolamváno alithiná tin

Skewered.
σκιούρ-ντ.

Schnitzel.
σνίτσελ.

Spinach.
σπίνατς.

Grapes.
γκρέιπς.

Liver.
λίβερ.

Gin.
τζιν.

Pan-fried.
παν-φράι-ντ.

What do you like?
χουάτ ντου γιου λάικ;

What are we going to drink?
χουάτ αρ γουι γκόινγκ του
ντρινκ;

The bill, please.
δε μπιλ, πλιζ.

The menu, please.
δε μένιου, πλιζ.

Cakes.
κέικς.

Soft.
σοφτ.

Tea.
τίι.

Strong tea.
στρονγκ τίι.

Cheese.
τσίιζ.

**Now I am really enjoying
your food.**
νάου άι αμ ρίαλι ιν-τζόινγκ

kuzína sas.

Φασόλια.
fasólia.

Φακές.
fakés.

Φρέσκος.
fréskos.

Φρικασέ.
frikasé.

Φυσικά, όχι.
fisiká, óhi.

Χήνα.
hína.

Χόρτα.
hórta.

Χοιρομέρι /Ζαμπόν.
hiroméri / zabón.

Χωριάτικο ψωμί.
horiátiko psomí.

Χυμός ανανά.
himós ananá.

Χυμός βερίκοκου.
himós veríkoku.

Χυμός κερασιού.
himós kerasiú.

Χυμός μήλου.
himós mílu.

Ψάρι.
psári.

Ψάρι φιλέτο.
psári filéto.

Ψητό κοτόπουλο.
psitó kotópulo.

Ψητό μοσχάρι.
psitó moshári.

γιορ φου-ντ.
Kidney-beans.
κί-ντ-νει-μπίινς.

Lentils.
λέν-τιλς.

Fresh.
φρεσς.

Fricassee.
φρικασέι.

Of course, not.
οφκόρς, νοτ.

Goose.
γκους.

Greens.
γκρινς.

Ham.
χαμ.

Home made bread.
χομ μέι-ντ μπρε-ντ.

Pine-apple juice.
πάιν-απλ τζους.

Apricot juice.
έιπρικοτ τζους.

Cherry juice.
τσέρι τζους.

Apple juice.
απλ τζους.

Fish.
φις.

Fillet of fish.
φιλέ οφ φις.

Roasted chicken.
ρόουστι-ντ τσίκεν.

Roast beef.
ρόουστ μπίιφ.

Ψητό στα κάρβουνα.
psitó sta kárvuna.
Barbecued.
μπάρ-μπεκιου-ντ.

Ψητό χοιρινό.
psitó hirinó.
Roast pork.
ρόουστ πορκ.

Ψητός.
psitós.
Roast.
ρόουστ.

Ψωμί.
psomí.
Bread.
μπρε-ντ.

Ψωμί με βούτυρο.
psomí me vútiro..
Bread and butter.
μπρε-ντ εν-ντ μπάτερ.

Ωμός.
omós.
Underdone / rare
άν-ντερ-ντάν / ρέαρ.

26. ΤΑΧΥΔΡΟΜΕΙΟ, ΤΗΛΕΦΩ-ΝΗΜΑ

26. THE POST-OFFICE, TELE-PHONING

tahidhromío tilefónima

δε ποστ-όφις, τέλεφονινγκ.

Αεροπορικό ταχυδρομείο.
aeroporikó tahidhromío.
Ακουστικό.
akustikó.
Αποστολέας.
apostoléas.
Αριθμός ταχυδρομικής θυρί-δας.
arithmós tahidhromikís thirí-dhas.
Αυτή είναι η διεύθυνσή μου.
aftí íne i dhiéfthinsí mu.
Αυτός έχει τηλέφωνο στο σπίτι.
aftós éhi tiléfono sto spíti.
Γράμμα.
grámma.
Γραμματόσημο.
grammatósimo.
Γραφείο πληροφοριών.
grafío pliroforión.
Δέμα.
dhéma.
Δεν πειράζει, κλείστε το τη-λέφωνο και καλέστε άλλη μια φορά.
dhen pirázi, klíste to tiléfono ke kaléste álli mia forá.
Διεύθυνση.
dhiéfthinsi.
Εγώ ζω στο ...

Air mail.
έαρ μέιλ.
Receiver.
ρισίβερ.
Sender.
σέν-ντερ.
Post office box number.

ποστ όφις μποξ νάμ-μπερ.

Here is my address.
χίαρ ιζ μάι α-ντρές.
He has a house phone.

χι χεζ ε χάους φόουν.
Letter.
λέτερ.
Stamp.
σταμ-π.
Information office.
ινφορμέισσον όφις.
Parcel.
πάρσελ.
It's no trouble, hang up and dial again.

ιτ's νόου τρα-μπλ, χανγκ απ εν-ντ ντάιλ αγκέιν.
Address.
α-ντρές.
I live in ...

egó zo sto ...

Είναι ανοικτό από ...
íne aniktó apó ...

Είναι η γραμμή ελεύθερη;
íne i grammí eléftheri?

Είναι το ... ;
íne to ... ?

- Είμαι στον αριθμό ...
- íme ston arithmó ...

- Δεν εργάζεται το τηλέφωνό μου.
- dhen ergázete to tiléfonó mu.

Εμπρός, είναι εκεί ο Κύριος ...
embrós, íne ekí o kírios ...

Έντυπο.
éndipo.

Εξαρτάται από το βάρος και τον τόπο προορισμού.
eksartáte apó to város ke ton tópo proorismú.

Επείγον γράμμα.
epígon grámma.

Επείγον τηλεγράφημα.
epígon tilegráfima.

Επείγουσα πρόσκληση.
epígusa prósklisi.

Επιστροφή στον αποστολέα.
epistrofí ston apostoléa.

Εργάζεται 24 ώρες.
ergázete 24 óres.

Έχει κοπεί η γραμμή, κύριε.
éhi kopí i grammí, kírie.

Έχετε ειδικές εκδόσεις γραμ-

άι λιβ ιν ...
It is open from ...
ιτ ιζ οπν φρομ ...
Is the line free?
ιζ δε λάιν φρίι;
Is that ...?
ιζ δατ ... ;
- I am on telephone number ...
- άι αμ ον τέλιφοουν νάμ-μπερ ...
- My phone is out of order.

- μάι φόουν ιζ άουτ οβ όρ-ντερ.
Hello, is Mr ... there?

χελόου, ιζ μίστερ ... δέαρ;
Form.
φορμ.
It depends on the weight and destination.
ιτ ντιπέν-ντς ον δε γουέιτ εν-ντ ντεστινέισσον.
Urgent letter.
έρτζεν-τ λέτερ.
Urgent telegram.
έρτζεν-τ τέλεγκραμ.
Urgent call.
έρτζεν-τ κολ.
Return to sender.
ριτέρν του σέν-ντερ.
It runs a 24 hour service.
ιτ ρανς ε τουέν-τι φορ άουαρ σέρβις.
The line has been cut off, sir.
δε λάιν χεζ μπίιν κατ οφ, σερ.
Have you special issues of

ματοσήμων;
éhete idhikés ekdhósis grammatosímon?

Έχετε κανένα κατάλογο τα-χυδρομικών τελών;
éhete kanéna katálogo tahidhromikón telón?

Έχετε συλλογές γραμματο-σήμων;
éhete silloyés grammatosímon?

Έχετε συνδεθεί.

éhete sindhethí.

Η γραμμή σας είναι πιασμένη.
i gramí sas íne piasméni.

Η διευθυνσή μου είναι ...
i dhiéfthinsí mu íne ...

Ήθελα ελληνικά αναμνηστι-κά γραμματόσημα.
íthela elliniká anamnistiká grammatósima.

Ήθελα ένα έντυπο τηλεγρα-φήματος.
íthela éna édipo tilegrafímatos
.

Ήθελα να καλέσω το Λονδίνο.
íthela na kaléso to londhíno.

Θα ήθελα μερικά γραμματό-σημα για ...
tha íthela meriká grammatósima yiá ...

Θέλω να ταχυδρομήσω ένα γράμμα.
thélo na tahidhromíso éna grámma.

stamps?
χεβ γιου σπέσιαλ ίσιους οβ σταμ-πς;
Is there a list of the postal rates?
ιζ δέαρ ε λιστ οβ δε πόουσταλ ρέιτς;
Do you have collections of stamps?
ντου γιου χεβ κολέκσσονς οβ σταμ-πς;
Your call has been put through.
γιορ κολ χεζ μπίιν πουτ θρου.
Your line is busy.
γιορ λάιν ιζ μπίζι.
My address is ...
μάι α-ντρές ιζ ...
I would like Greek comme-morative stamps.
άι γου-ντ λάικ Γκρίικ κομέμο-ρατιβ σταμ-πς.
Where can I find a telegram form?
χουέαρ κεν άι φάιν-ντ ε τέλε-γκραμ φορμ;
I would like to call London.
άι γου-ντ λάικ του κολ λά-ντον.
I would like some postage stamps for ...
άι γου-ντ λάικ σαμ πόουστιτζ σταμ-πς φορ ...
I want to mail a letter.

άι γουόν-τ του μέιλ ε λέτερ.

Θυρίδα ταμείου.
thirídha tamíu.

Counter.
κάουν-τερ.

**Κάρτες εσωτερικού, εξωτε-
ρικού.**
kártes esoterikú, eksoterikú.

Inland, foreign postcards.

ínlαν-ντ, φόρινγκ πόστκάρ-ντς.

**Κέντρο! Είμαστε ο αριθμός
... το Παρίσι, παρακαλώ.**
kéndro! ímaste o arithmós ... to
parísi, parakaló.

Operator! Here is N ... Paris,
please.
οπερέιτορ! Χίαρ ιζ νάμ-μπερ ...
πάρις, πλιζ.

Με πληρωμένη απάντηση.
me pliroméni apádisi.

Collect.
κολέκτ.

**Με συγχωρείτε για την ενό-
χληση.**
me singhoríte yia tin enóhlisi.

I'm sorry for troubling you.

άι'μ σόρι φορ τρά-μπλινγκ γιου.

**Με συνδέσατε, Κυρία, Δε-
σποινίς;**
me sindhésate, kiría, dhespi-
nís?

Am I through, Mrs, Miss?

εμ άι θρου, μίσιζ, μις;

- Ναι, μιλήστε!
- ne, milíste!

- Yes, go ahead!
- γιες, γκόου αχέ-ντ!

**Μην κλείνετε το τηλέφωνο,
παρακαλώ.**
min klínete to tiléfono, para-
kaló.

Hold the line, please.

χολ-ντ δε λάιν, πλιζ.

**Μήπως είναι σε αυτή την πι-
νακίδα ... ;**
mípos íne se aftí tin pinakídha
... ?

Is it there at that ... sign-
board?
ιζ ιτ δέαρ ατ δατ ... σάιν-μπό-
ουρ-ντ;

Μήπως είσθε ...?
mípos ísthe ...?

Is that...?
ιζ δατ ... ;

**Μπορώ να δω τον τηλεφωνι-
κό κατάλογο;**
boró na dho ton arithmitikó
epiloyéa yia lígo?

May I look up the telephone
directory?
μέι αι λουκ απ δε τέλεφον
νταϊρέκτορι;

Μπορώ να κλείσω μια γραμ-

Can I book a trunk call for

μή για αύριο;
boró na klíso mia grammí yia
ávrio?
Ο αριθμός σας είναι πιασμέ-
νος.
o arithmós sas íne piasménos.
Πακέτο.
pakéto.
Παραμένει στο ταχυδρομείο
μέχρι να παραληφθεί.
paraméni sto tahidromío mé-
hri na paralifthí.
Ποιος είσαι;
piós íse?
- Εγώ είμαι ...
- egó íme ...
Ποιος μιλάει;
piós milái?
- Μιλάει ... ο κύριος ...
- milái ... o kírios ...
Πόσο κάνει το γραμματόσn-
μο;
póso káni to gramatósimo?
Πόσο κάνει η λέξη;
póso káni i léksi?
Πότε κλείνει το ταχυδρο-
μείο;
póte klíni to tahidromío?

Πρέπει να γράψω ολόκληρο
το όνομα ή είναι αρκετά μό-
νο τα αρχικά;
prépi na grápso olókliro to
ónoma í íne arketá móno ta
arhiká?

tomorrow?
κεν άι μπουκ ε τρανκ κολ φορ
τουμόροου;
Your number is busy.

γιορ νά-μπερ ιζ μπίζι.
Package.
πάκιτζ.
To be kept until called for.

του μπι κεπτ αν-τίλ κολ-ντ φορ.

Who are you?
χου αρ γιου;
- This is ...
- δις ιζ ...
Who is calling?
χου ιζ κόλινγκ;
- Mr .... speaking ...
- μίστερ .... σπίικινγκ ...
What is the postage for a
domestic postcard?
χουάτ ιζ δε πόουστιτζ φορ ε
ντομέστικ πόστκάρ-ντ;
How much is it per word?
χάου ματς ιζ ιτ περ γόορ-ντ;
When does the post-office
close?
χουέν νταζ δε ποστ-όφις κλόο-
ουζ;
Should I write out the name
in full or are the initials suf-
ficient?
σσου-ντ άι ράιτ άουτ δε νέιμ ιν
φουλ ορ αρ δι ινίσιαλς σαφί-
σιεν-τ;

Πρέπει να γράψω τη διεύ-
θυνσή μου στο πίσω μέρος
του φακέλου;
prépi na grápso ti dhiéfthinsí
mu sto píso méros tu fakélu?

Πρέπει να γράψω τον απο-
στολέα;
prépi na grápso ton apostoléa?

- Ναι, καθώς και την πλήρη
διεύθυνσή σας.
- Ne, kathós ke tin plíri
dhiéfthinsí sas.

Πού είναι η θυρίδα γραμμα-
τοσήμων;
pú íne i thirídha gramma-
tosímon?

Πού είναι η θυρίδα Ποστ
Ρεστάντ;
pu íne i thirídha Post Restánt?

Πού είναι το γραμματοκι-
βώτιο;
pu íne to grammatokivótio?

Πού είναι το ταχυδρομείο;
pú íne to tahidhromío?

Συμπληρώστε αυτό το έ-
ντυπο κλήσης.
siblilróste aftó to édipo klísis.

Συστημένο.
sistiméno.

Συστημένο γράμμα.
sistiméno grámma.

Ταχυδρομική επιταγή.
tahidhromikí epitayí.

Shall I write my address on
the back of the envelope?

σσαλ άι ράιτ μάι α-ντρές ον δε
μπακ οβ δι ένβελοπ;

Do I have to write the
sender's name?

ντου άι χεβ του ράιτ δε σέ-
ντερ'ς νέιμ;

- Yes, and your full address.

- γιες, εν-ντ γιορ φουλ α-ντρές.

Where is the stamps win-
dow?

χουέαρ ιζ δε σταμ-πς γουίν-
ντοου;

Where's the Poste Restante
counter?

χουέαρ ιζ δε Πόουστ Ρεστάν-τ
κάουν-τερ;

Where is the mail-box?

χουέαρ ιζ δε μέιλ-μποξ;

Where is the post-office?

χουέαρ ιζ δε ποστ-όφις;

Fill in this telephone call
request form.

φιλ ιν δις τέλεφόουν κολ ρι-
κουέστ φορμ.

Registered.

ρέτζιστερ-ντ.

Registered letter.

ρέτζιστερ-ντ λέτερ.

Postal-order.

πόσταλ-όρ-ντερ.

**Τηλεγράφημα με πληρωμέ-
νη απάντηση.**
tilegráfima me pliroméni apá-
ndisi.

A reply-paid telegram.

ε ριπλάι-πέι-ντ τέλεγκραμ.

**Τι να του πω, ποιος τον κα-
λεί;**
ti na tu po, piós ton kalí?

Who shall I say is calling?

χου σσαλ άι σέι ιζ κόλινγκ;

**Τι να του πω, ποιος τον κά-
λεσε;**
ti na tu po, piós ton kálese?

Who shall I say was calling?

χου σσαλ άι σέι γουόζ κόλινγκ;

Τοποθετώ.
topothetó.

Put.

πουτ.

Τόπος προορισμού.
tópos proorismú.

Destination.
ντέστινέισσον.

27. ΠΕΡΙΠΑΤΟΣ ΣΤΗΝ ΠΟΛΗ	27. GETTING ABOUT TOWN

perípatos stin póli

γκέτινγκ ε-μπάουτ τάουν

Αγορά.
agorá.

Market place.
μάρκετ πλέις.

Αρχαιολογικός χώρος.
arheoloyikós hóros.

Archaeological side.
αρκεολότζικαλ σάι-ντ.

Ας κάνουμε μια βόλτα με το αυτοκίνητο στην πόλη.
as kánume mia vólta me to aftokínito stin póli.

Let's have a drive around town.
λετ'ς χεβ ε ντράιβ αράουν-ντ τάουν.

Αστυνομία.
astinomía.

Police.
πολίς.

- Διεύθυνση αστυνομίας
- dhiéfthinsi astinomías.

- Police Headquarters.
- πολίς χε-ντκουόρτερς.

Αστυφύλακας.
astifilakas.

Policeman.
πολίσμαν.

Αυτοκίνητο.
aftokínito.

Bus.
μπας.

Βιβλιοθήκη.
vivliothíki.

Library.
λάι-μπραρι.

Βουλή.
vulí.

Parliament -building.
πάρλιαμεν-τ μπίλ-ντινγκ.

Βουνό.
vunó.

Mountain.
μάουν-τεν.

Γενικά, η κυκλοφορία στην πόλη δεν είναι επιφορτισμένη.
yeniká, i kikloforía stin póli dhen íne epifortisméni.

Generally speaking, urban traffic is light.
τζένεραλι σπίκινγκ, έρ-μπαν τράφικ ιζ λάιτ.

Γέφυρα.
yéfira.

Bridge.
μπριν-τζ.

Γωνία.
gonía.

Corner.
κόρνερ.

Δημαρχείο.

City-hall.

dhimarhío.

Διάβαση.

dhiávasi.

Δρόμος.

dhrómos.

Δρόμος χωρίς έξοδο.

dhrómos horís éksodho.

Εδώ δεν υπάρχει μποτιλιά-ρισμα.

o, edhó dhen ipárhi botiliárisma.

Εθνικό πάρκο.

ethnikó párko.

Είναι αρχαίο;

íine arhéo?

Είναι Βυζαντινό;

íine vizadinó?

Είναι η πρώτη φορά που έρχομαι στην Αθήνα.

íne i próti forá pu érhome stin Athína.

Είναι μακριά από εδώ;

íne makriá apó edhó?

- Πόση ώρα θα μου πάρει να πάω με τα πόδια μέχρι εκεί;

- pósi óra tha mu pári páo me ta pódhia méhri ekí?

- Σε ποια κατεύθυνση είναι ...;

- se piá katéfthinsi íne ...?

Εκκλησία.

ekklisía.

Επιτροπή.

epitropí.

Εμπορικό κέντρο.

σίτι-χοολ

Crossing.

κρόσινγκ.

Road.

ρόου-ντ.

Dead end.

ντε-ντ εν-ντ.

Here there is no traffic jam at all.

χίαρ δέαρ ιζ νόου τράφικ τζαμ ατ ολ.

National park.

νάσσοναλ παρκ.

Is it ancient?

ιζ ιτ έινσσιεν-τ;

Is it Byzantine?

ιζ ιτ μπίζαν-τιν;

This is my first time in Athens.

δις ιζ μάι φερστ τάιμ ιν Άθενς
.

Is it far from here?

ιζ ιτ φαρ φρομ χίαρ;

- How long does it take to walk there?

- χάου λονγκ νταζ ιτ τέικ του γουόκ δέαρ;

- Which direction is ... ?

- χουίτς νταϊρέκσσον ιζ ... ;

Church.

τσερτς.

Committee.

κομίτι.

Shopping centre.

eborikó kédro.

Εργοστάσιο.

ergostásio.

Επιθυμώ να πάω εις ...

epithimó na páo is ...

**Έχει κανένα κινηματογρά-
φο εδώ γύρω;**

éhi kanéna kinimatográfo edhó
gíro;

- Να, είναι εκεί.

- na, íne ekí.

- Από εδώ ευθεία.

- apó edhó efthía.

- Προς τα δεξιά.

- pros ta dheksiá.

**Έχει λεωφορείο από ... για...
;**

ehi leoforío apo ... yia ... ?

Έχει εκκλησίες εδώ;

éhi ekklisíes edhó?

**- Σήμερα μερικές απ'αυτές
προστατεύονται σαν μνη-
μεία πολιτισμού.**

- símera merikés ap'aftés pro-
statévode san mnimía poli-
tismú.

**Έχει στάση λεωφορείου ε-
δώ;**

éhi stási leoforíu edhó?

**Έχω ένα πρόβλημα, πού είναι η
αστυνομία παρακαλώ;**

ého éna próvlima, pú íne i asti-
nomía parakaló?

Ζώνη.

σσόπινγκ σέν-τερ.

Factory.

φάκτορι.

I want to go to ...

άι γουόν-τ του γκόου του ...

**Is there any cinema around
here?**

ιζ δέαρ ένι σίνεμα αράουν-ντ
χίαρ;

- There it is.

- δέαρ ιτ ιζ.

- Straight ahead.

- στρέιτ αχέ-ντ.

- To the right.

- του δε ράιτ.

**Is there a bus service
running from ... to ... ?**

ιζ δέαρ έ μπας σέρβις ράνινγκ
φρομ ... του ... ;

Are there any churches here?

αρ δέαρ ένι τσέρτσιζ χίαρ;

**- Today some of them are
being preserved as cultural
monuments.**

- του-ντέι σαμ οβ δεμ αρ μπίιν-
γκ πριζέρβ-ντ ας κάλτσιουραλ
μόνιουμεν-τς.

Is there a bus stop here?

ιζ δέαρ ε μπας στοπ χίαρ;

**I've a problem, where is the
police station, please?**

άι'β ε πρό-μπλεμ, χουέαρ ιζ δε
πολίς στέισσον, πλίίζ;

Area.

zóni.

Ζωολογικός κήπος.

zoloyikós kípos.

Θέατρο.

théatro.

- Θέατρο λαϊκό.

- théatro laikó.

Κάστρο.

kástro.

Κήπος.

kípos.

Κοιλάδα.

kiládha.

**Κύριε αστυφύλακα, μπορεί-
τε να με βοηθήσετε, παρα-
καλώ;**

kírie astifílaka, boríte na me
voithísete, parakaló?

**Λαμπρά, η κυκλοφορία εί-
ναι πολύ κανονική.**

lambrá, i kikloforía íne polí
kanonikí.

Λίμνη.

límni.

Μνημείο.

mnimío.

Μοναστήρι.

monastíri.

Μουσείο.

musío.

Μπαρ.

bar.

Ναός.

naós.

Νεκροταφείο.

éria.

Zoological garden.

ζουολότζικαλ γκάρ-ντεν.

Theatre.

θίατερ.

- People's Theatre.

- πιπλ΄ς θίατερ.

Castle.

καστλ.

Garden.

γκάρ-ντεν.

Valley.

βάλεϊ.

**Mr. policeman, can you help
me, please?**

μίστερ πολίσμαν, κεν γιου χελπ
μι, πλιζ;

**That's fine, the traffic is very
orderly.**

δατ΄ς φάιν, δε τράφικ ιζ βέ-
ρι όρ-ντερλι.

Lake.

λέικ.

Memorial.

μεμόριαλ.

Monastery.

μόναστερι.

Museum.

μιουζίουμ.

Bar.

μπαρ.

Temple.

τεμ-πλ.

Cemetery.

nekrotafío.
Νεκροταφείο πεσόντων η-ρώων.
nekrotafío pesódon iróon.
Νοσοκομείο.
nosokomío.
Ο αριθμός του διαμερίσμα-τος.
o arithmós tu dhiamerísmatos.
Οικοδόμημα.
ikodhómima.
Όπερα.
ópera.
Ουρανοξύστης.
uranoksístis.
Παλιά πόλη.
paliá póli.
Πάμε έξω;
páme ékso?
Πάμε για βαρκάδα.
páme yiá varkádha.
Πανεπιστήμιο.
panepistímio.
Πάρκο.
párko.
Πάροδος.
párodhos.
Πεζοδρόμιο.
pezodhrómio.
Πέρασμα.
pérasma.
Περιοχή.
periohí.
Πηγαίνει αυτό το λεωφορείο εκεί;

σέμετέρι.
National Cemetery.

νάσσοναλ σέμετέρι.
Hospital.
χόσπιταλ.
Apartment number.

απάρτμεν-τ νάμ-μπερ.
Building.
μπίλ-ντινγκ.
Opera House.
όπερα χάους.
Sky-scrapper.
σκάι-σκρέιπερ.
Old town.
όουλ-ντ τάουν.
Shall we go out?
σαλ γουί γκόου άουτ;
Let's go sailing.
λετ'ς γκόου σέιλινγκ.
University.
γιουνιβέρσιτι.
Park.
παρκ.
Side street.
σάι-ντ στρίιτ.
Side-walk
σάι-ντ-γουόκ.
Side-walk.
σάι-ντ-γουόκ.
Area.
έρια.
Is this bus going there?

piyéni aftó to leoforío ekí?
Πηγή.
piyí.
Πλατεία.
platía.
Ποιά εκκλησία είναι αυτή;

piá ekklisía íne aftí?
Ποιος δρόμος οδηγεί στο λιμάνι;
piós dhrómos odhiyí sto limáni?
Πόσο κάνει η είσοδος;

póso káni i ísodhos?

Ποτάμι.
potámi.
Πρεσβεία.
presvía.
Προσπαθώ να βρω το δρόμο για ...
prospathó na vro to dhrómo yiá ...
- Μπορείτε να με βοηθήσετε;
- boríte na me voithísete?
Πότε κτίσθηκε;
póte ktísthike?
Πού είναι...;
pú íne...?
Πού είναι η τράπεζα;
pú íne i trápeza?
Πού είναι η στάση του λεωφορείου;

ιζ δις μπας γκόινγκ δέαρ;
Spring.
σπρινγκ.
Square.
σκουέαρ.
What is the name of this church?

γουότ ιζ δε νέιμ οβ δις τσερτς;
Which way leads to the harbor?
χουίτς γουέι λι-ντς του δε χάρμπορ;
How much does it cost to go in?

χάου ματς δαζ ιτ κοστ του γκόου ιν;
River.
ρίβερ.
Embassy.
έμ-μπασι.
I'm trying to find my way to ...
άι'μ τράινγκ του φάιν-ντ μάι γουέι του ...
- Can you help me?

- κεν γιου χελπ μι;
When was it built?
χουέν γουόζ ιτ μπίλτ;
Where is ... ?
χουέαρ ιζ ... ;
Where is the bank?
χουέαρ ιζ δε μπανκ;
Where is the bus-stop?

pú íne i stási tu leoforíu?

χουέαρ ιζ δε μπας-στοπ;

Πού είναι το αεροδρόμιο;
pú íne to aerodhrómio?

Where is the airport?
χουέαρ ιζ δι έρπορτ;

Πού είναι το ξενοδοχείο ...;
pú íne to ksenodhohío ...?

Where is the hotel ...?
χουέαρ ιζ δε χοουτέλ ... ;

Πού είναι το μουσείο;
pú íne to musío?

Where is the museum?
χουέαρ ιζ δε μιουζίουμ;

Πού είναι η Πινακοθήκη;
pú íne i pinakothíki?

Where is the Art Gallery?
χουέαρ ιζ δε αρτ γκάλερι;

Πού είναι η πλατεία ... ;
pú íne i platía... ?

Where is the ... square?
χουέαρ ιζ δε ... σκουέαρ;

Πού είναι το ταχυδρομείο;
pú íne to tahidhromío?

Where is the post-office?
χουέαρ ιζ δε ποστ-όφις;

Πού είναι η οδός ...;
pú íne i odhós ... ?

Where is ... Street?
χουέαρ ιζ ... στρίιτ;

Πού είναι τα κεντρικά κατα-στήματα;
pú íne ta kedriká katastímata?

Where is the shopping-centre?
χουέαρ ιζ δε σσόπινγκ-σέν-τερ;

Πού είναι η στάση των ταξί, παρακαλώ;
pú íne i stási ton taksí, parakaló?

Where is the taxi-rank, please?
χουέαρ ιζ δε τάξι-ρανκ, πλιζ;

Πρωτεύουσα.
protévusa.

Capital city.
κάπιταλ σίτι.

Πώς μπορούμε να πάμε ε-κεί;
pos borúme na páme ekí?

How can we get there?

χάου κεν γουί γκετ δέαρ;

Σε πηγαίνει αυτό το αυτο-κίνητο στο ...;
se piyéni aftó to aftokínito sto ...?

Does this bus take you to ... ?

νταζ δις μπας τέικ γιου του ... ;

Σπηλιά.
spiliá.

Cave.
κέιβ.

Στάδιο.
stádhio.

Stadium.
στέι-ντιουμ.

Σταθμός του τρένου.
stathmós tu trénu.

Railroad station.
ρέιλρόου-ντ στέισσον.

Στάση λεωφορείου.
stási leoforíu.

Bus-stop.
μπας-στοπ.

Στρίψε αριστερά σ'εκείνο το δρόμο.
strípse aristerá s'ekíno to dhrómo.

Turn to the left on that street.
τερν του δε λεφτ ον δατ στρίπ.

Οδηγέ, πού πρέπει να κατέβω;
odhiyé, pu prépi na katévo?

Conductor, where shall I get off?
κον-ντάκτορ, χουέαρ σσαλ άι γκετ οφ;

Συνοδός.
sinodhós.

Guide.
γκάι-ντ.

Συνοικία της πόλης.
sinikía tis pólis.

City-quarter.
σίτι-κουόρτερ.

Σιντριβάνι.
sidriváni.

Fountain.
φάουν-τεν.

Σχολείο.
sholío.

School.
σκουλ.

Ταξί.
taksí.

Taxi.
τάξι.

- Στάση ταξί.
- stási taksí.

- Taxi-rank.
- τάξι-ρανκ.

Τελεφερίκ.
teleferík.

Funicular.
φιουνίκιουλαρ.

Τέμενος.
témenos.

Temple.
τεμ-πλ.

Τζαμί.
tzamí.

Mosque.
μοσκ.

Τι ώρα αρχίζει;
ti óra arhízi?

When does it start?
χουέν νταζ ιτ σταρτ;

Τι είναι αυτό το κτίριο;
ti íne aftó to ktírio?

What is this building?
γουότ ιζ δις μπίλ-ντινγκ;

Το γραφείο απωλεσθέντων πραγμάτων.
to grafío apolesthéndon pragmáton.

Lost property office.

λοστ πρόπερτι όφις.

Το κέντρο της πόλης.
to kéndro tis pólis.
Down-town.
ντάουν-τάουν.

Το πρακτορείο ταξιδίων.
to praktorío taksidhíon.
Travel agency.
τράβελ έιτζενσι.

Τοίχος.
tíhos.
Wall.
γουόλ.

Τόπος.
topos.
Place.
πλέις.

Τουρίστας.
turístas.
Turist.
τούριστ.

Υπάρχουν εισητήρια για ...;
ipárhun isitíria yia ...?
Are there any tickets for ...?
αρ δέαρ ένι τίκετς φορ ...;

Υπουργείο.
ipuryío.
Ministry.
μίνιστρι.

Χάρτης της πόλης.
nártis tis pólis.
Street-map.
στρίιτ-μαπ.

Χορευτής.
horeftís.
Dancer.
ντάνσερ.

Χορεύτρια.
horéftria.
Dancer / ballerina.
ντάνσερ / μπαλερίνα.

Χωριό.
horió.
Village.
βίλατζ.

28. ΣΤΗΝ ΑΓΟΡΑ

stin agorá

28. SHOPPING

σσόπινγκ

Ακριβώς όπως αυτό.
akrivós ópos aftó.

Exactly like this.
εξάκτλι λάικ δις.

Ακριβώς όπως εκείνο, αλλά λίγο μικρότερο.
akrivós ópos ekíno, allá lígo mikrótero.

Like that one but a little smaller.
λάικ δατ ουάν μπατ ε λιτλ σμόλερ.

Αυτή είναι πολύ μεγάλη.
aftí íne polí megáli.

That's very big.
δατς βέρι μπιγκ.

Αυτή είναι πολύ μικρή.
aftí íne polí mikrí.

That's very small.
δατς βέρι σμολ.

Δεν το έχουμε.
dhen to éhume.

We don't have that.
γουί ντον-τ χεβ δατ.

Δέχεστε πιστωτικές κάρτες;
dhéheste pistotikés kártes?

Do you accept credit cards?
ντου γιού αξέπτ κρέ-ντιτ καρ-ντς;

Διευθυντής.
Dhiefthidís.

Manager.
μάνατζερ.

Είναι βαριά, ελαφριά, σκούρα.
íne variá, elafriá, skúra.

It's heavy, light, dark.
ιτ΄ς χέβι, λάιτ, νταρκ.

Είναι λίγο φαρδύ στους ώμους και έχει τα μανίκια μακριά.
íne lígo fardhí stus ómus ke éhi ta maníkia makriá.

It's a bit broad in the shoulders and long in the sleeves.
ιτ΄ς ε μπιτ μπρόου-ντ ιν δε σσόουλ-ντερς εν-ντ λονγκ ιν δε σλίιβς.

Εκείνο.
ekíno.

That one.
δατ ουάν.

Εκείνο ... εκεί.
ekíno ... ekí.

That one ... over there.
δατ ουάν ... όουβερ δέαρ.

Εκπτώσεις.
ekptósis.

Sales.
σέιλς.

Εμείς δεν πουλάμε ...
emís dhen pulámе ...

We don't sell ...
γουί ντον'τ σελ ...

Επιθυμούμε να δούμε κανένα
πουκάμισο μέγεθος 39.
epithimúme na dhúme kanéna
pukámiso méyethos triáda enéa.

**We'd like to see some shirts,
size 39.**
γουί'ντ λάικ του σίι σαμ σσερτς, σάιζ θέρτι νάιν.

Επιθυμώ να το δοκιμάσω.
epithimó na to dhokimáso.

I'd like to try it on.
άι'ντ λάικ του τράι ιτ ον.

Έχει ανάγκη μόνο από μερικές μικροδιορθώσεις.
éhi anági móno apó merikés mikrodhiorthósis.

**It only needs some minor
alterations.**
ιτ όνλι νίι-ντς σαμ μάινορ αλτερέισσονς.

Έχετε τσιγάρα;
éhete tsigára?

Do you have cigarettes?
ντου γιου χεβ σίγκαρετς;

Θα ήθελα κάτι φθηνότερο.

tha íthela káti fthinótero.

**I would like something
cheaper.**
άι γου-ντ λάικ σάμθινγκ τσίιπερ.

Θα ήθελα κάτι καλύτερο.

tha íthela káti kalítero.

**I would like something
better.**
άι γου-ντ λάικ σάμθινγκ μπέτερ.

Θέλω ένα φόρεμα καλοκαιρινό.
thélo éna fórema kalokerinó.

I would like a summer dress.
άι γου-ντ λάικ ε σάμερ ντρες

Θελω να αγοράσω ένα κοστούμι.
thélo na agoráso éna kostúmi.

I'm looking for a suit.

άι'μ λούκινγκ φορ ε σουτ.

Θέλω να βρω ένα φούρνο.
thélo na vro éna fúrno.

**I'm looking for a baker's
shop.**
άι'μ λούκινγκ φορ ε μπέικερ'ς σσοπ.

Μαγαζί αθλητικών ειδών.
magazí athlitikón idhón.

Sports goods shop.
σπόρτς γκου-ντς σσοπ.

Μήπως έχετε άλλο χρώμα;

mípos éhete állo hróma?

**Do you have some other
colour?**
ντου γιου χεβ σαμ άδερ κάλαρ;

Μπορείτε να μου δείξετε κανένα άλλο;

boríte na mu dhíksete kanéna állo?

Can you show me something different?

κεν γιου σσόου μι σάμθινγκ ντίφρεν-τ;

Μπορώ να ράψω ένα κοστούμι;

boró na rápso éna kostúmi?

Can I have a suit made to order?

κεν άι χεβ ε σουτ μέι-ντ του όρντερ;

Μπορώ να το δοκιμάσω στο δοκιμαστήριο;

boró na to dhokimáso sto dhokimastírio?

Can I try it on in the fitting-room?

κεν άι τράι ιτ ον ιν δε φίτινγκ - ρουμ;

Μου δίνετε, παρακαλώ ένα κουτί;

mu dhínete, parakaló éna kutí?

Can you give me a box, please ?

κεν γιου γκιβ μι ε μποξ, πλιζ;

Μου δίνετε, παρακαλώ ένα μπουκάλι;

mu dhínete, parakaló éna bukáli?

Can you give me a bottle, please ?

κεν γιου γκιβ μι ε μποτλ, πλιζ;

Μου δίνετε, παρακαλώ ένα βάζο;

mu dhínete, parakaló éna vázo?

Can you give me a jar, please ?

κεν γιου γκιβ μι ε τζάαρ, πλιζ;

Μου δίνετε, παρακαλώ εκατό γραμμάρια;

mu dhínete, parakaló ekató grammária?

Can you give me 100 grams, please?

κεν γιου γκιβ μι ουάν χάνντρεντ γκραμς, πλιζ;

Μου δίνετε, παρακαλώ ένα κιλό;

mu dhínete, parakaló éna kiló;

Can you give me 1 kilo please?

κεν γιου γκιβ μι ουάν κίλο, πλιζ;

Μου δίνετε, παρακαλώ μισό κιλό;

mu dhínete, parakaló misó kiló?

Can you give me half a kilogram, please?

κεν γιου γκιβ μι χαφ ε κίλο, πλιζ;

Μου δίνετε παρακαλώ ένα λίτρο;

mu dhínete parakaló éna lítro?

Can you give me a litre, please?

κεν γιου γκιβ μι ε λίτερ, πλιζ;

Μου δίνετε, παρακαλώ ένα μέτρο;
mu dhínete, parakaló éna métro?

Can you give me one metre, please?
κεν γιου γκιβ μι ουάν μίτερ, πλιζ;

Μου δίνετε, παρακαλώ ένα ζευγάρι;
mu dhínete, parakaló éna zevgári?

Can you give me a pair, please;
κεν γιου γκιβ μι ε πέαρ, πλιζ;

Μου δίνετε, παρακαλώ ένα πακέτο;
mu dhínete, parakaló éna pakéto?

Can you give me a pack, please?
κεν γιου γκιβ μι ε πάκ, πλιζ;

Μου δίνετε, παρακαλώ ένα κομμάτι;
mu dhínete, parakaló éna komáti?

Can you give me a piece, please?
κεν γιου γκιβ μι ε πίις, πλιζ;

Μπορείτε να μου δείξετε λίγο τα μοντέλα;
boríte na mu dhíksete lígo ta modéla?

Can you show me what you have, please?
κεν γιου σσόου μι χουάτ γιου χεβ, πλιζ;

Όχι, δεν ήθελα ακριβώς αυτό.
óhi, dhen íthela akrivós aftó.

No, that isn't quite what I want.
νόου, δατ ιζν't κουάιτ χουάτ άι γουόν-τ.

Παίρνω αυτό.
pérno aftó.

I'll take this.
άι'λ τέικ δις.

Πόσο κοστίζει;
póso kostízi?

How much is that?
χάου ματς ιζ δατ;

Πόσο κοστίζουν όλα;

póso kostízun óla?

How much is that altogether?
χάου ματς ιζ δατ ολτουγκέδερ;

Πότε ανοίγουν τα μαγαζιά;
póte anígun ta magaziá?

When do shops open?
γουέν ντου σσοπς όπν;

Πότε κλείνουν τα μαγαζιά;
póte klínun ta magaziá?

When do shops close?
γουέν ντου σσοπς κλόουζ;

Πού είναι η αγορά;
pu íne i agorá?

Where is the market?
χουέαρ ιζ δε μάρκετ;

Πού μπορώ να αγοράσω;
pu boró na agoráso?
Πού μπορώ να βρω ...;
pu boró na vro ...?
Πού μπορώ να πληρώσω;
pu boró na pliróso?
Πουλάτε ωρολόγια χεριού;
puláte orolóyia heriú?
Πώς το προτιμάτε?
- Τετράγωνο, κυκλικό, οβάλ
...;
Pos toprotimáte?
- tetrágono, kiklikó, ovál ...?
Τι επιθυμείτε;
ti epithimíte?
- Επιθυμώ να αγοράσω ...
- epithimó na agoráso ...
Χρειάζεται να το βάλω πρώ-
τα στο νερό;
hriázete na to válo próta sto
neró?
Ψάχνω για ...
psáhno yia ...

Where can I buy?
χουέαρ κεν άι μπάι;
Where can I find ...?
χουέαρ κεν άι φάιν-ντ ...;
Where can I pay?
χουέαρ κεν άι πέι;
Do you sell watches?
ντου γιου σελ γουότσιζ;
How do you prefer it?
- Square, round, oval ...?

χάου ντου γιου πριφέρ ιτ;
- σκουέαρ, ράουν-ντ οβάλ...;
What can I do for you?
χουάτ κεν άι ντου φορ γιου;
- I would like to buy ...
- άι γου-ντ λάικ του μπάι ...
Should I pre-shrink it?

σσου-ντ άι πρι-σσρινκ ιτ;

I am looking for ...
άι εμ λούκινγκ φορ ...

29. ΑΡΤΟΠΟΙΕΙΟ, ΖΑΧΑΡΟ- ΠΛΑΣΤΕΙΟ

29. BAKERY, PASTRY SHOP

artopiío, zaharoplastio.

μπέικερι, πέιστρι σσοπ

Αλεύρι.
alévri.

Flour.
φλάουρ.

Γλυκό.
glikó.

Sweet.
σουίτ.

Δώστε μου ένα καρβέλι ψω- μί παρακαλώ.
dhóste mu éna karvéli psomí, parakaló.

Give me a loaf of bread please.
γκιβ μι ε λόουφ οβ μπρε-ντ, πλίιζ.

Ζύμη.
zími.

Dough.
ντόου.

Καλοψημένο.
kalopsiméno.

Well done.
γουέλ νταν.

Κουλούρια.
kulúria.

Rolls.
ρολς

Κρουασάν
kruasán.

Crescent.
κρεσν-τ.

Μαγιά.
mayiá.

Yeast.
γίιστ.

Λίγο ψημένο.
lígo psiméno.

Medium done
μί-ντιουμ νταν.

Μηλόπιτα.
milópita.

Apple pie.
απλ πάι

Πολύ ψημένο
polí psiméno.

Overdone
όβερ-ντάν.

Τάρτα.
tárta.

Tart.
ταρτ.

Τσουρέκι.
tsuréki.

Bun.
μπαν.

Φρυγανιά.
friganiá.

Toast.
τόουστ.

30. ΤΡΟΦΙΜΑ

trófima.

30. FOODS

φου-ντς.

Αλάτι.	**Salt.**
aláti.	σόολτ.
Αλεύρι.	**Flour**
alévri.	φλάουρ.
Αντζούγια.	**Anchovy.**
anzgúyia..	αντσχόουβι.
Γάλα.	**Milk.**
gála.	μιλκ.
Ζάχαρη.	**Sugar.**
záhari.	σούγκαρ.
Ζυμαρικά.	**Pasta.**
zimariká.	πέιστα.
Κακάο.	**Cocoa.**
kakáo.	κόουκοου.
Κάπαρι.	**Capers.**
kápari.	κάπερς.
Κάρδαμο.	**Watercress.**
kárdhamo.	γουότερκρες.
Καρύκευμα.	**Seasoning.**
karíkevma.	σίιζονινγκ.
Καφές	**Coffee.**
kafés	κόφι.
Κονσέρβα.	**Tinned.**
konnsérva.	τιν-ντ.
Κρασί.	**Wine.**
krasí.	γουάιν.
Κριθαράκι.	**Orzo.**
kritharáki.	όρζοου.
Μαρμελάδα.	**Jam.**
marmeládha.	τζαμ.
Μέλι.	**Honey.**
méli.	χάνι.

Μουστάρδα.	**Mustard.**
moustárdha	μάσταρ-ντ.
Μπισκότο	**Biscuit.**
biskóto	μπίσκετ.
Μακαρόνια.	**Macaroni.**
makarónia.	μακαρόνι.
Μαγιονέζα.	**Mayonnaise.**
mayionéza.	μάγιονεζ.
Πιπέρι	**Pepper.**
pipéri.	πέπερ.
Ρίγανη.	**Oregano.**
rígani.	ορέγκανο.
Ρύζι	**Rice.**
rízi	ράις.
Σοκολάτα	**Chocolate.**
sokoláta	τσόκλετ.
Σαλάμι.	**Salami.**
salámi.	σαλάμι.
Τσάι	**Tea.**
tsái	τίι.
Τυρί.	**Cheese.**
tirí.	τσίιζ.
Φακή.	**Lentil.**
fakí.	λέν-τιλ.
Φρυγανιά.	**Toast.**
frighaniá.	τόουστ.
Χαβιάρι.	**Caviar.**
haviári.	καβιάρ.

31. ΠΟΤΑ

potá

Βότκα.	**Vodka.**
vótka.	βό-ντκα.
Γάλα.	**Milk.**
gála.	μιλκ.
Γκαζόζα.	**Lemon-soda.**
gazóza.	λέμον-σό-ντα.
Γλυκό κρασί	**Sweet wine.**
glikó krasí.	σουίτ γουάιν.
Θέλω ένα ποτήρι κρασί.	**I want a glass of wine.**
thélo éna potíri krasí.	άι γουόν-τ ε γκλας οβ γουάιν.
Θέλω να πιώ κάτι.	**I want something to drink.**
thélo na pió káti.	άι γουόν-τ σάμθινγκ του ντρινκ.
Κονιάκ.	**Cognac (brandy).**
koniák.	κόουνιακ (μπράν-ντι).
Κρασί κόκκινο.	**Red wine.**
krasí kókkino.	ρε-ντ γουάιν.
Κρασί λευκό.	**White wine.**
krasí lefkó.	γουάιτ γουάιν.
Λεμονάδα.	**Lemonade.**
lemonádha.	λεμονέι-ντ.
Λικέρ.	**Liqueur.**
likér.	λικιούρ.
Λικέρ μέντας.	**Crème de menthe.**
likér méndas.	κρεμ ντε μενθ.
Μεταλλικό νερό.	**Mineral water.**
metallikó neró.	μίνεραλ γουότερ.
Μπίρα.	**Beer.**
bíra.	μπίιρ.
Μπρούσκο κρασί.	**Dry wine.**
brúsko krasí.	ντράι γουάιν.
Νερό.	**Water.**
neró.	γουότερ.

Ουίσκι.
uiski

Ποντς
ρόν-τs.

Προτιμώ καλύτερα κρασί.
protimó kallítera krasí.

Ρακί.
rakí.

Ρετσίνα.
retsína.

Ροζέ κρασί.
rozé krasí.

Ρούμι.
rúmi.

Τζιν.
tzin.

Χυμός μήλο.
nimós mílo.

Χυμός πορτοκάλι.
nimós portokáli.

Whisky.
ουίσκι.

Punch.
παντς.

I would rather have wine.
άι γου-ντ ράδερ χεβ γουάιν.

Raki
ρακί.

Retsina.
ρετσίνα.

Rose wine.
ροσέ γουάιν.

Rum.
ραμ.

Gin.
τζιν.

Apple-juice.
άπλ-τζους.

Orange-juice.
όρεντζ-τζους.

32. ΓΑΛΑΚΤΟΚΟΜΙΚΑ

galaktokomiká

32. MILK PRODUCTS

μιλκ πρό-ντακτς

Βούτυρο.
vútiro.

Butter.
μπάτερ.

Γάλα.
gála.

Milk.
μιλκ.

Γάλα συμπυκνωμένο.
gála sibiknoméno.

Condensed milk.
κον-ντένστ μιλκ.

Γαλατιέρα.
galatiéra.

Milk jug.
μιλκ τζαγκ.

Γιαούρτη.
yiaúrti.

Yogurt.
γιόγκορτ.

Γραβιέρα.
graviéra.

Gruyere cheese.
γκρουγιέρ τσίιζ.

Κασέρι.
kaséri.

Cheddar cheese.
τσε-ντάρ τσίιζ.

Κεφαλοτύρι.
kefalotíri.

Parmezan cheese.
παρμεζάν τσίιζ.

Μανούρι.

manúri.

Rich unsalted soft white cheese.
ριτς ανσόλτι-ντ σοφτ γουάιτ τσίιζ.

Φέτα.
féta.

White cheese.
γουάιτ τσίιζ.

33. ΚΡΕΑΤΟΠΩΛΕΙΟ	33. BUTCHER'S

kreatopolío

ντρινκς

Αρνάκι.
arnáki.
Αρνάκι γάλακτος.
arnáki gálaktos.
Αρνίσιες μπριζόλες.
arnísies brizóles.
Βοδινό.
vodhinó.
Βραστό
vrastó.
Γλώσσα.
glósa.
Ελάφι.
eláfi.
Ζαμπόν.
zabón
Κιμάς.
kimás.
Κοτολέτα.
kotoléta.
Κουνέλι.
kunéli.
Λαγός.
lagós.
Λουκάνικο.
lukániko.
Μοσχαρίσιο.
mosharísio.
Μπέικον.
béikon.
Μπιφτέκι.
biftéki.

Lamb.
λαμ.
Baby lamb.
μπέι-μπι λαμ.
Lamb chops.
λαμ τσοπς.
Beef.
μπιφ.
Boiled.
μπόιλ-ντ.
Tongue.
τανγκ.
Venison.
βένισεν.
Ham.
χαμ.
Minced meat.
μίνστ μιτ.
Cutlet.
κάτλετ.
Rabbit.
ρά-μπιτ.
Hare.
χέερ.
Sausage.
σόσιτζ.
Veal.
βιλ.
Bacon.
μπέικον.
Hamburger.
χάμ-μπουργκερ

Μπριζόλα	**Steak.**
brizóla.	στέικ.
Νεφρό.	**Kidney.**
nefró.	κίντνι.
Ουρά βοδινή.	**Oxtail.**
urá vodhiní.	όξτέιλ.
Παϊδάκια αρνίσια.	**Chops.**
paidhákia arnísia.	τσοπς.
Πάπια.	**Duck.**
pápia.	ντακ.
Πουλερικά.	**Poultry.**
puleriká.	πόλτρι.
Ροζμπίφ.	**Roast-beef.**
rozbíf.	ρόοστ-μπιφ.
Συκώτι.	**Liver.**
sikóti.	λίβερ.
Τάρανδος.	**Reindeer.**
tárandhos.	ρέν-ντιρ.
Φασιανός.	**Pheasant.**
fasianós.	φέζαν-τ.
Φιλέτο	**Fillet.**
filéto.	φιλέ.
Φρικασέ.	**Fricassee.**
frikasé.	φρίκασί.
Χήνα.	**Goose.**
hína.	γκουζ.
Χοιρινό	**Pork.**
hirinó.	πορκ.

34. ΨΑΡΙΑ ΚΑΙ ΟΣΤΡΑΚΟΕΙΔΗ · 34. FISH AND SHELL-FISH

psária ke ostrakoidhí

φισ ε-ντ σσελ-φισ

Αστακός.
astakós.

Lobster.
λό-μπστερ.

Γαρίδες.
garídhes.

Shrimps.
σριμ-πς.

Γλώσσα.
glóssa.

Sole.
σόουλ.

Καλαμαράκια.
kalamarákia.

Squids.
σκουί-ντς.

Καβούρι.
kavúri.

Crab.
κρα-μπ.

Καραβίδα.
karavídha.

Crawfish.
κρόφισς

Κυπρίνος.
kiprínos.

Carp.
καρπ.

Λιθρίνι.
lithríni.

Grey mullet.
γκρέι μιούλετ.

Μαρίδες.
marídhes.

Picarel.
πίκαρελ.

Μελανούρι
melanúri.

Saddled bream.
σα-ντλ-ντ μπριμ.

Μπακαλιάρος.
bakaliáros.

Cod.
κο-ντ.

Μπαρμπούνι.
barbúni.

Red mullet.
ρε-ντ μιούλετ

Μύδια.
mídhia.

Mussel.
μασλ.

Ξιφίας.
xifías.

Swordfish.
σουόρ-ντφίσς

Οκταπόδι.
oktapódhi.

Octopus.
όκταπους.

Πέρκα.
pérka.

Perch.
περτς.

Πέστροφα.	**Trout.**
péstrofa.	τράουτ.
Ρέγγα.	**Herring.**
réga.	χέρινγκ.
Σαρδέλες.	**Sardines.**
sardhéles.	σαρ-ντίνς.
Σκουμπρί.	**Roach.**
skubrí.	ρόουτς.
Σολομός.	**Salmon.**
solomós.	σάλμον.
Σουπιά.	**Cuttle-fish.**
supiá.	κάτλ-φισς.
Στρείδια.	**Oysters.**
strídhia.	όιστερς.
Συναγρίδα.	**Red snaper.**
sinagrídha.	ρε-ντ σνάπερ.
Σφυρίδα.	**Whiting.**
sfirídha.	γουάιτινγκ.
Τόνος.	**Tuna.**
tónos.	τούνα.
Τσιπούρα.	**Gilt-headed bream.**
tsipúra.	γκιλτ-χέ-ντε-ντ μπριμ..
Φαγκρί.	**Sea bream.**
fagrí.	σίι μπριμ.
Χάνος.	**Comber.**
hános.	κόμ-μπερ.
Χέλι.	**Eel.**
héli.	ίιλ.
Χτένι.	**Flounder.**
ht;eni.	φλάουν-ντερ.

35. ΛΑΧΑΝΙΚΑ	35. VEGETABLES
lahaniká	βέτζετα-μπλς

Αγγούρι.	**Cucumber.**
angúri.	κιούκαμ-μπερ.
Αγκινάρες.	**Artichokes.**
angináres.	αρτιτσόκς.
Άνηθος.	**Dill.**
ánithos.	ντιλ.
Αρακάς.	**Fresh peas.**
arakás.	φρεσς πίιζ.
Καρότα.	**Carrots.**
karóta.	κέροτς.
Κολοκύθα.	**Pumpkin.**
kolokítha.	πάμπκιν.
Κολοκυθάκι.	**Courgette.**
kolokitháki.	κουρτζέτ.
Κουκιά.	**Fava beans.**
kukiá.	φάβα μπίινς.
Κουνουπίδι.	**Cauliflower.**
kounoupídhi.	κόλιφλάουερ.
Κρεμμύδι.	**Onions.**
kremídhi.	άνιονς.
Λάχανο.	**Cabbage.**
láhano.	κά-μπατζ.
Λάχανο κόκκινο.	**Red cabbage.**
láhano kókkino.	ρε-ντ κά-μπατζ.
Μαϊντανός.	**Parsley.**
maindanós.	πάρσλι.
Μανιτάρια.	**Mushrooms.**
manitária.	μάσςρουμς.
Μαρούλι.	**Lettuce.**
marúli.	λέτες.
Μάτσο.	**Bunch**.
mátso.	μπαν-τς.

Μελιτζάνες.	**Eggplants.**
melitzánes.	έγκπλάν-τς.
Μπάμιες.	**Okra.**
bámies.	όκρα.
Μπιζέλια.	**Peas.**
bizélia.	πίις.
Ντομάτες.	**Tomatoes.**
domátes.	τομέιτοζ.
Παντζάρι.	**Beetroots.**
pantzári.	μπίιτρούτς.
Πατάτες.	**Potatoes.**
patátes.	ποτέιτοζ.
Πιπεριές.	**Peppers.**
piperiés.	πέπερς.
Πράσα.	**Leeks.**
prássa.	λικς.
Ραπανάκια.	**Radishes.**
rapanákia.	ρά-ντισσιζ.
Σαλάτα.	**Salad.**
saláta.	σάλα-ντ.
Σέλινο.	**Celery.**
sélino.	σέλερι.
Σκόρδο.	**Garlic.**
skórdho.	γκάρλικ.
Σπανάκι.	**Spinach.**
spanáki.	σπίνατς.
Σπαράγγια.	**Asparagus.**
sparángia.	ασπάραγκους.
Φακές.	**Lentils.**
fakès.	λέν-τιλς.
Φασολάκια.	**Green beans.**
fassolákia.	γρίιν μπίινζ.
Φασόλια.	**White beans.**
fasólia.	χουάιτ μπίινζ.

36. ΦΡΟΥΤΑ

frúta

Ανανάς.
ananás.
Αχλάδι.
ahládhi.
Βερίκοκο.
veríkoko.
Δαμάσκηνο.
dhamáskino.
Καρπούζι.
karpúzi.
Καρύδια.
karídhia.
Κεράσι.
kerási.
Λεμόνι.
lemóni.
Μανταρίνια.
mandarínia.
Μήλο.
mílo.
Μπανάνα.
banána.
Πεπόνι.
pepóni.
Πορτοκάλι.
portokáli.
Ροδάκινο.
rodhákino.
Σταφύλια.
stafília.

36. FRUITS

φρουτς

Pineapple.
πάϊναπλ.
Pear.
πέαρ.
Apricot.
έιπρικοτ.
Plums.
πλαμς.
Water-melon.
γουότερ-μέλον.
Walnuts.
γουόλνατς.
Cherry.
τσέρι.
Lemon.
λέμον.
Mandarins.
μαν-νταρίνς.
Apple.
απλ.
Banana.
μπανάνα.
Melon.
μέλον.
Orange.
όραν-τζ.
Peach.
πιτς
Grapes.
γκρέιπς.

37. ΑΘΛΗΤΙΚΑ ΕΙΔΗ	37. SPORTS GOODS
athlitiká ídhi	σπορτς γκου-ντς

Αγκίστρι για ψάρεμα.
agístri yiá psárema.
Αθλητικά παπούτσια.
athlitiká papútsia.
Βατραχοπέδιλα.
vatrahopédhila.
Γάντια.
gádia.
Γάντια μεταξωτά.
gádia metaxotá.
Γάντια μάλλινα.
gádia mállina.
Γάντια πυγμαχίας.
gádia pigmahías.
Γάντια οδήγησης.
gádia odhíyisis.
Γάντια ξιφομαχίας.
gádia xifomahías.
Δίχτυ πινγκ πονγκ.
dhíhti ping pong.
Δίχτυ τένις.
dhíhti ténis.
Κοστούμι μπάνιου.
kostúmi bániu.
Μάσκα κατάδυσης.
máska katádhisis.
Μπάλα.
bála.
Μπάλα μπάσκετ.
bála básket.
Μπάλα ποδοσφαίρου.
bála podhosféru.

Fish-hook.
φις-χουκ.
Running shoes.
ράνινγκ σσουζ.
Flippers.
φλίπερς.
Gloves.
γκλαβς.
Silk gloves.
σιλκ γκλαβς.
Woolen gloves.
γούλεν γκλαβς
Boxing gloves.
μπόξινγκ γκλαβς.
Driving gloves.
ντράιβινγκ γκλαβς.
Fencing gloves
φένσινγκ γκλαβς.
Table-tennis net.
τέι-μπλ-τένις νετ.
Tennis net.
τένις νετ.
Swimming suit.
σουίμινγκ σουτ.
Goggles (mask).
γκαγκλζ (μασκ).
Ball.
μπολ.
Ball of basketball.
μπολ οβ μπάσκετ-μπολ.
Ball of football.
μπολ οβ φούτμπολ.

Μπάλα πινγκ πονγκ.
bála ping pong.

Table-tennis ball.
τέι-μπλ τένις μπολ.

Μπάλα βόλεϊ μπολ.
bála vólei bol.

Ball of volleyball.
μπολ οβ βόλεϊ-μπολ.

Μπαρούτι και σκάγια.
barúti ke skáyia.

Powder and shot.
πάουντερ εν-ντ σσοτ.

Μπλούζα σπορ.
blúza spor.

T-shirt.
Τι-σερτ.

Νήμα ψαρέματος (πετονιά).
níma psarématos (petoniá).

Fishing line.
φίσσινγκ λάιν.

Παπούτσια αλπινισμού.
papútsia alpinismú.

Alpine boots.
αλπάιν μπουτς.

Παπούτσια για σκι.
papútsia yiá ski.

Skiing boots.
σκίινγκ μπουτς.

Παπούτσια ποδοσφαίρου.
papútsia podhosféru.

Football shoes.
φούτ-μπολ σσουζ.

Ποδήλατο αγωνιστικό.
podhílato agonistikó.

Racing bicycle.
ρέισινγκ μπάισικλ.

Ρακέτα.
rakéta.

Racket.
ράκετ.

Σκηνή.
skiní.

Tent.
τεν-τ.

Φανελάκι.
faneláki.

Singlet.
σίνγκλιτ.

Φόρμα.
fórma.

Sweat suit.
σουέτ σουτ.

Φυσίγγια.
fisíngia.

Cartridges.
κάαρτριτζις.

38. ΤΣΙΓΑΡΑ, ΕΦΗΜΕΡΙΔΕΣ ...

38. CIGARETTES, NEWSPAPERS ...

tsigára, efimerídhes ...

σίγκαρετς, νιούσπέιπερς ...

Αέριο αναπτήρα.
aério anaptíra.

Lighter fuel.
λάιτερ φιούελ.

Αναπτήρας.
anaptíras.

Lighter.
λάιτερ.

Ανοιχτήρι κονσερβών.
anihtíri konservón.

Tin-opener.
τιν-όουπενερ.

Ανοιχτήρι τριμπουσόν.
anihtíri tribusón.

Cork-screw.
κορκ-σκρου.

Ανταλλακτικά στυλό / μολυβιού.
adalaktiká stiló / moliviú.

Refill.
ριφίλ.

Δεν καπνίζω, σ' ευχαριστώ.
den kapnízo, s'efharistó.

I don't smoke, thank you.
άι ντον'τ σμόουκ, θενκ γιου.

Δοκιμάστε ένα από αυτά.
dhokimáste éna apó aftá.

Try one of these.
τράι ουάν οβ διζ.

Είναι πολύ ελαφριά, βαριά.
íne polí elafriá, variá.

They are very mild, strong.
δέι αρ βέρι μάιλ-ντ, στρονγκ.

Ένα πακέτο ...
éna pakéto ...

A pack of ...
ε πάκ οβ ...

Ευχαριστώ, δεν καπνίζω.
efharistó, dhen kapnízo.

I don't smoke, thank you.
άι ντον'τ σμόουκ, θενκ γιου.

Ευχαριστώ, έχω κόψει το κάπνισμα.
efharistó,ého kópsi to kápnisma.

Thanks, I've given up smoking.
θενκς, άι χεβ γκίβεν απ σμόκινγκ.

Εφημερίδα.
efimerídha.

Newspaper.
νιούσπέιπερ.

Έχετε καπνό τσιμπουκιού;
éhete kapnó tsibukiú?

Do you have pipe tobacco?
ντου γιου χεβ πάιπ το-μπέικοου;

Έχετε τσιγάρα;

Do you have cigarettes?

éhete tsigára?

Έχετε τσιμπούκια;
éhete tsibúkia?

**Έχω προσπαθήσει να το κό-
ψω, αλλά δεν μπορώ.**
ého prospáthísi na to kópso, allá
dhen boró.

Θα ήθελα ...
tha íthela ...

**Θα ήθελα δύο πακέτα ... με,
χωρίς φίλτρο.**
tha íthela dhío pakéta ... me,
horís fíltro.

Θέλετε ένα τσιγάρο;
thélete éna tsigáro?

Θήκη πλαστική.
thíki plastikí.

Καλάθι.
kaláthi.

Κάνατε πολύ καλά.
kánate polí kalá..

Κερί.
kerí.

Κλωστή ραφής.
klostí rafís.

Κορδόνια.
kordhónia.

Κουμπιά.
kubiá.

Κούκλα.
kúkla.

Κούκλα λαστιχένια.
kúkla lastihénia.

Κουτί τσιγάρα.

ντου γιου χεβ σίγκαρετς;
Do you have tobacco pipes?
ντου γιου χεβ το-μπέικοου
πάιπς;

**I've tried to give up, but I
can't.**
άι'β τράι-ντ του γκιβ απ, μπατ
άι κεν'τ.

I would like ...
άι γου-ντ λάικ ...

**I would like two packs of ...
with, without filter.**
άι γου-ντ λάικ του πάκς οβ ...
γουίθ, γουιδάουτ φίλτερ.

Do you want a cigarette?
ντου γιου γουόν-τ ε σίγκαρετ;

Plastic bag.
πλάστικ μπαγκ.

Basket.
μπάσκετ.

You have done very well.
γιου χεβ νταν βέρι γουέλ.

Candle.
καν-ντλ.

Sewing-thread.
σόουινγκ-θρεντ.

Shoe laces.
σσου λέισις.

Buttons.
μπάτονς.

Doll.
ντολ.

Rubber doll.
ρά-μπερ ντολ.

Cigarette-box.

kutí tsigára.

Μαντίλι κεφαλιού.
madíli kefaliú.

Μαχαίρι τσέπης.
mahéri tsépis.

Μελάνη.
meláni.

Μπαταρία.
bataría.

Μπογιά παπουτσιών.
boyiá paputsión.

**Μπορώ να σας προσφέρω έ-
να τσιγάρο;**
boró na sas prosféro éna tsi-
gáro?

Ξυραφάκια ξυρίσματος.
ksirafákia ksirísmatos.

Ομπρέλα.
obrélla.

**Όχι, ευχαριστώ. Θα ήθελα
ένα από αυτά.**
óhi, efharistó. Tha íthela éna
apó aftá.

Όχι, σε ευχαριστώ.
óhi, se efharistó.

Παιδικά παιχνίδια.
pedhiká pehnídhia.

Πάρτε ένα από τα δικά μου.
párte éna apó ta dhiká mu.

Περιοδικό.
periodhikkó.

Πέτρα αναπτήρα.
pétra anaptíra.

Πορτοφόλι.
portofóli.

σίγκαρετ-μποξ.

Head-scarf.
χε-ντ-σκαρφ.

Pocket knife.
πόκετ νάιφ.

Writing-ink.
ράιτινγκ ινκ.

Battery.
μπάτερι.

Shoe polish.
σσου πόλισς.

May I offer you a cigarette?

μέι άι όφερ γιου ε σίγκαρετ;

Razor-blades.
ρέιζορ-μπλέι-ντς.

Umbrella.
αμ-μπρέλα.

**No, thanks, I would rather
have one of these.**
νόου, θενκς, άι γου-ντ ράδερ
χεβ ουάν οβ διζ.

No, thanks.
νόου, θενκς.

Toys.
τόις.

Have one of mine.
χεβ ουάν οβ μάιν.

Magazine.
μάγκαζιν.

Flint.
φλιν-τ.

Purse.
περς.

Σπίρτα.	**Matches.**
spírta.	μάτσιζ.
Σταχτοδοχείο καπνίσματος.	**Ash-tray.**
stahtodhohío kapnísmatos.	ας-τρέι.
Σχοινί.	**String.**
shiní.	στρινγκ.
Ταχυδρομική κάρτα.	**Postcard.**
tahidhromikí kárta.	πόστκαρ-ντ.
Τετράδιο.	**Exercise book.**
tetrádhio.	έκσερσάιζ μπουκ.
Τσάντα.	**Satchel.**
tsáda.	σάτσελ.
Τσάντα σχολική.	**Satchel.**
tsáda sholikí.	σάτσελ.
Τσάντα ράχης.	**Rucksack.**
tsáda ráhis.	ρούκσακ.
Τσιγάρα.	**Cigarettes.**
tsigára.	σίγκαρετς.
Τσιγάρα με μέντα.	**Menthol cigarettes.**
tsigára me méda.	μένθολ σίγκαρετς.
Τσιγάρα με φίλτρο.	**Filter cigarettes.**
tsigára me fíltro.	φίλτερ σίγκαρετς.
Τσιγαρόχαρτο.	**Cigarette-paper.**
tsigaróharto.	σίγκαρετ πέιπερ.
Φακός ηλεκτρικός.	**Pocket lamp.**
fakós ilektrikós.	πόκετ λαμ-π.
Χτένι.	**Hair-comb.**
hténi.	χέαρ κομ-μπ.

39. ΒΙΒΛΙΟΠΩΛΕΙΟ - ΣΧΟΛΙΚΑ ΕΙΔΗ	39. BOOKSHOP - STATIONERY

vivliopolío - sholiká idhi   μπούκσσοπ - στέισσονερι

Ανταλλακτικό.   **Refill.**
andalaktikó.   ριφίλ.

Άτλας.   **Atlas.**
átlas.   άτλας.

Βιβλίο.   **Book.**
vivlío.   μπουκ.

Βιβλιοπώλης.   **Book-seller.**
vivliopólis.   μπουκ-σέλερ.

Βιβλία για τις κατασκευές στην Ελλάδα;   **What about books on construction work in Greece?**
vivlía yiá tis kataskevés stin Elládha?   χουάτ ε-μπάουτ μπουκς ον κον-στράκσσον γουόρκ ιν Γκρίις;

Γόμα.   **Rubber.**
góma.   ρά-μπερ.

Γραμματική.   **Grammar.**
gramatikí.   γκράμαρ.

Γραμματόσημα.   **Stamps.**
grammatósima.   σταμ-πς.

Γραφομηχανή.   **Type-writer.**
grafomihaní.   τάιπ-ράιτερ.

Διήγημα.   **Short story.**
dhiíyima.   σσορτ στόρι.

Έκδοση.   **Publication.**
ékdhosi.   πα-μπλικέισσον.

Επιθυμώ να αγοράσω βιβλία Ελλήνων συγγραφέων.   **I would like to buy some greek books.**
epithimó na agoráso vivlía Ellínon singraféon.   άι γου-ντ λάικ του μπάι σαμ γκρίικ μπουκς.

Επιθυμώ τα τελευταία έργα του ...   **I want the recent works of ...**
epithimó ta teleftéa érga tu ...   άι γουόν-τ δε ρίσεν-τ γουόρκς οβ ...

Επιθυμώ τεχνικά βιβλία.
epithimó tehniká vivlía.
Έχετε άλλα περιοδικά;

éhete álla periodhiká?

**Έχετε βιβλία στην αγγλική,
γερμανική και γαλλική
γλώσσα;**
éhete vivlía stin anglikí, ger-
manikí ke gallikí glóssa?
**Έχετε κανένα βιβλίο για
βιομηχανία, γεωργία στην
Ελλάδα;**
éhete kanéna vivlío yiá vio-
mihanía, yeoryía stin Elládha?

**Έχετε λεξικό αγγλο-ελλη-
νικό;**
éhete leksikó anglo-ellinikó?

Έχετε πολιτική λογοτεχνία;

éhete politikí logotehnía?

Έχετε αυτά στα αγγλικά;

éhete aftá sta anglika?
Εφημερίδα.
efimerídha.
Κάρτα.
kárta.
Κολλητική ουσία.
kolitikí usía.
Κουτί με χρώματα (λαδιού -

I would like technical books
άι γου-ντ λάικ τέκνικαλ μπουκς.
**What about other maga-
zines.**
χουάτ ε-μπάουτ άδερ μά-
γκαζινς.
**Do you have books in
English, German and
French?**
ντου γιου χεβ μπουκς ιν ίν-
γκλις, τζέρμαν εν-ντ φρεν-τς;
**Do you have any books
about Industry, Agriculture
in Greece?**
ντου γιου χεβ ένι μπουκς ε-
μπάουτ ίν-νταστρι, αγκρικάλ-
τσουρ ιν Γκρίις;
**Do you have any English-
Greek dictionary?**
ντου γιου χεβ ένι ίνγκλις-γκρί-
ικ ντίκσιονερι;
**Do you have political lite-
rature?**
ντου γιου χεβ πολίτικαλ λίτρα-
τσουρ;
**Do you have them in
English?**
ντου γιου χεβ δεμ ιν ίνγκλις;
Newspaper.
νιούζπέιπερ.
Postcard.
πόστκάρ-ντ.
Glue.
γκλου.
Box of paints (oil-water).

νερού).

kutí me hrómata (ladhiú - nerú).

Λεξικό.
lexikó.

Μελάνι.
meláni.

Μελανοδοχείο.
melanodhohío.

Μολύβι.
molívi.

Μπλοκ ιχνογραφίας.
blok ihnografías.

Μυθιστόρημα.
mithistórima.

Ναι, τα έχουμε στα αγγλικά, γαλλικά, γερμανικά, ισπανικά και ρωσικά.
ne, ta éhume sta angliká, galliká, germaniká, ispaniká ke rosiká.

Μπορείτε να μου συστήσετε κανένα βιβλίο για να μάθω Ελληνικά;
boríte na mu sistísete kanéna vivlío yia na mátho elliniká?

Ολιγοσέλιδο τεύχος.
oligosélidho téfhos.

Παραμύθι.
paramíthi.

Σβηστήρα / γόμα
svistíra / góma.

Στιπόχαρτο.
stipóharto.

Στυλογράφος.
stilográfos.

μποξ οβ πέιν-τς (όιλ-γουότερ);

Dictionary.
ντικσιονέρι.

Writing-ink.
ράιτινγκ-ίνκ.

Ink-bottle (ink-pot).
ινκ-μποτλ (ινκ-ποτ).

Pencil.
πένσιλ.

Sketch-book.
σκετσς-μπουκ.

Novel.
νόβελ.

Yes, we have them in English, French, German, Spanish and Russian.
γιες, γουι χεβ δεμ ιν ίνγκλις, φρεντς, τζέρμαν, σπάνιος εννт ράσιαν.

Could you recommend me any books to learn Greek?

κου-ντ γιου ρεκομέν-ντ μι ένι μπουκς του λερν Γκρίικ;

Booklet.
μπούκλιτ.

Fable, (fairy tale).
φέι-μπλ, (φέρι τέιλ).

Eraser.
ιρέιζερ.

Blotting paper.
μπλότινγκ πέιπερ.

Fountain-pen.
φάουν-τεν-πεν.

Στυλογράφος.
stilográfos.
Τετράδιο.
tetrádhio.
Φάκελο.
fákelo.
Χάρακας.
hárakas.
Χάρτης.
hártis.
Χαρτί καρμπόν.
hartí karbón.
Χαρτί αλληλογραφίας.
hartí allilografías.
Χαρτί γραφομηχανής.
hartí grafomihanís.
Χαρτί ιχνογραφίας.
hartí ihnografías.
Χαρτί χαρακωμένο.
hartí harakoméno.
Χαρτί αχαράκωτο.
hartí aharákoto.
Χρώματα λαδιού.
hrómata ladhiú.

Ball-point pen.
μπολ-πόιν-τ πεν.
Copy-book.
κόπι-μπουκ.
Envelope.
ένβελόουπ.
Ruler.
ρούλερ.
Map.
μαπ.
Carbon paper.
κάαρ-μπον πέιπερ.
Letter-paper.
λέτερ-πέιπερ.
Typing-paper.
τάιπινγκ-πέιπερ.
Drawing-paper.
ντρόουινγκ-πέιπερ.
Ruled-paper.
ρούλ-ντ-πέιπερ.
Unruled-paper.
ανρούλ-ντ-πέιπερ.
Oil-paints.
όιλ-πέιν-τς.

40. ΑΡΩΜΑΤΟΠΩΛΕΙΟ

aromatopolío

40. PERFUMERY

περφιούμερι

Άρωμα.
ároma.
Perfume.
περφιούμ.

Αρωματοπωλείο.
aromatopolío.
Perfumery.
περφιούμερι.

Ασετόν.
asetón.
Nail-polish.
νέιλπόλισς.

Βαμβάκι.
vamváki.
Cotton.
κάτ-ν

Βαφή μαλλιών.
vafí malión.
Hair dye.
χέαρ ντάι.

Βούρτσα μαλλιών.
vúrtsa malión.
Hair brush.
χέαρ μπρασς.

Βούρτσα νυχιών.
vúrtsa nihión.
Nail brush.
νέιλ μπρασς.

Ηλεκτρική μηχανή ξυρί-σματος.
ilektrikí mihaní ksirísmatos.
Electric razor.
ιλέκτρικ ρέιζορ.

Κατάστημα ψιλικών.
katástima psilikón.
Haberdashery.
χάμπερντάσσερι.

Κολόνια.
kolónia.
Eau de Cologne.
ο ντε κολόν.

Κραγιόν.
krayión.
Lip-stick.
λιπ-στικ.

Κρέμα.
kréma.
Cream.
κρίιμ.

- Κρέμα νύκτας.
- kréma níktas.
- Night-cream.
- νάιτ-κρίιμ.

- Κρέμα προσώπου.
- kréma prosópu.
- Face-cream.
- φέις κρίιμ.

- Κρέμα χεριών.
- kréma herión.
- Hand-cream.
- χαν-ντ-κρίιμ.

- Κρέμα ξυρίσματος.
- Shaving-cream.

- kréma ksirísmatos.
- Κρέμα ηλίου.
- kréma ilíu.
Λίμα νυχιών.
líma nihión.
Λοσιόν ξυρίσματος.
losión ksirísmatos.
Μακιγιάζ.
makiyiáz.
Μανσέτες (μανσετόκουμπο)
mansétes (mansetókubo).
Μαντίλι.
madíli.
Νυχοκόπτης.
nihokóptis.
Ξυραφάκι.
ksirafáki.
Οδοντόβουρτσα.
odhodóvurtsa.
Οδοντόπαστα.
odhodópasta.
Παραμάνα.
paramána.
Πινέλο ξυρίσματος.
pinélo ksirísmatos.
Πούδρα.
púdhra.
Σάλι.
sáli.
Σαμπουάν.
sabuán.
Σαπούνι.
sapúni.
Σφουγγάρι.
sfugári.

- σσέιβινγκ-κρίιμ.
- Sun-cream.
- σαν-κρίιμ.
Nail file.
νέιλ φάιλ.
After-shave lotion.
άφτερ σσέιβ λόσιον.
Make-up.
μέικ-απ.
Cuffs (cuff link).
καφς (καφ λινκ).
Handkerchief.
χάνντκερτσιφ.
Nail-clipper.
νέιλ-κλίπερ.
Razor-blade.
ρέιζορ-μπλέι-ντ.
Tooth brush.
τουθ μπρασς.
Tooth paste.
τουθ πέιστ.
Safety-pin.
σέιφτι-πιν.
Shaving brush.
σσέιβινγκ μπρασς.
Face powder.
φέις πάουντερ.
Shawl.
σσόολ.
Shampoo.
σσαμπού.
Soap.
σόουπ.
Sponge.
σπαν-τζ.

Ταλκ.
talk.

Τιράντες για παντελόνια.
tirántes yiá padelónia.

Τσιμπιδάκι.
tsibidháki.

Τσιμπιδάκια.
tsibidhákia..

Χαρτί υγείας.
hartí iyías.

Χρώμα βαφής μαλιών.
hróma vafís malión.

Ψαλιδάκι νυχιών.
psalidháki nihión.

Ψαλίδι.
psalídhi.

Talc.
ταλκ.

Braces.
μπρέισιζ.

Hair-clip.
χέερ-κλιπ.

Hair clips.
χέαρ κλιπς.

Toilet paper.
τόιλετ πέιπερ.

Hair-dye.
χέερ-ντάι

Nail scissors.
νέιλ σίζορς.

Scissors.
σίζορς.

41. ΡΟΥΧΑ	**41. CLOTHES**

rúha

κλόουδζ

Αδιάβροχο.
adhiávroho.

Raincoat.
ρέινκόουτ.

Ακριβώς όπως εκείνο, αλλά λίγο μικρότερο.
akrivós ópos ekíno, allá lígo mikrótero.

Like this one but a little smaller.
λάικ δις ουάν μπατ ε λιτλ σμόλερ.

Ακρυλικό.
akrilikó.

Acrylic.
ακρίλικ.

Αυτή είναι πολύ μεγάλη.
aftí íne polí megáli.

That's very big.
δατς βέρι μπιγκ.

Αυτή είναι πολύ μικρή.
aftí íne polí mikrí.

That's very small.
δατς βέρι σμολ.

Βαμβακερό.
vamvakeró.

Cotton.
κότον.

Βελούδο.
velúdho.

Velvet.
βέλβετ.

Γάντια.
gándia.

Gloves.
γκλαβς.

Γιλέκο.
yiléko.

Waistcoat.
γουέιστκόουτ.

Γραβάτα.
graváta.

Tie.
τάι.

Είναι βαριά, ελαφριά, σκούρα.
íne variá, elafriá, skúra.

It's heavy, light, dark.

ιτ΄ς χέβι, λάιτ, νταρκ.

Είναι λίγο φαρδύ στους ώμους και έχει τα μανίκια μακριά.
íne lígo fardhí stus ómus ke éhi ta maníkia makriá.

It's a bit broad in the shoulders and long in the sleeves.
ιτ΄ς ε μπιτ μπρόουντ ιν δε σόουλ-ντερς εν-ντ λονγκ ιν δε σλίιβς.

Είναι λίγο μακριά.	**It is a bit long.**
íne lígo makriá.	ιτ ιζ ε μπιτ λονγκ.
Είναι λίγο κοντή.	**It is a bit short.**
íne lígo kodí.	ιτ ιζ ε μπιτ σσορτ.
Είναι λίγο στενή.	**It is a bit tight.**
íne lígo stení.	ιτ ιζ ε μπιτ τάιτ.
Είναι λίγο φαρδιά.	**It is a bit loose.**
íne lígo fardhiá.	ιτ ιζ ε μπιτ λους.
Είναι χειροποίητο;	**Is it hand-made?**
íne hiropíito?	ιζ ιτ χαν-ντ μέι-ντ;
Εμείς δεν πουλάμε ...	**We don't sell ...**
emís dhen puláme ...	γουι ντον't σελ ...
Επιθυμούμε να δούμε κανένα	**We'd like to see some shirts,**
πουκάμισο μέγεθος ...	**size ...**
epithimúme na dhúme kanéna	γουί'ντ λάικ του σίι σαμ σερτς,
pukámiso méyethos ...	σάιζ ...
Επιθυμώ να το δοκιμάσω.	**I'd like to try it on.**
epithimó na to dhokimáso.	άι'ντ λάικ του τράι ιτ ον.
Εσώβρακα.	**Underwear.**
esóvraka.	άν-ντεργουέαρ.
Εσώρουχα.	**Underwear.**
esóruha.	άν-ντεργουέαρ.
Έχει ανάγκη μόνο από μερι-	**It only needs some minor**
κές μικροδιορθώσεις.	**alterations.**
éhi anági móno apó merikés	ιτ όνλι νίι-ντς σαμ μάινορ αλτε-
mikrodhiorthósis.	ρέισσονς.
Έχετε ένα καθρέφτη;	**Do you have a mirror?**
éhete éna kathréfti?	ντου γιου χεβ ε μίρορ;
Ζακέτα.	**Cardigan.**
zakéta.	κάρ-ντιγκαν.
Ζαρτιέρες.	**Stocking suspender.**
zartiéres.	στόκινγκ σασπέν-ντερ.
Ζώνη.	**Belt.**
zóni.	μπελτ.
Θα ήθελα κάτι φθηνότερο.	**I would like something**

tha íthela káti fthinótero.

Θα ήθελα κάτι καλύτερο.

tha íthela káti kalítero.

Θέλω ένα φόρεμα καλοκαιρινό.

thélo éna fórema kalokerinó.

Θελω να αγοράσω ένα κοστούμι.

thélo na agoráso éna kostúmi.

Θέλω ένα ... για ένα αγόρι ... ετών.

thélo éna ... yia éna agóri ... etón.

Θέλω ένα ... για ένα κορίτσι 10 ετών.

thélo éna ... yia éna korítsi dhéka etón.

Ιματισμός.

imatismós.

Κάλτσες αντρικές.

káltses andrikés.

Κάλτσες γυναικείες.

káltses yinekíes.

Καλτσοδέτες.

kaltsodhétes.

Καπέλο.

kapélo.

Κασκέτο.

kaskéto.

Κορσές.

korsés.

Κιλότα.

cheaper.

άι γου-ντ λάικ σάμθινγκ τσίιπερ.

I would like something better.

άι γουντ λάικ σάμθινγκ μπέτερ.

I would like a summer frock.

άι γουντ λάικ ε σάμερ φροκ.

I'm looking for a suit.

άι'μ λούκινγκ φορ ε σουτ.

I would like to have ... for a ... year old boy.

άι γουντ λάικ του χεβ ... φορ ε ... γίαρ οουλντ μπόι.

I would like to have ... for a ten year old girl.

άι γουντ λάικ του χεβ ... φορ ε τεν γίαρ όουλντ γκερλ.

Clothing.

κλόουδινγκ.

Socks.

σοκς.

Stockings.

στόουκινγκς.

Garters.

γκάρτερς.

Hat.

χατ.

Cap.

καπ.

Corset.

κόρσιτ.

Panties.

kilóta.

Κοστούμι.
kostúmi.

Λινό.
linó.

Μαγιό.
mayió.

Μανίκι.
maníki.

Μαντίλι.
mandíli.

Μετάξι.
metáksi.

Μου έρχεται καλά;
mu érhete kalá?

Μπλούζα.
blúza.

Μπορείτε να μου το γράψετε εδώ;
boríte na mu to grápsete edhó?

Μπορείτε να πάρετε τα μέτρα μου;
boríte na párete ta métra mu?

Μπορώ να το δοκιμάσω;
boró na to dhokimáso?

Μπλούζα βαμβακερή.
blúza vamvakerí.

Νάιλον.
náilon.

Νυχτικό.
nihtikó.

Ολόμαλλο ύφασμα.
olómalo ífasma.

Παλτό.
paltó.

πάν-τιζ.

Suit.
σούτ.

Linen.
λίνεν.

Bathing-suit
μπέθινγκ-σιουτ.

Sleeve.
σλίιβ.

Handkertchief.
χάν-ντκερτσιφ.

Silk.
σιλκ.

Is it all right?
ιζ ιτ ολ ράιτ;

Blouse.
μπλάουζ.

Can you write it down for me?
κεν γιου ράιτ ιτ ντάουν φορ μι;

Can you take my measurements?
κεν γιου τέικ μάι μέζιουρμεν-τς;

Can I try it on?
κεν άι τράι ιτ ον;

T-shirt.
τι-σερτ.

Nylon.
νάιλον.

Nightgown.
νάιτγκάουν.

All- wool cloth.
ολ γουλ κλόουδ.

Overcoat.
όβερ κόουτ.

Παντελονάκι.
padelonáki.
Πανταλόνι.
padalóni.
Πιτζάμες.
pitzámes.
Πόσο είναι το μέτρο;
póso íne to métro?
Πόσο κοστίζει;
póso kostízi?
Πόσος χρόνος σας χρειά-ζεται για να το διορθώσετε;
pósos hrónos sas hriázete yia na to dhiorthósete?
Πότε θα είναι έτοιμο;
róte tha íne étimo?
Που δεν χρειάζεται σιδέρω-μα.
pu dhen hriázete sidhéroma.
Που δεν τσαλακώνει.
pu dhen tsalakóni.
Πουκάμισο.
pukámiso.
Πουκάμισο με κοντά μανίκια.
pukámiso me kodá maníkia.
Πουλόβερ.
pulóver.
Μήπως έχετε άλλο χρώμα;

mípos éhete állo hróma?
Μπορείτε να μου δείξετε κα-νένα άλλο;
boríte na mu dhíksete kanéna állo?
Μπορώ να το φορέσω στο

Short trousers.
σσορτ τράουζερς.
Trousers.
τράουζερς.
Pyjamas.
πιτζάμας.
How much is it a metre?
χάου ματς ιζ ιτ ε μίτερ;
How much does it cost?
χάου ματς νταζ ιτ κοστ;
How long does it take to make alterations?
χάου λονγκ νταζ ιτ τέικ του μέικ αλτερέισσονς;
When will it be done?
χουέν γουίλ ιτ μπι νταν;
Drip-dry.

ντριπ-ντράι.
Crease-proof.
κρίις-πουφ.
Shirt.
σσερτ.
Short-sleeved shirt.
σσορτ-σλίιβ-ντ σερτ.
Sweater.
σουέτερ.
Do you have some other colour?
ντου γιου χεβ σαμ άδερ κάλαρ;
Can you show me someth-ing different?
κεν γιου σόου μι σάμθινγκ ντί-φρεν-τ;
Can I try it on in the fitting-

δοκιμαστήριο;
boró na to foréso sto dhoki-
mastírio?
Μου δίνετε παρακαλώ ένα κουτί;
mu dhínete parakaló éna kutí?
Μου δίνετε παρακαλώ ένα ...;
mu dhínete parakaló éna ...?
Μου δίνετε παρακαλώ μια μπλούζα;
mu dhínete parakaló mía blúza?

Μου δίνετε παρακαλώ ένα καπέλο;
mu dhínete parakaló éna kapélo?
Μου δίνετε παρακαλώ μια γραβάτα;
mu· dhínete parakaló mia graváta?
Μου δίνετε παρακαλώ μια ζώνη;
mu dhínete parakaló mia zóni?
Μου δίνετε παρακαλώ μια φούστα;
mu dhínete parakaló mia fústa?
Μου δίνετε παρακαλώ ένα μέτρο;
mu dhínete parakaló éna métro?
Μου δίνετε παρακαλώ ένα ζευγάρι;
mu dhínete parakaló éna zev-gári?
Μου δίνετε παρακαλώ ένα

room?
κεν άι τράι ιτ ον ιν δε φίτινγκ - ρουμ;
Can you give me a box, please ?
κεν γιου γκιβ μι ε μποξ, πλιζ;
Can you give me a ..., please ?
κεν γιου γκιβ μι ε ..., πλιζ;
Can you give me a blouse, please ?
κεν γιου γκιβ μι ε μπλάουζ, πλιζ;
Can you give me a hat please?
κεν γιου γκιβ μι ε χατ, πλιζ;
Can you give me a tie, please?
κεν γιου γκιβ μι ε τάι, πλιζ;
Can you give me a belt, please?
κεν γιου γκιβ μι ε μπελτ, πλιζ;
Can you give me a skirt, please?
κεν γιου γκιβ μι ε σκερτ, πλιζ;
Can you give me one metre, please?
κεν γιου γκιβ μι ουάν μίτερ, πλιζ;
Can you give me a pair, please;
κεν γιου γκιβ μι ε πέαρ, πλιζ;
Can you give me a packet,

πακέτο;
mu dhínete parakaló éna pakéto?

Μου δίνετε παρακαλώ ένα κομμάτι;
mu dhínete parakaló éna komáti?

Μπορείτε να μου δείξετε λίγο τα μοντέλα;
boríte na mu dhíksete lígo ta modéla?

Όχι, δεν ήθελα ακριβώς αυτό.
óhi, dhen íthela akrivós aftó.

Παίρνω αυτό.
pérno aftó.

Πόσο κοστίζει;
póso kostízi?

Πού μπορώ να πληρώσω;
pu boró na pliróso?

Σατέν.
satén.

Στενό.
stenó.

Συνθετικό.
sinthetikó.

Τι επιθυμείτε;
ti epithimíte?

- Επιθυμώ να αγοράσω ...
- epithimó na agoráso ...

Τι υλικό είναι αυτό;
ti ilikó íne aftó?

Υφαντό από μαλλί.
ifantó apó malí.

please?
κεν γιου γκιβ μι ε πάκετ, πλιζ;

Can you give me a piece, please?
κεν γιου γκιβ μι ε πίις, πλιζ;

Can you show me what you have, please?
κεν γιου σσόου μι χουάτ γιου χεβ, πλιζ;

No, that isn't quite what I want.
νόου, δατ ιζν'τ κουάιτ χουάτ άι γουόν-τ.

I'll take this.
άι'λ τέικ δις.

How much is that?
χάου ματς ιζ δατ;

Where shall I pay?
χουέαρ σσαλ άι πέι;

Satin.
σάτιν.

Tight.
τάιτ.

Synthetic.
σινθέτικ.

What can I do for you?
χουάτ κεν άι ντου φορ γιου;

- I would like to buy ...
- άι γου-ντ λάικ του μπάι ...

What material is it?
χουάτ ματίριαλ ιζ ιτ;

Woven.
γούβεν.

Φανέλα.	**Flannel.**
fanéla.	φλάνελ.
Φανελάκι.	**Vest.**
faneláki.	βεστ.
Φόρεμα.	**Dress.**
fórema.	ντρες.
Φούστα.	**Skirt.**
fústa.	σκερτ.
Χρειάζεται να το βάλω πρώ-	**Should I pre-shrink it?**
τα στο νερό;	
hriázete na to válo próta sto neró?	σσου-ντ άι πρι-σσρινκ ιτ;

42. ΠΑΠΟΥΤΣΙΑ   42. SHOES

papútsia

σσουζ

Αθλητικά παπούτσια.
athlitiká papútsia.
Sports shoes.
σπορτς σσουζ.

Αυτά μου πάνε.
aftá mu páne.
These fit me well.
δίιζ φιτ μι γουέλ.

Βούρτσα παπουτσιών.
núrtsa paputsión.
Shoe-brush.
σσου-μπρας.

Γαλότσα.
galótsa.
Galosh.
γκαλόσς.

Είναι λίγο στενό.
íne lígo stenó.
It is a bit tight.
ιτ ιζ ε μπιτ τάιτ.

Είναι λίγο φαρδύ.
íne lígo fardhí.
It is a bit big.
ιτ ιζ ε μπιτ μπιγκ.

Είναι χειροποίητο;
íne hiropíito?
Is it hand-made?
ιζ ιτ χαν-ντ μέι-ντ;

Θα ήθελα ένα ζευγάρι παπούτσια.
tha íthela éna zevgári papútsia.
I would like a pair of shoes.

άι γου-ντ λάικ ε πέαρ οβ σσουζ.

Μποτάκια.
botákia.
Boots.
μπουτς.

Μποτάκια ελαστικά.
botákia elastiká.
Rubber boots.
ρά-μπερ μπουτς.

Μπότες.
bótes.
High boots.
χάι μπουτς.

Παντόφλες.
pandófles.
Slippers.
σλίπερς.

Παπούτσια.
papútsia.
Shoes.
σσουζ.

Παπούτσια αντρικά.
papútsia andriká.
Man's shoes.
μανς σσουζ.

Παπούτσια γυναικεία.
papútsia yinekía.
Lady's shoes.
λέι-ντις σσουζ.

Παπούτσια πεδικά.
Children's shoes.

papútsia pedhiká..
Παπούτσια δερμάτινα.
papútsia dhermátina.
Παπούτσια λουστρίνια.
papútsia lustrínia.
**Παπούτσια με σόλα δερμά-
τινη.**
papútsia me sóla dhermátini.
Παπούτσια χαμηλά.
papútsia hamilá.
Πέδιλα.
pédhila.
**Που μπορώ να διορθώσω τα
παπούτσια μου;**
pu boró na dhiorthóso ta pa-
pútsia mu?
Πότε μπορώ να τα πάρω;
póte boró na ta páro?
Σας ευχαριστώ.
sas efharistó.
Τακούνια.
takúnia.
- Τακούνια Ψηλά.
- takúnia psilá.
- Τακούνια Μεσαία.
- takúnia meséa.
- Τακούνια Χαμηλά.
- takúnia hamilá.
Χρειάζονται τακούνια
hriázode takúnia.

τσίλντρεν σσουζ.
Walking shoes.
γουόκινγκ σσουζ.
Patent shoes.
πάτεν-τ σσουζ.
Soled shoes.

σόουλντ σσουζ.
Low shoes.
λόου σσουζ.
Sandals.
σάν-νταλς
**Where can I have my shoes
mended?**
χουέαρ κεν άι χεβ μάι σσουζ
μέν-ντι-ντ;
When can I get them?
γουέν κεν άι γκετ δεμ;
Thank you.
θενκ γιου.
Heels.
χίλς.
- High heels.
- χάι χίλς.
- Medium heels.
- μί-ντιουμ χίλς.
- Low heels.
- λόου χίλς.
They need new heels.
δέι νίι-ντ νιου χίλς.

43. ΕΙΔΗ ΛΑΪΚΗΣ ΤΕΧΝΗΣ	**43. HANDICRAFTS**
ídhi laikís téhnis	χάν-ντικραφτς

Αγαλματίδια.	**Statuettes.**
agalmatídhia.	στατιουέτς.
Ασημικά.	**Silverware.**
asimiká.	σίλβεργουέαρ.
Βάζα διακοσμητικά.	**Decorative vases.**
váza dhiakosmitiká.	ντεκορέιτιβ βέιζιζ.
Βαρέλι.	**Barrel.**
varéli.	μπάρελ.
Δίσκος.	**Tray.**
dhískos.	τρέι.
Δοχεία νερού.	**Water-kegs.**
dhohía nerú.	γουότερ-κεγκς.
Εικόνα.	**Icon.**
ikóna.	άικον.
Ζακέτα.	**Cardigan.**
zakéta.	κάρντιγκαν.
Ζώνες.	**Belts.**
zónes.	μπελτς.
Κάλτσες.	**Socks.**
káltses.	σοκς.
Κούπα.	**Cup.**
kúpa.	καπ.
Κουτί.	**Box.**
kutí.	μποξ.
Κύπελλα.	**Cups.**
kípela.	καπς.
Λαϊκή έκφραση.	**A vulgar expression.**
laikí ékfrasi	ε βούλγκερ εκσπρέσιον.
Λαϊκή μουσική.	**Popular music.**
laikí musikí.	πόπουλαρ μιούζικ.
Μαχαίρια.	**Knives.**

mahéria.

**Μνημεία του αρχαίου ελλη-
νικού πολιτισμού.**

mnimía tu arhéu ellinikú poli-
tismú.

Μπρασελέ.

braselé.

Μπρίκια.

bríkia.

Μπρούτζινα κουδούνια.

brútzina kudhúnia.

Ξίφη.

ksífi.

Ξύλινα διακοσμητικά πιάτα.

ksílina dhiakosmitiká piáta.

Παντόφλες.

padófles.

Περιδέραιο.

peridhéreo.

Πίπα.

pípa.

Πίπα.

pípa.

Πουλόβερ.

pulóver.

Προσκεφάλια.

proskefália.

Τάπιτες.

tápites.

Τορβάς.

torvás.

Τσαγιέρες.

tsayiéres.

Τσάντες ταξιδιού.

tsándes taksidhiú.

νάιβς.

**Monuments of the ancient
greek civilization.**

μόνιουμεν-τς οβ δι έινσσεν-τ
γκρίκ σιβιλαϊζέισσιον.

Bracelet.

μπρέισλετ.

Kettles.

κετλς.

Copper bells.

κόπερ μπελς.

Swords.

σουόρ-ντς.

Decorated wooden plates.

ντεκορέιτι-ντ γού-ντεν πλέιτς.

Slippers.

σλίπερς.

Necklace.

νέκλες.

Cigarette-holder.

σίγκαρετ-χόουλ-ντερ.

Pipe.

πάιπ.

Sweaters.

σουέτερς.

Pillows.

πίλοους.

Carpets.

κάρπετς.

Bag.

μπαγκ.

Tea-pots.

τίι-ποτς.

Travelling bags.

τράβελινγκ-μπαγκς.

Φέσι.
fési.
Κουκλάκια με πατροπαρά-δοτες λαϊκές ενδυμασίες.
figurínia me patroparádhotes laikés endhimasíes.
Φορέματα.
forémata.

Cap.
καπ.
Figurines with traditional folk costumes.
φίγκιουρινς γουίθ τραντίσσο-ναλ φολκ κόστιουμς.
Dresses.
ντρέσιζ.

44. ΗΛΕΚΤΡΙΚΑ ΕΙΔΗ

ilektriká ídhi

Αγωγός.
agogós.
Ανεμιστήρας.
anemistíras.
Ασύρματος.
asírmatos.
Βραστήρας καφέ.
vrastíras kafé.
Βύσμα.
vísma.
Βύσμα διπολικό.
vísma dhipolikó.
Ενισχυτής.
enishitís.
Ελληνικοί δίσκοι.
ellinikí dhíski.
Επιθυμώ μια καινούρια βελόνα κεφαλής πικ-απ.
epithimó mia kenúryia velóna kefalís pik-ap.
Επιθυμώ να έχω μερικούς δίσκους με:
epithimó na ého merikús dhískus me:
- Ελαφριά μουσική.
- elafriá musikí.
- Ενόργανη μουσική.
- enórgani musikí.
- Κλασική μουσική.
- klasikí musikí.
- Λαϊκή μουσική.
- laikí musikí.

44. ELECTRICAL APPLIANCES

ιλέκτρικαλ απλάιενσιζ

Conductor.
κον-ντάκτορ.
Fan.
φαν.
Radio-set.
ρέι-ντιόου σετ.
Percolator.
πέρκολέιτορ.
Plug.
πλαγκ.
Two-pin plug.
του-πιν πλαγκ.
Amplifier.
αμπλιφάιερ.
Greek records.
γκρίικ ρέκορ-ντς.
I want a new needle, for a record player.
άι γουόν-τ ε νιου νι-ντλ, φορ ε ρέκορ-ντ πλέιερ.
I would like to have some records with ...
άι γου-ντ λάικ του χεβ σαμ ρέκορ-ντς γουίθ ...
- Light music.
- λάιτ μιούζικ.
- Instrumental music.
- ινστρουμέν-ταλ μιούζικ.
- Classical music.
- κλάσικαλ μιούζικ.
- Folk music.
- φολκ μιούζικ.

- **Μουσική ορχήστρας.**
- musikí orhístras.
- **Μουσική χορού.**
- musikí horú.
Έχετε δίσκους;
éhete dhískus?
Ηλεκτρική κατσαρόλα.
ilkektrikí katsaróla.
Ηλεκτρική κουζίνα.
ilektrikí kuzína.
Ηλεκτρικός μύλος για καφέ.
ilektrikós mílos yia kafé.
Καλώδιο.
kalódhio.
Κασέτα.
kaséta.
Κατσαβίδι.
katsavídhi.
Λάμπες.
lábes.
Μαγνητόφωνο.
magnitófono.
Μεγάφωνο.
megáfono.
Μετασχηματιστής.
metashimatistís.
Μετρητής.
metritís.
Μίξερ.
míkser.
Μπαταρία.
bataría.
Μπορώ να ακούσω αυτό το δίσκο;
boró na akúso aftó to dhísko?

- **Orchestral music.**
- όρκιστραλ μιούζικ.
- **Dance music.**
- ντανς μιούζικ.
Do you have records?
ντου γιου χεβ ρέκορ-ντς;
Electric-pan.
ιλέκτρικ παν.
Stove.
στόουβ.
Electric coffee grinder.

ιλέκτρικ κόφι γκράιν-ντερ.
Cord.
κορ-ντ.
Cassette.
κασέτ.
Screw-driver.
σκρου ντράιβερ.
Bulbs.
μπαλμπς.
Tape-recorder.
τέιπ-ρικόρ-ντερ.
Loudspeaker.
λαουντσπίκερ.
Transformer.
τρανσφόρμερ.
Meter.
μίτερ.
Food mixer.
φου-ντ μίξερ.
Battery.
μπάτερι.
Can I listen to this record?

Μπορώ να έχω μια κασέτα με ...;
boró na ého mia kaséta me ...?

Πλυντήριο.
plindírio.

Πρίζα.
príza.

Ραδιόφωνο.
radhiófono.

Ρολόι.
rolói.

Σίδερο.
sídhero.

Στεγνωτής μαλλιών.
stegnotís malión.

Τηλεόραση.
tileórasi.

Τσαγιέρα.
tsayiéra.

Ψυγείο.
psiyío.

κεν άι λίσεν του δις ρέκορ-ντ;
Can I have a tape with ...?
κεν άι χεβ ε τέιπ γουίθ ...;

Washing-machine.
γουόσσιν-μασσίν.

Socket.
σόκιτ.

Radio.
ρέ-ντιο.

Clock.
κλοκ.

Iron.
άιρον.

Hair-drier.
χέαρ-ντράιερ.

T V-set / television.
τι βι-σετ / τελεβίζιον.

Kettle.
κετλ.

Refrigerator.
ριφριτζερέιτορ.

45. ΦΩΤΟΓΡΑΦΙΚΑ ΕΙΔΗ

fotografiká ídhi

Αρνητικό.
arnitikó.

Διάφραγμα.
dhiáfragma.

Εμφάνιση.
emfánisi.

Επιθυμώ να αγοράσω ένα έγχρωμο φιλμ.
epithimó na agoráso éna énghromo film.

Κινηματογραφική μηχανή.
kinimatografikí mihaní.

Λεύκωμα / άλμπουμ.
léfkoma / álbum.

Μεγένθυση.
meyénthisi.

Θέλω ένα φιλμ.
thélo éna film.

Παρακαλώ εμφανίστε αυτό το φιλμ.
parakaló emfaníste aftó to film.

Φακός.
fakós.

Φίλτρο.
filtro.

Φλας.
flas.

Φωτογραφική μηχανή.
fotografikí mihaní.

45. FOTO EQUIPMENT

φότοου ικουίπμεν-τ

Negative.
νέγκατιβ.

Shutter.
σάτερ.

Development.
ντιβέλοπμεν-τ.

I want to buy a colour film.

άι γουόν-τ του μπάι ε κόλορ φιλμ

Movie (video)-camera.
μούβι (βίντεο)-κάμερα.

Album.
άλ-μπεμ.

Enlargement.
ενλάρτζμεν-τ.

I want a film.
άι γουόν-τ ε φιλμ.

Develop this film please.

ντιβέλοπ δις φιλμ πλίιζ.

Lens.
λενς.

Filter.
φίλτερ.

Flash bulb.
φλασς μπαλ-μπ

Camera.
κάμερα.

46. ΣΤΟ ΚΑΘΑΡΙΣΤΗΡΙΟ

sto katharistírio

46. AT THE DRY-CLEANER'S

ατ δε ντράι-κλίνερ'ς

Ας το κοιτάξω.
as to kitákso.

Let me have a look at it.
λετ μι χεβ ε λουκ ατ ιτ.

Ήρθα να πάρω τα ρούχα μου.
írtha na páro ta rúha mu.

I have come to collect my clothes.
άι χεβ καμ του κολέκτ μάι κλό-ουδς.

Θέλω να μου πλύνετε αυτά τα ρούχα.
thélo na mu plínete aftá ta rúha.

I want to have these clothes washed.
άι γουόν-τ του χεβ δίιζ κλό-ουδς γουόσστ.

Θέλω να μου καθαρίσετε αυτά τα ρούχα.
thélo na mu katharísete aftá ta rúha.

I want to have these clothes cleaned.
άι γουόν-τ του χεβ δίιζ κλό-ουδς κλιν-ντ.

Θέλω να μου σιδερώσετε αυτά τα ρούχα.
thélo na mu sidherósete aftá ta rúha.

I want to have these clothes pressed.
άι γουόν-τ του χεβ δίιζ κλό-ουδς πρέστ.

Κάνετε διορθώσεις;
kánete dhiorthósis?.

Do you do repairs?
ντου γιου ντου ριπέρς;

Κάνετε στεγνό καθάρισμα;
kánete stegnó kathárisma?

Do you dry clean clothes?
ντου γιου ντράι κλίιν κλόουδς;

Μπορείτε να μου καθαρίσετε αυτό το λεκέ;
boríte na mu katharísete aftó to leké?

Can this stain be removed?

κεν δις στέιν μπι ριμούβ-ντ;

Λοιπόν, θέλω να καθαρίσω αυτό το κοστούμι.
lipón, thélo na katharíso aftó to kostúmi.

Well, I would like this suit cleaned.
γουέλ, άι γου-ντ λάικ δις σιουτ κλίν-ντ.

Ναι, όλα τα είδη ρούχων.
ne, óla ta ídhi rúhon.

Yes, all kinds of clothes.
γιες, όλ κάιν-ντς οβ κλόουδς.

Ονομάζομαι ...
onomázome ...

My name is ...
μάι νέιμ ιζ ...

Ορίστε.
oríste.

What can I do for you?
χουάτ κεν άι ντου φορ γιου;

Ορίστε η απόδειξη.
oríste i apódhiksi.

Here is the receipt.
χίαρ ιζ δε ρισίιτ.

Πόσο σας οφείλω;
póso sas ofílo?

How much do I owe you?
χάου ματς ντου άι όου γιου;

Πότε θα είναι έτοιμο;
póte tha íne étimo?

When will it be ready?
χουέν γουίλ ιτ μπι ρέ-ντι;

Πού είναι το πιο κοντινό
πλυντήριο παρακαλώ;
pu íne to pio kodinó plidírio
parakaló?

**Where is the nearest laundry
please?**
χουέαρ ιζ δε νίαρεστ λόν-ντρι
πλίιζ;

Σας ευχαριστώ.
sas efharistó.

Thank you.
θενκ γιου.

Τα χρειάζομαι ...
ta hriázome ...

I need them ...
άι νίι-ντ δεμ ...

47. ΣΤΟ ΚΟΜΜΩΤΗΡΙΟ

sto komotírio

Βάψιμο μαλλιών.
vápsimo malión.
Βιάζομαι.
viázome.
Επιθυμώ να κάνω τα μαλλιά περμανάντ.
epithimó na káno ta maliá permanánt.
Επιθυμώ να κάνω τα μαλλιά κατσαρά.
epithimó na káno ta maliá katsará.
Επιθυμώ να κοντύνω τα πλαϊνά.
epithimó na kondíno ta plainá.

Επιθυμώ να κοντύνω τα πάνω.
epithimó na kodíno ta páno.

Έχει κανένα κομμωτήριο ε-δώ;
éhi kanéna kommotírio edhó?

Έχετε βαφή μαλλιών σ' αυτό το χρώμα;
éhete vafí malión s' aftó to hróma?
Έχετε βαφή μαλλιών ίδιο χρώμα;
éhete vafí malión ídhio hróma?

47. LADIES HAIRDRESSER'S

λέι-ντις χέαρ ντρέσερς

Hair dyeing.
χέαρ ντάιινγκ.
I am in a hurry.
άι εμ ιν ε χάρι.
I would like a permanent wave.
άι γου-ντ λάικ ε πέρμανεν-τ ου-έιβ.
I would like it curly.

άι γου-ντ λάικ ιτ κέρλι.

I would like to shorten the sides.
άι γου-ντ λάικ του σσόρτεν δε σάιντς.
I would like to shorten the top.
άι γου-ντ λάικ του σσόρτεν δε τοπ.
Is there any Ladies Hairdresser's here?
ιζ δέαρ ένι λέι-ντις χέαρ-ντρέσερ'ς χίαρ;
Do you have hair dye of this colour?
ντου γιου χεβ χέαρ ντάι οβ δις κάλαρ;
Do you have hair dye the same colour?
ντου γιου χεβ χέαρ ντάι δε σέιμ κάλαρ;

Έχετε βαφή μαλλιών ένα πιο βαθύ χρώμα από αυτό;
éhete vafí malión éna pio vathí hróma apó aftó?

Do you have hair dye a darker colour than this?
ντου γιου χεβ χέαρ ντάι ε ντάρκερ κάλαρ δαν δις;

Έχετε βαφή μαλλιών ένα πιο ανοικτό χρώμα από αυτό;
éhete vafí malión éna pio aniktó hróma apó aftó?

Do you have hair dye a lighter colour than this?
ντου γιου χεβ χέαρ ντάι ε λάιτερ κάλαρ δαν δις;

Θα ήθελα να ρθω στις ...
tha íthela na rtho stis ...

I would like to come at ...
άι γου-ντ λάικ του καμ ατ ...

Θα ήθελα λούσιμο.
tha íthela lúsimo.

I would like a shampoo.
άι γου-ντ λάικ ε σαμ-πού.

Θα ήθελα μια περμανάντ.
tha íthela mia permanán-t

I would like a perm.
άι γου-ντ λάικ ε περμ.

Θα τα ήθελα κότσο.

tha ta íthela kótso.

I would like it shaped in a bun.
άι γου-ντ λάικ ιτ σέιπτ ιν ε μπαν.

Θέλω να βάψω τα μαλλιά ξανθά.
thélo na vápso ta maliá ksanthá.

I want to colour it blonde.
άι ουόν-τ του κόλορ ιτ μπλον-ντ.

Θέλω να κλείσω ένα ραντεβού.
thélo na klíso éna radevú.

I want to make an appointment.
άι γουόν-τ του μέικ εν απόιντμεν-τ.

Θέλω να τα χτενίσω.
thélo na ta hteníso.

I want a set.
άι ουόν-τ ε κόουμ-μπινγκ.

Μανικιούρ.
manikiúr.

Manicure.
μάνικιούρ.

48. ΣΤΟ ΚΟΣΜΗΜΑΤΟΠΩΛΕΙΟ	48. AT THE WATCH-MAKER'S AND JEWELLER'S

sto kosmimatopolío

ατ δε γουότςμέικερ΄ς εν-ντ τζού-ελερ΄ς

Αδιάβροχο.
adhiávroho.
Water proof.
γουότερ προυφ.

Ανθεκτικό στα κτυπήματα.
anthektikó sta ktipímata.
Shock-resistant.
σσοκ-ρεσίσταν-τ.

Απομίμηση.
apomímisi.
Imitation.
ιμιτέισσον.

Ασημένιο.
asiménio.
Silver.
σίλβερ.

Βάλε το ρολόι πέντε λεπτά εμπρός.
vále to rolói péde leptá ebrós.
Set the clock 5 minutes fast.
σετ δε κλοκ φάιβ μίνιτς φαστ.

Βάλε το ρολόι πέντε λεπτά πίσω.
vále to rolói péde leptá píso.
Set the clock 5 minutes slow.
σετ δε κλοκ φάιβ μίνιτς σλόου.

Βραχιόλι.
vrahióli.
Bracelet.
μπρέισλετ.

Γνήσιο.
gnísio.
Genuine.
τζένουιν.

Δακτυλίδι.
dhaktilídhi.
Ring.
ρινγκ.

- Αργυρό δακτυλίδι.
- aryiró dhaktilídhi.
- Silver ring.
- σίλβερ ρινγκ.

- Χρυσό δακτυλίδι.
- hrisó dhaktilídhi.
- Golden ring.
- γκόουλ-ντεν ρινγκ.

Δείκτης μεγάλος.
dhíktis megálos.
Big hand.
μπιγκ χαν-ντ.

Δείκτης μικρός.
dhíktis mikrós.
Small hand.
σμολ χαν-ντ.

Δεν εργάζεται το ξυπνητήρι.
dhen ergázete to ksipnitíri.
The alarm doesn't work.
δι αλάρμ νταζν'τ γουόρκ.

Δεν πηγαίνει καλά.
dhen pigéni kalá.

Δευτερολεπτοδείκτης.
dhefteroleptodíktis.

Είδη ασημένια.
ídhi asiménia.

Είναι κομμένος ένας δείκτης του ρολογιού.
íne koménos énas dhíktis tu roloyiú.

Είναι σπασμένη η βελόνα.
íne spasméni i velóna.

Είναι σπασμένο το τζάμι.
íne spasméno to tzámi.

Ελατήριο.
elatírio.

Επάργυρο.
epáryiro.

Καπάκι από ανοξείδωτο α-τσάλι.
kapáki apó anoksídhoto atsáli.

Καρφίτσα γραβάτας.
karfítsa gravátas.

Μηχανισμός κουρδίσματος.
mihanismós kurdhísmatos.

Κόπηκε το λουράκι (το μπρασελέ).
kópike to, luráki (to braselé).

Μπορείτε να δείτε το ρολόι μου;
boríte na dhíte to rolói mu?

Μπορείτε να μου διορθώσε-τε αυτό το ρολόι;
boríte na mu dhiorthósete aftó

It doesn't work well.
ιτ νταζν't γουόρκ γουέλ.

Second hand.
σέκον-ντ χαν-ντ.

Silverware.
σίλβεργουέαρ.

A hand of my wrist-watch has come off.
ε χαν-ντ οβ μάι ριστ-γουότος χεζ καμ οφ.

The needle is broken.
δε νίι-ντλ ιζ μπρόουκεν.

The glass is broken.
δε γκλας ιζ μπρόουκεν.

Main spring.
μέιν σπρινγκ.

Silver plated.
σίλβερ πλέιτι-ντ.

Stainless steel back.
στέινλες στίιλ μπακ.

Tie-pin.
τάι-πιν.

Winder.
ουάιν-ντερ.

The wrist-band is broken.
δε ριστ-μπαν-ντ ιζ μπρόουκεν.

Can you have a look at my watch?
κεν γιου χεβ ε λουκ ατ μάι γου-ότος;

Can you repair this watch?
κεν γιου ριπέαρ δις γουότος;

to rolói?

Μπορείτε να το καθαρίσετε;
boríte na to katharísete?

Can you give it a clean?
κεν γιου γκιβ ιτ ε κλίιν;

Μπορώ να έλθω αύριο;
boró na éltho ávrio?

May I come tomorrow?
μέι άι καμ τουμόροου;

Μπορώ να έλθω την Τρίτη;
boró na éltho tin tríti?

May I come on Tuesday?
μέι άι καμ ον τιούσ-ντέι;

**Μπορείτε να τοποθετήσετε
ένα καινούριο τζάμι;**
boríte na topothetísete éna
kenúrio tzámi?

Can you put in a new glass?

κεν γιου πουτ ιν ε νιου γκλας;

Μπρελόκ.
brelók.

Charm.
τσσαρμ.

Όχι, θα το φτιάξω τώρα.
óhi, tha to ftiákso tóra.

No, I'll fix it up now.
νόου, άι'λ φιξ ιτ απ νάου.

Πάει πολύ καλά.
pái polí kalá.

It has kept perfect time.
ιτ χαζ κεπτ πέρφεκτ τάιμ.

Πάρτε την απόδειξη.
párte tin apódhiksi.

Here is the receipt.
χίαρ ιζ δε ρισίιτ.

**Πηγαίνει δέκα λεπτά μπρο-
στά την ημέρα.**
piyéni dhéka leptá brostá tin
iméra.

It's ten minutes fast a day.

ιτ'ς τεν μίνιτς φαστ ε ντέι.

**Πηγαίνει πέντε λεπτά ε-
μπρός.**
piyéni péde leptá ebrós.

It gains five minutes.

ιτ γκέινς φάιβ μίνιτς.

Πηγαίνει πέντε λεπτά πίσω.
piyéni péde leptá píso.

It loses five minutes.
ιτ λούζις φάιβ μίνιτς.

Πλάκα.
pláka.

Dial.
ντάιαλ.

Πότε θα είναι έτοιμο;
póte tha íne étimo?

When will it be ready?
χουέν γουίλ ιτ μπι ρέ-ντι;

- Μετά από δύο ημέρες.
- metá apó dhío iméres.

- After two days.
- άφτερ του ντέιζ.

Πρέπει να το αφήσω εδώ;

Must I leave it here?

prépi na to afíso edhó?
Σε 24ωρη βάση.
se 24ori vási.
Σε κατεύθυνση αντίθετη των δεικτών του ρολογιού.
se katéfthinsi adítheti ton dhiktón tu roloyiú.
Σε κατεύθυνση των δεικτών του ρολογιού.
se katéfthinsi ton dhiktón tu roloyiú.
Σκουλαρίκι.
skularíki.
Σταματά πού και πού.

stamatá pú ke pú.

Τζάμι.
tzámi.
Ρολόι τοίχου.
rolói tíhu.
Ρολόι χεριού.
rolói heriú.
Σκουλαρίκια.
skularíkia.
Σμαράγδι.
smarágdhi.
Σταυρός.
stavrós.

μαστ άι λίιβ ιτ χίαρ;
Around the clock.
αράουν-ντ δε κλοκ.
Anticlock-wise.

αν-τάικλόκ-ουάιζ.

Clock-wise.

κλοκ-ουάιζ.

Ear-ring.
íαρ-ρινγκ.
It stops altogether every now and then.
ιτ στοπς όλτουγκέδερ έβρι νά-ου εν-ντ δεν.
Glass.
γκλας.
Clock.
κλοκ.
Wrist-watch.
ριστ-γουότς.
Earrings.
íαρινγκς.
Emerald.
έμεραλ-ντ.
Cross.
κρος.

49. ΣΤΟ ΥΠΟΔΗΜΑΤΟΠΟΙΕΙΟ	49. AT THE SHOEMAKER'S

sto ipodhimatopiío

ατ δε σσού<u>μ</u>έικερ'ς

Αυτά τα παπούτσια θέλουν επιδιόρθωση.
aftá ta papútsia thélun epidhiórthosi.

These shoes need repairing.

δίιζ σσουζ νίι-ντ ριπέαρινγκ.

Είναι πολύ στενά.
íne polí stená.

They are too tight.
δέι αρ του τάιτ.

Είναι φαγωμένα τα τακούνια.
íne fagoména ta takúnia.

They are worn out to the heels.
δέι αρ γουόρν άουτ του δε χίλς.

Επιθυμώ να βάλω καινούριες σόλες.
epithimó na válo kenúries sóles.

I'd like these shoes resoled.

άι'ντ λάικ δίιζ σσουζ ρισόουλ-ντ.

Επιθυμώ σόλες δερμάτινες.
epithimó sóles dhermátines.

I would like leather soles.
άι γου-ντ λάικ λέδερ σόουλς.

Επιθυμώ σόλες ελαστικές.
epithimó sóles elastikés.

I would like rubber soles.
άι γου-ντ λάικ ρά-μπερ σόουλς.

Επιθυμώ σόλες μισές.
epithimó sóles misés.

I would like half soles.
άι γου-ντ λάικ χαφ σόουλς.

Θέλω να τα βάλω σε καλαπόδι, να τα ανοίξω.
thélo na ta válo se kalapódhi, na ta aníkso.

I want to have them stretched.

άι γουόν-τ του χεβ δεμ στρετσσο-ντ.

Μισές σόλες και τακούνια από λάστιχο.
misés sóles ke takúnia apó lástiho.

Half soles of leather and rubber heels.

χαφ σόουλς οβ λέδερ εν-ντ ρά-μπερ χίλς.

Πόσο κοστίζει;
póso kostízi?

How much is it?
χάου ματσς ιζ ιτ;

Πότε μπορώ να τα πάρω;
póte boró na ta páro?

When can I get them?
γουέν κεν άι γκετ δεμ;

Πόσο θα κοστίσει;
póso tha kostísi?

How much will it cost?
χάου ματς γουίλ ιτ κοστ;

Πού μπορώ να διορθώσω τα παπούτσια μου;
pu boró na dhiorthóso ta papútsia mu.

Where can I have my shoes repaired?
χουέρ κεν άι χεβ μάι σσους ριπεαρ-ντ.

Τα δερμάτινα είναι πολύ πιο ελαφριά.
ta dhermátina íne polí pio elafriá.

Leather ones are much lighter.
λεδερ ουάνς αρ ματσς λάιτερ.

Τα παπούτσια είναι χαλασμένα.
ta papútsia íne halasména.

The shoes are worn out.
δε σσουζ αρ γουόρν άουτ.

Τα τακούνια είναι χαλασμένα.
ta takúnia íne halasména.

The heels are worn out.
δε χίιλς αρ γουόρν άουτ.

Τα φτιάχνω ενώ εσείς περιμένετε.
ta ftiáhno enó esís periménete.

I'll do them while you wait.
άι'λ ντου δεμ χουάιλ γιου γουέιτ.

Τι μπορώ να κάνω για σας;
ti boró na káno yiá sas?

What can I do for you?
χουάτ κεν άι ντου φορ γιου;

Χρειάζονται σόλλες.
hriázode sóles.

They need new soles.
δέι νίι-ντ νιού σόουλζ.

Χρειάζονται τακούνια.
hriázode takúnia.

They need new heels.
δέι νίι-ντ νιού χίιλζ.

50. ΣΤΟΝ ΟΠΤΙΚΟ

ston optikó

Δεν μπορώ να δω καλά.
dhen boró na dho kalá.
Είναι πολύ ακριβά.
íne polí akrivá.
Έσπασα τα γυαλιά μου.
éspasa ta yialiá mu.
**Θέλω ένα ζευγάρι γυαλιά η-
λίου.**
thélo éna zevgári yialiá ilíu..

Θέλω κάτι πιο φτηνό.
thélo káti pio ftinó.
Θέλω φακούς επαφής.
thélo fakús epafís.
**Μπορείτε να μου τα επι-
διορθώσετε;**
boríte na mu ta epidhiorthóse-
te?
Πότε θα είναι έτοιμα;
póte tha íne étima?
**Πού είναι ο πιο κοντινός ο-
πτικός;**
pu íne o pio kodinós optikós?
**Πού μπορώ να τα επισκευά-
σω;**
pu boró na ta episkeváso?

50. AT THE OPTICIAN

ατ δι οπτίσιαν.

I can't see well.
άι κεν΄τ σίι γουέλ.
They are very expensive.
δέι αρ βέρι εξπένσιβ.
I've broken my glasses.
άι΄β μπρόουκεν μάι γκλάσιζ.
I want a pair of sunglasses.

άι γουόν-τ ε περ οβ σάνγκλά-
σιζ.
I want something cheaper.
άι γουόν-τ σάμθινγκ τσίπερ.
I want contact lenses.
άι γουόν-τ κον-τάκτ λένσις.
Can you repair them for me?

κεν γιού ριπέαρ δεμ φορ μι;

When will they be ready?
χουέν γουίλ δέι μπι ρέ-ντι;
**Where is the nearest opti-
cian?**
χουέρ ιζ δε νίαρεστ οπτίσιαν;
**Where can I have them
fixed?**
χουέρ κεν άι χεβ δεμ φιξτ;

51. ΚΑΤΟΙΚΙΔΙΑ ΖΩΑ

51. DOMESTIC ANIMALS

katikídhia zoa

ντομέστικ άνιμαλς

Άγριος.
ághrios.
Wild.
γουάιλ-ντ.

Άρρωστος.
árostos.
Ill.
ιλ.

Αυτιά.
aftiá.
Ears.
ίαρς.

Γάτα.
gáta.
Cat.
κατ.

Γαβγίζω.
ghavyízo.
Bark.
μπαρκ.

Εμβόλιο.
emmvólio.
Vaccine.
βάκσιιν.

Επιτρέπονται τα ζώα;
epitréponde ta zóa.
Are animals allowed?
αρ άνιμαλς αλόου-ντ;

Λαγωνικό.
laghonikó.
Pointer.
πόιν-τερ.

Κολάρο.
koláro.
Collar.
κόλαρ.

Λουρί.
lourí.
Thong.
θονγκ.

Λυκόσκυλο.
likóskilo.
German sheferd.
τζέρμαν σσέφερ-ντ.

Λύσσα.
líssa.
Rabies.
ρέι-μπις.

Μουσούδα.
musúdha.
Snout.
σνάουτ.

Μπάσταρδο.
bástardho.
Bastard.
μπάστερ-ντ.

Μύτη.
míti.
Nose.
νόουζ.

Νιαουρίζω.
niaourízo.
Mew.
μιού.

Νύχι.
níhi.
Ουρά.
ourá.
Ο σκύλος μου δεν δαγκώνει.
o skílos mu dhen dhagóni.
Πιστοποιητικό.
pistopiitikó.
Πόδια.
pódhia.
Σκυλόδοντο.
skilódhondo.
Σκύλος.
skílos.
Στόμα.
stóma.
Τροφή για γάτες (σκύλους).
trofí ya ghátes (skílus).
Τρίχα.
tríha.
Τρίχωμα.
tríhoma.
Τσοπανόσκυλος.
tsopanóskilos.
Υπάκουος.
ipákuos.
Φίμωτρο.
fímotro.

Nail.
νέιλ.
Tail.
τέιλ.
My dog doesn't bite.
μάι ντογκ ντάζν᾿τ μπάιτ.
Certificate.
σερτίφικετ.
Feet.
φίιτ.
Canine tooth.
κάναϊν τουθ.
Dog.
ντογκ.
Mouth.
μάουθ.
Cat (dog) food.
κατ (ντογκ) φου-ντ.
Hair.
χέαρ.
Hair.
χέαρ.
Sheep dog.
σσίιπ ντογκ.
Obedient.
οου-μπίι-ντιεν-τ.
Gag.
γκαγκ.

52. ΣΤΗΝ ΕΚΚΛΗΣΙΑ	**52. IN THE CHURCH**

stin ekklisía

ιν δε τσσερτσς

Θα ήθελα να δω έναν ιερέα.
tha íthela na dho énan ieréa.

I would like to see a priest.
άι γου-ντ λάικ το σίι ε πρίιστ.

Θα ήθελα να πάω στην εκκλησία.
tha íthela na páo stin ekklisía.

I would like to go to church.
άι γουντ λάικ του γκόου του τσσερτσς.

Καθολική εκκλησία.
katholikí ekklisía.

Catholic church.
κάθολικ τσερτσς.

Ορθόδοξη εκκλησία.
orthódhoksi ekklisía.

Orthodox church.
όρθο-ντοκς τσερτσς.

Πού είναι η μητρόπολη;
Pu íne i mitrópoli?

Where is the cathedral?
χουέαρ ιζ δε καθί-ντραλ;

Πού είναι η πλησιέστερη εκκλησία;
pu íne i plisiésteri ekklisía?

Where is the nearest Church?
χουέαρ ιζ δε νίαρεστ τσσερτσς;

Τι ώρα αρχίζει η λειτουργία;
ti óra arhízi i lituryía;

At what time does the service begin?
ατ χουάτ τάιμ νταζ δε σέρβις μπιγκίν;

Σε ποια εκκλησία γίνεται η λειτουργία στα αγγλικά;
se pia ekklisía yínete i lituryía sta angliká?

What church holds the Mass in English?
χουάτ τσσερτσς χολ-ντς δε μας ιν ίνγκλισς;

Υπάρχει καμιά ελληνική εκκλησία στην πόλη;
ipárhi kamiá ellinikí ekklisía stin póli?

Is there a Greek Church in the city?
ιζ δέαρ ε Γκρίικ τσσερτσς ιν δε σίτι;

Υπάρχει καμιά καθολική εκκλησία στην πόλη;
ipárhi kamiá katholikí ekklisía stin póli?

Is there a Catholic Church in the city?
ιζ δέαρ ε κάθολικ τσσερτσς ιν δε σίτι;

53. ΣΤΟ ΘΕΑΤΡΟ, ΚΙΝΗΜΑΤΟ-ΓΡΑΦΟ ...

53. AT THE THEATRE, CINEMA ...

sto théatro, kinimatográfo ..

ατ δε θίατερ, σίνεμα ...

Ανεβαίνει η αυλαία.
anevéni i avléa.

The curtain is going up.
δε κέρτεν ιζ γκόουινγκ απ.

Απορροφήθηκα από το παί-ξιμό του.
aporrofíthika apó to péksimó tu.

I was carried away by his acting.
άι γουόζ κέρι-ντ εγουέι μπάι χιζ άκτινγκ.

Απορροφήθηκα από το παί-ξιμό της.
aporrofíthika apó to péksimó tis.

I was carried away by her acting.
άι γουόζ κέρι-ντ εγουέι μπάι χερ άκτινγκ.

Απόψε ήταν η πρεμιέρα.
apópse ítan i premiéra.

The opening was tonight
δε όπενινγκ.γουόζ τουνάιτ.

Άρια από μια όπερα του ...
ária apó mia ópera tu ...

Aria from an opera by ...
άρια φρομ εν όπερα μπάι ...

Ασπρόμαυρο φιλμ.
asprómavro film.

Film in black and white.
φιλμ ιν μπλακ εν-ντ χουάιτ.

Άσχημο παίξιμο.
áshimo péksimo.

Poor acting.
πουρ άκτινγκ.

Αυλαία.
avléa.

Curtain.
κέρτεν.

Αυτή η μελωδία είναι ... ;
aftí i melodhía íne ... ?

Is this melody ... ?
ιζ δις μέλο-ντι ... ;

Γκαρνταρόμπα / βεστιάριο
gardaroba / vestiário.

Cloakroom.
κλόουκ ρουμ.

Γυρίζω ένα φιλμ.
yirízo éna film.

Shoot a film.
σουτ ε φιλμ.

Δεν μ' αρέσει να κάθομαι μπροστά, κοντά στην οθόνη.
dhen m' arési na káthome bro-stá, kodá stin othóni.

I don't like to sit right in front, close to the screen.
άι ντον'τ λάικ του σιτ ράιτ ιν φρον-τ, κλόουζ του δε σκρίιν.

Διάλειμμα.

Interval.

dhiálima.

Δραματουργός.
dramaturgós.

Έγχρωμο φιλμ.
énhromo film.

**Είναι ένα έργο με πέντε πρά-
ξεις.**
íne éna érgo me péde práksis.

Είναι ένα πολύ καλό έργο.
íne éna polí kaló érgo.

**Είναι ένας θαυμάσιος θία-
σος απόψε.**
íne énas thavmásios thíasos a-
pópse.

**Είναι η πρώτη φορά που
παίζεται αυτό το έργο;**
íne i próti forá pu pézete aftó to
érgo?

Είναι μια ωραία παράδοση.
íne mia oréa parádhosi.

Εξώστης της αίθουσας.
eksóstis tis éthusas.

Ερμηνεύω.
erminévo.

Έργο.
érgo.

**Έχετε ορχήστρα με λαϊκά
όργανα;**
éhete orhístra me laiká órgana?

- **Ναι, μια μεγάλη ορχήστρα.**
- ne, mia megáli orhístra.

Έχουμε κλείσει εισιτήρια.
éhume klísi isitíria.

Η κύρια ιδέα ήταν ...

ín-τερβαλ.

Dramatist.
ντράαματιστ.

Film in colour.
φιλμ ιν κόλορ.

It's a play in 5 acts.
ιτ'ς ε πλέι ιν φάιβ ακτς.

It's a very good play.
ιτ'ς ε βέρι γκου-ντ πλέι.

It's an excellent cast tonight.
ιτ'ς εν έξελεν-τ καστ τουνάιτ.

**Is it the first time this play is
staged?**
ιζ ιτ δε φερστ τάιμ δις πλέι ιζ
στέιτζ-ντ;

It is a fine tradition.
ιτ ιζ ε φάιν τρεντίσσον.

Gallery.
γκάλερι.

Perform.
περφόρμ.

Play.
πλέι.

**Do you have a folk instru-
ments orchestra?**
ντου γιου χεβ ε φόουλκ ίνστρου-
μεν-τς όρκεστρα;

- **Yes, a large orchestra.**
- γιες, ε λαρτζ όρκεστρα.

We've booked the tickets.
γουί'β μπουκ-ντ δε τίκετς.

The main idea was ...

i kíria idhéa ítan ...

Η παράσταση αρχίζει στις ...
i parástasi arhízi stis ...

Η τελευταία πράξη ήταν υπέροχη.
i teleftéa práksi ítan ipérohi.

Η υπόθεση εξελίσσετο στο ...
i ipóthesi ekselíseto sto ...

Ηθοποιός (ο).
ithopiós.

Ηθοποιός (η).
ithopiós.

Ηθοποιός ταινίας.
ithopiós tenías.

Ήταν μια παράσταση από έ-να δικό μας συγκρότημα λαϊκού τραγουδιού και χορού.
ítan mia parástasi apó éna dhikó mas sigrótima laikú tragudhiú ke horú.

Ήταν ένας ρόλος υπέροχος.
ítan énas rólos ipérohos.

Ήταν ένα γεγονός αληθινό.
ítan éna gegonós alithinó.

Ήταν ωραίο φιλμ.
ítan oréo film.

Θα έχει επιτυχία.
tha éhi epitihía.

Θα ήθελα μια θέση στον ...
tha ithela mia thesi ston ...

Θα ήθελα να παρακολουθήσω ένα συμφωνικό κονσέρτο.
tha íthela na parakoluthíso éna

δε μέιν αϊ-ντία γουόζ...
The performance starts at ...
δε περφόρμανς σταρτς ατ ...
The last act was marvellous.
δε λαστ ακτ γουόζ μάρβελους.
The story took place in the ...
δε στόρι τουκ πλέις ιν δε ...
Actor.
άκτορ.
Actress.
άκτρες.
Film actor.
φιλμ άκτορ.
It was a performance by our folk song and dance ensemble.
ιτ γουόζ ε περφόρμανς μπάι ά-ουαρ φόουλκ σονγκ εν-ντ ντανς άανσάα-μπλ.
That role was superb.
δατ ρόουλ γουόζ σουπέρ-μπ.
It was a true story.
ιτ γουόζ ε τρου στόρι.
It was a beautiful film.
ιτ γουόζ ε μπιούτιφουλ φιλμ.
It will have a successful run.
ιτ γουίλ χεβ ε σαξέσφουλ ραν.
I would like a seat on ...
άι γου-ντ λάικ ε σίιτ ον ...
I would like to attend a symphonic concert.
άι γουντ λάικ του ατέν-ντ ε σιμ-

simfonikó konsérto.

Θα μεταγλωττιστεί η ταινία στα αγγλικά;
tha metaglotistí i tenía sta angliká?

Θα πάρετε τα προγράμματα από την ταξιθέτρια.
tha párete ta prográmmata apó tin taksithétria.

Θα σας πείραζε να μετακινηθείτε μια θέση αριστερά, παρακαλώ;
tha sas píraze na metakinithíte mia thési aristerá, parakaló?

Θαυμάσιο παίξιμο.
thavmásio péksimo.

Θεατές της ταινίας.
theatés tis tenías.

Θεατρικό έργο (δράμα).
theatrikó érgo (dhráma).

Θέατρο για όπερα.
théatro yia ópera.

Θέση ορχήστρας.
thési orhístras.

Και η χορευτική μουσική είναι πολύ ωραία.
ke i horeftikí musikí íne polí oréa.

Καλλιτέχνης άξιος.
kalitéhnis áksios.

Καλλιτεχνικό φιλμ.
kallitehnikó film.

Κινηματογράφος.
kinimatográfos.

φόνικ κόνσερτ.

Will the film be dubbed in english?
γουίλ δε φιλμ μπι ντα-μπ-ντ ιν ίνγκλισς;

You'll get the programs from the usher.
γιου'λ γκετ δε πρόγκραμς φρομ δε άσσερ.

Would you mind moving over one seat to the left please?
γου-ντ γιου μάιν-ντ μούβινγκ όουβερ ουάν σίιτ του δε λεφτ πλιζ;

Excellent acting.
έξελεν-τ άκτινγκ.

Cinema-audience.
σίνεμα-όο-ντιανς.

Play.
πλέι.

Opera theatre.
όπερα θίατερ.

Pit.
πιτ.

Dance music is nice, too.
ντανς μιούζικ ιζ νάις, του.

Merited artist.
μέριτι-ντ άαρτιστ.

Feature film.
φίιτσερ φιλμ.

Cinema.
σίνεμα.

Κουκλοθέατρο.
kuklothéatro.
Κωμωδία.
komodhía.
Λαϊκός καλλιτέχνης.
laikós kallitéhnis.
Λυπάμαι. Όλα τα εισιτήρια έχουν πουληθεί.
lipáme. óla ta isitíria éhun pulithí.
Μακιγιέρ.
makiyiér.
Μια νέα ελληνική έγχρωμη ταινία.
mia néa elliniki énhromi tenía.
Μου δίνετε ένα πρόγραμμα;
mu dhínete éna prógramma?
Μπορεί τα εισιτήρια να έχουν προπωληθεί.
borí ta isitíria na éhun propolithí.
Μπορούμε να αφήσουμε τα παλτά μας στο βεστιάριο;
borúme na afísume ta paltá mas sto vestiário?
Μου άρεσε υπερβολικά.
mu árese ipervoliká.
Μου αρέσει η κλασική μουσική.
mu arési i klasikí musikí.
Μου αρέσουν τα έργα ελλήνων συνθετών.
mu arésun ta érga ellínon sinthetón.
Ντοκιμαντέρ.
dokimantér.

Puppet-theatre.
πάπετ-θίατερ.
Comedy.
κόμε-ντι.
Folk artist.
φολκ άαρτιστ.
I am sorry. All tickets are sold.
άι αμ σόρι. Ολ τίκετς αρ σολ-ντ.

Make-up man.
μέικ-απ μαν.
A new greek in colour film.

ε νιου γκρίικ ιν κόλορ φιλμ.
May I have a programme?
μέι άι χεβ ε πρόγκραμ;
The tickets might be sold out in advance.
δε τίκετς μάιτ μπι σολ-ντ άουτ ιν α-ντβάνς.
Can we leave our coats in the cloak-room?
κεν γουί λίιβ άουαρ κόουτς ιν δε κλόουκ-ρουμ;
I enjoyed every bit of it.
άι ιντζόι-ντ έβρι μπιτ οβ ιτ.
I like classical music.

άι λάικ κλάσικαλ μιούζικ.
I like works by greek composers.
άι λάικ γουόρκς μπάι γκρίικ κομπόουζερς.
Documentary film.
ντοκιουμέν-ταρι φιλμ.

Ο διευθυντής ορχήστρας.
o dhiefthidís orhístras.

Orchestra conductor.
όορκεστρα κον-ντάκτορ.

Ο καμεραμάν ήταν τέλειος.
o kameramán ítan télios.

The camera-man was perfect.
δε κάμερα-μαν γουόζ πέρφεκτ.

Ο συγγραφέας πρέπει να έ-χει ο ίδιος ζήσει εκεί.
o singraféas prépi na éhi o ídhios zísi ekí.

The writer must have been living there himself.
δε ράιτερ μαστ χεβ μπίιν λίβιν-γκ δέαρ χιμσέλφ.

Οι ηθοποιοί ήταν θαυμάσιοι.
i ithopií ítan thavmásii.

The cast was splendid.

δε καστ γουόζ σπλέν-ντι-ντ.

Οθόνη.
othóni.

Screen.
σκρίιν.

Όλα τα εισιτήρια έχουν πουληθεί.
óla ta isitíria éhun pulithí.

All tickets are sold.

ολ τίκετς αρ σολ-ντ.

Ομιλούσα ταινία.
omilúsa tenía.

Sound film.
σάουν-ντ φιλμ.

Παίζει άλλη μια φορά.
pézi álli mia forá.

He is playing an encore.
χι ιζ πλέινγκ εν άανκόουρ.

Παίζω ένα ρόλο στο φιλμ.
pézo éna rólo sto film.

I play a role in the film.
άι πλέι ε ρόουλ ιν δε φιλμ.

Παίζω το ρόλο του ...
pézo to rólo tu ...

I play the role of ...
άι πλέι δε ρόουλ οβ ...

Πάμε στο θέατρο απόψε;

Shall we go to the theatre tonight?

páme sto théatro apópse?

σσαλ γουί γκόου του δε θίατερ τουνάιτ;

Παραγωγός.
paragogós.

Producer.
προντιούσερ.

Παράσταση απογευματινή.
parástasi apogevmatiní.

Matinee.
μάτινεε.

Ποια ταινία έχει απόψε στον κινηματογράφο;
pia tenía éhi apópse ston kinimatográfo?

What film is on the cinema tonight?
χουάτ φιλμ ιζ ον δε σίνεμα τουνάιτ;

Ποιος έγραψε το έργο;
piós égrapse to érgo?
Ποιος είναι ο διευθυντής της ορχήστρας;
piós íne o dhiefthidís tis orhístras?
Ποιος είναι ο σκηνοθέτης;
piós íne o skinothétis?
Ποιος είναι ο παραγωγός (της ταινίας);
piós íne o paragogós (tis tenías)?
Ποιος έπαιζε το ρόλο του ... ;
piós épeze to rólo tu ... ?
Ποιος παίζει τον κύριο ρόλο απόψε;
piós pézi ton kírio rólo apó-pse?

Πολύ φυσικό παίξιμο.

polí fisikó péksimo.

Πόσο καιρό κάνουν πρόβες;
póso keró kánun próves?

Πόσο κοστίζει ένα εισιτήριο;
póso kostízi éna isitírio?
Πότε αρχίζει (η ταινία);
póte arhízi (i tenía)?
Πραγματικά μου άρεσε.
pragmatiká mu árese.
Πράξη.
práksi.
Πρεμιέρα.
premiéra.

Who wrote the play?
χου ρόουτ δε πλέι;
Who's the conductor of the orchestra?
χου΄ζ δε κον-ντάκτορ οφ δι όρκεστρα;
Who's the director?
χου΄ζ δε νταϊρέκτορ;
Who is the producer?

χού΄ζ δε προ-ντιούσερ;
Who played the part of ... ;
χου πλέι-ντ δε παρτ οβ ... ;
Who plays the leading role tonight?
χου πλέιζ δε λίι-ντινγκ ρόουλ τουνάιτ;

A very life-like interpretation.
ε βέρι λάιφ-λάικ ιν-τέρπριτέισσον.
How long have they been rehearsing?
χεβ δέι μπίιν ριχέρσινγκ φορ λόνγκ;
How much does a ticket cost?
χάου ματς νταζ ε τίκετ κοστ;
When does it start?
χουέν νταζ ιτ σταρτ;
I really enjoyed it.
άι ρίλι ιντζόι-ντ ιτ.
Act.
ακτ.
Premiere / opening.
πρέμιερ / όπενινγκ.

Προβάλλω ένα φιλμ.
provállo éna film.
Πρωταγωνιστής.
protagonistís.
Πρωταγωνιστικός ρόλος.
protagonistikós rólos.
**Σας αρέσουν οι λαϊκοί χο-
ροί και τα τραγούδια;**
sas arésun i laikí horí ke ta tra-
gúdhia?
**Σε ποιον κινηματογράφο
παίζεται η ταινία ... ;**
se pión kinimatográfo pézete i
tenía ... ?
Σενάριο ταινίας.
senário tenías.
Σεναριογράφος.
senariográfos.
Σκηνή.
skiní.
Σκηνογράφος.
skinográfos.
Σολίστ.
solíst.
Σοπράνο.
sopráno.
Συγγραφέας.
singraféas.
Συναυλία.
sinavlía.
Συνεχίζονται για ... ημέρες.
sinehízode yiá ... iméres.
**Συνεχίζουν να τους ζητούν
πάλι (να τους χειροκρο-
τούν).**
sinehízun na tus zitún páli (na

Screen a film.
σκρίιν ε φιλμ.
Leading actor.
λίι-ντινγκ άκτορ.
Leading role.
λίι-ντινγκ ρόουλ.
**Do you like folk dances and
songs?**
ντου γιου λάικ φόουλκ ντάνσιζ
εννт σονγκς;
Where's ... on ?

χουέαρ'ζ ... ον;

Film script.
φιλμ σκριπτ.
Script writer.
σκριπτ ράιτερ.
Scene.
σίιν.
Scennographer.
σίιν σινόγκραφερ.
Soloist.
σόουλοουιστ.
Soprano.
σοπράνοου.
Playwright.
πλέιράιτ.
Concert.
κόνσερτ.
They go on for ... days.
δέι γκόου ον φορ ... ντέιζ.
**Curtain call is following
curtain call.**

κέρτεν κολ ιζ φόλουινγκ κέρ-

tus hirokrotún).
Συνθέτης.
sinthétis.
Τα καθίσματα.
ta kathísmata.
Τα κονσέρτα ... αρχίζουν την ...
ta konsérta ... arhízun tin ...
Τα κοστούμια, ο εξοπλισμός.
ta kostúmia, o eksoplismós.
Τα φώτα σβήνουν.
ta fóta svínun.
Τα φώτα της σκηνής.
ta fóta tis skinís.
Ταμείο.
tamío.
Τελευταία πρόβα.
teleftéa próva.
Τι παίζεται απόψε;
ti pézete apópse?
Το έργο είχε επιτυχία απόψε.
to érgo íhe epitihía apópse.
Το θέμα πάρθηκε από τη ζωή στην ύπαιθρο.
to théma párthike apó ti zoí stin ípethro.
Το κινηματογραφικό στούντιο... παράγει ... καλλιτεχνικά φιλμ το χρόνο.
to kinimatografikó sineryío ... paráyi ... kallitehniká film to hróno.
Το ντεκόρ.
dekór.

τεν κολ.
Composer.
κομ-πόουζερ.
Seats.
σίιτς.
The ... concerts begin on ...

δε ... κόνσερτς μπιγκίν ον ...
Costume department.
κόστιουμ ντιπάαρτμεν-τ.
The lights are turned off.
δε λάιτς αρ τερν-ντ οφ.
Stage lights.
στέιτζ λάιτς.
Office.
όφις.
Dress rehearsal.
ντρες ριχέρσαλ.
What's on tonight?
χουάτ'ς ον τουνάιτ;
The play was a success tonight.
δε πλέι γουόζ ε σαξές τουνάιτ.
The story was based on the life in the countryside.
δε στόρι γουόζ μπέιζ-ντ ον δε λάιφ ιν δε κάν-τρισάι-ντ.
The ... Film studio produces ... feature films a year

δε ... φιλμ στού-ντιοου προντιούσιζ ... φίιτσερ φιλμς ε γίαρ.

Scenery.
σίνερι.

Το συγκρότημά σας είναι φημισμένο.
to sigrótimá sas íne fimismé-no.

Τραγουδιστής.
tragudhistís.

Τραγουδίστρια.
tragudhístria.

Τραγωδία.
tragodhía.

Υπάρχουν εισιτήρια για τη βραδινή παράσταση?
ipárhun isitíria yia ti vradhiní parástasi?

Υποβολέας.
ipovoléas.

Φιλμ κινουμένων σχεδίων.
film kinumένon shedhíon.

Χειροκροτήματα.
hirokrotímata.

Χειροκροτώ.
hirokrotó.

Χειροκρότημα.
hirokrótima.

Your group is famous.

γιορ γκρουπ ιζ φέιμους.

Singer.
σίνγκερ.

Singer (woman).
σίνγκερ (γούμαν).

Tragedy.
τράτζε-ντι.

Are there any tickets for this evening?
αρ δέαρ ένι τίκετς φορ δις ίβ-νινγκ;

Prompter.
πρόμ-πτερ.

Animated cartoon.
ανιμέιτι-ντ κααρτούν.

Curtain call.
κέρτεν κολ.

Applaud.
απλόο-ντ.

Applause.
απλόοζ.

54. ΠΑΙΧΝΙΔΙΑ

54. GAMES

pehnídhia

γκέιμς

Άλογο.
álogo.

Knight.
νάιτ.

Αξιωματικός.
aksiomatikós.

Bishop.
μπίσσοπ.

Άσσος.
ásos.

Ace.
έις.

Βαλές.
valés.

Jack.
τζακ.

Βασιλιάς.
basiliás.

King.
κινγκ.

Βασίλισσα.
vasílisa.

Queen.
κουίν.

Ζάρια.
zária.

Dice.
ντάις.

Θα ήθελα να παίξω πόκερ.

tha ithéla na péxo poker.

I would like to play poker.
άι γου-ντ λάικ του πλέι πό-
ουκερ.

Θέλετε να παίξουμε ένα σκάκι ;
thélete na péksume éna skáki?

Do you want to play chess?

ντου γιου γουόν-τ του πλέι
τσες;

Ιπποδρομία.
ipodhromía.

Horse-race.
χορσ-ρέις

Ιππόδρομος.
ipódhromos.

Race-track.
ρέισ-τρακ.

Κούπα.
kúpa.

Hearts.
χατς

Ματ.
mat.

Mate.
μέιτ.

Μπαστούνι.
bastúni.

Spade.
σπέι-ντ.

Ντάμα.

Queen.

dáma.

Παίζετε χαρτιά;
pézete hartiá?

Παίζετε σκάκι;
pézete skáki?

Παίζετε ντάμα;
pézete dáma?

Παίζετε τάβλι;
pézete távli?

Παίζετε πρέφα;
pézete préfa?

Πιόνι.
pióni.

Πόκερ.
póker.

Πόντος.
pódos.

Πύργος.
pírgos.

Τι παίζετε;
ti pézete?

Χαρτιά.
hartiá.

κουίν.

Do you play cards?
ντου γιου πλέι καρ-ντς;

Do you play chess?
ντου γιου πλέι τσες;

Do you play checkers?
ντου γιου πλέι τσέκερς;

Do you play backgammon?
ντου γιου πλέι μπάκγκαμον;

Do you play prehfah?
ντου γιου πλέι πρέφα;

Pawn.
πόον.

Poker.
πόκερ.

Stake.
στέικ.

Castle.
κασλ.

What are you playing?
χουάτ αρ γιου πλέιινγκ;

Cards.
καρ-ντς

55. Η ΕΞΟΧΗ, ΤΟ ΒΟΥΝΟ	55. THE COUNTRY, THE MOUNTAIN
i eksohí, to vunó	δε κάν-τρι, δε μάουν-τεν
Αγκάθι.	**Thorn.**
angáthi.	θορν.
Αγρόκτημα.	**Farm.**
aghroktima.	φαρμ.
Αμπέλι.	**Vineyard.**
ambéli.	βίνγιααρ-ντ.
Αμπελώνας.	**Vineyard.**
ambélonas.	βίνγιααρ-ντ.
Ανατολή.	**East.**
anatolí.	ίιστ.
Ανθισμένο.	**Blooming.**
annthizméno.	μπλούμινγκ.
Αργιλώδες.	**Loamy.**
arghilódhes.	λόουμι.
Άρδευση.	**Irrigation.**
ardhefsi.	ιριγκέισσον.
Ασβεστόλιθος.	**Limestone.**
asvestólithos.	λάιμστοουν.
Αχλαδιά.	**Pear-tree.**
ahladhiá.	πέαρ-τρι.
Βαλανιδιά.	**Oak.**
valanidhia.	όουκ.
Αγριοτριανταφυλλιά.	**Briar.**
agriotriadafiliá.	μπράιερ.
Βοσκός.	**Herdsman.**
voskos.	χέρ-ντζμαν.
Βράχος.	**Rock.**
vráhos.	ροκ.
Βρώμη.	**Oats.**
vrómi.	όουτς.
Γκρεμός.	**Precipice.**

gremós.
Γρανίτης.
ghranitis.
Δάσος.
dhassos.
Δασώδες.
dhassodhes.
Δέντρο.
dhenndro.
Δημητριακά.
dhimitriaka.
Δροσιά.
dhrossia.
Δύση.
dhissi.
Εκτάριο.
ektario.
Έλατο.
élato.
Ελιά.
élia.
Έλος.
élos.
Έντομο.
enndomo.
Ζαχαρότευτλο.
zaharoteftlo.
Ζώα.
zoa.
Ηλιοβασίλεμα.
iliovassiléma.
Ήλιος.
ilios.
Ηφαίστειο.
iféstio.

πρέσιπις.
Granite.
γκράνιτ.
Forest.
φόρεστ.
Forested.
φόρεστι-ντ.
Tree.
τρίι.
Cereals, Grain.
σίριαλσ, γκρέιν.
Dew.
ντιου.
West.
γουέστ.
Hectare.
χέκτααρ.
Fir.
φιρ.
Olive-tree.
όλιβ-τρι.
Bog.
μπογκ.
Insect.
ίνσεκτ.
Sugar beet.
σούγκερ μπιιτ.
Animals.
ένιμαλς.
Sunset.
σάνσετ.
Sun.
σαν.
Volcano.
βολκέινοου

Θερίζω.	**Harvest.**
therízo.	χάρβεστ.
Κάμπος.	**Plain.**
kammbos.	πλέιν.
Καπνός.	**Tobacco.**
kapnós.	τομπάκοου.
Καταρράκτης.	**Waterfall.**
kataráktis.	γουότερφολ.
Καταφύγιο	**Refuge.**
katafiyio.	ρέφιουτζ.
Κελάδημα.	**Bird singing.**
keládhima.	μπερ-ντ σίνγκινγκ.
Κερασιά	**Cherry-tree.**
kerassiá.	τσέρι-τρıı.
Κήπος.	**Garden**
kípos.	γκάαρ-ντεν.
Κλαδί.	**Branch.**
kladhi.	μπαν-τος.
Κοιλάδα.	**Valley.**
kiládha.	βάλειï.
Κοπάδι.	**Flock.**
kopádhi.	φλοκ.
Κορμός	**Trunk.**
kormós	τρανκ.
Κορυφή	**Peak.**
korifí.	πίıκ.
Κριθάρι	**Barley.**
krithári.	μπάαρλι.
Λαχανικά	**Vegetables.**
lahaniká.	βέτζετα-μπλς.
Λεμονιά	**Lemon-tree.**
lemoniá.	λέμον-τρι.
Λιβάδι.	**Meadow.**
livádhi.	μέ-ντοου.
Λίμνη.	**Lake.**

límni.
Λουλούδι.
lulúdhi.
Λόφος.
lófos.
Μανιτάρι.
manitári.
Μέλισσα.
mélissa.
Μηλιά.
miliá.
Μπουμπούκι.
bubúki.
Μύγα.
míga.
Μυρμήγκι.
mirmíngi.
Ξύλο.
ksílo.
Οξιά
oxiá
Ορειβασία
orivasía
Ορεινός
orinós
Ορίζοντας
orízonndas
Οροπέδιο
oropédhio
Πεδιάδα
pedhiádha
Περιοχή
periohí

λέικ.
Flower.
φλάουερ.
Hill.
χιλ.
Mushroom.
μάσσρουμ.
Bee.
μπίι.
Apple tree.
άπλ τρıı.
Bud.
μπα-ντ.
Fly.
φλάι.
Ant.
αν-τ
Wood.
γου-ντ.
Beech.
μπίιτς.
Climbing.
κλάιμινγκ.
Mountainous.
μάουν-τενας.
Horizon.
χοράιζον.
Tableland.
τέι-μπλλαν-ντ.
Plain.
πλέιν.
Area.
έρια.

56. ΣΤΗ ΘΑΛΑΣΣΑ	56. AT THE SEA
sti thálassa	ατ δε σίι

Ακρογιαλιά.	**Beach.**
akroyaliá.	μπίιτος.
Ακτή.	**Coast.**
aktí.	κόουστ.
Άμμος.	**Sand.**
ámos.	σαν-ντ.
Απόκρημνη όχθη.	**Craggy shore.**
apókrimni óhthi.	κρέιτζι σσορ.
Βατραχοπέδιλα.	**Flippers.**
vatrahopédhila.	φλίπερς.
Βοήθεια !	**Help!**
voíthia.	χελπ!
Βότσαλα.	**Cobble.**
vótsala.	κο-μπλ.
Βουτάω.	**Dive.**
vutáo.	ντάιβ.
Βουτιά.	**Dive.**
voutiá.	ντάιβ.
Ηλίαση.	**Sunstroke.**
ilíassi.	σάνστροουκ.
Ηλιοβασίλεμα.	**Sunset.**
iliovasílema.	σάνσετ.
Ηλιοθεραπεία.	**Sunbaithing.**
iliotherapía.	σάν-μπεϊδινγκ.'
Θαλάσσιο σκι.	**Water ski.**
thalássio ski.	γουότερ σκι.
Κάνω μπάνιο.	**Swim.**
káno bánio.	σουίμ.
Καράβι.	**Ship.**
karávi.	σσιπ.
Κόλπος.	**Bay.**
kólpos.	μπέι.

Κολύμπι.	**Swimming.**
kolímbi.	σουίμινγκ.
Κολυμπώ.	**Swim.**
kolimbó.	σουίμ.
Κύμα.	**Wave.**
kíma.	γουέιβ.
Λιμάνι.	**Port.**
limáni.	πορτ.
Μαγιό.	**Bathing suit.**
mayó.	μπέιδινγκ σσούτ.
Μάσκα.	**Masque.**
máska.	μάασκ.
Μαυρίζω.	**Get a tan.**
mavrízo.	γκετ ε ταν.
Μαύρισμα.	**Tan.**
mávrisma.	ταν.
Παλίρροια.	**Tide.**
palírria.	τάι-ντ.
Παραλία.	**Seaside.**
paralía.	σίισαι-ντ.
Πατώνω.	**Touch bottom.**
patóno.	τατσς μπάτομ.
Πετσέτα μπάνιου.	**Bath towel.**
petséta bániu.	μπαθ τάουελ.
Πλοίο.	**Ship.**
plío.	σσιπ.
Πνίγομαι.	**Drown.**
pnígome.	ντράουν.
Σέρφινγκ.	**Surfing.**
sérfing.	σέρφινγκ.
Σωσίβιο.	**Life-jacket.**
sosívio.	λάιφ-τζακιτ.
Ωκεανός.	**Ocean.**
okeanós.	όουσσν.

57. ΚΥΝΗΓΙ ΚΑΙ ΨΑΡΕΜΑ	57. HUNTING AND FISHING

kiníyi ke psárema.

χάν-τινγκ έν-ντ φίσσινγκ

Αγκίστρι.
angístri.

Hook.
χουκ.

Ακουμπώ το τουφέκι ...
akumbó to tuféki ...

I put the rifle ...
άι πουτ δε ράιφλ ...

Αορτήρας
aortíras

Strap.
στραπ.

Απαγορεύεται το κυνήγι.
apagorévete to kiníyi.

Hunting is not permitted.
χάν-τινγκ ιζ νοτ περμίτι-ντ.

Άρχισε το κυνήγι;

Has the hunting season started?

árhise to kiníyi

ιζ χάν-τινγκ περμίτ-ντ;

Δάσος.
dhásos.

Forest.
φόρεστ.

Δόλωμα.
dhóloma.

Bait.
μπέιτ.

Είναι στην Αφρική και κυνηγάει λιοντάρια.
íne stin afrikí ke kinigái liondária.

He is in Africa hunting lions.
χι ιζ ιν άφρικα χάν-τινγκ λάι-ονς.

Καλάμι του ψαρέματος.
kalami tu psarématos.

Fishing-rod.
φίσσινγκ-ρο-ντ.

Καραμπίνα.
karabína.

Carbine.
κάαρ-μπιν.

Καρτέρι
kartéri.

Ambush.
άμ-μπουσς.

Καταφύγιο.
katafíyio.

Refuge.
ρέφιουτζ.

Κόκορας (τουφεκιού).
kókoras tu (tufekiú).

Cock.
κοκ.

Κοντάκι.
kondáki.

Butt.
μπατ.

Κοπάδι (σκύλων).

Pack.

kopádhi skílonn.

Κυνηγετική άδεια
kiniyetikí ádhia

Κυνηγετική περιοχή.
kiniyetikí periohí.

Κυνηγετικό σκυλί
kiniyetikó skilí.

Κυνηγός
kinigós

Κυνηγός αγρίων ζώων.
kinigós agríon zóon.

Κυνηγώ.
kinigó.

Όπλο
óplo

Σκάγια.
skáyia.

Σφαίρα.
sféra.

Συνάντηση.
sinándissi.

Υποβρύχιο ψάρεμα.
ipovríhio psárema.

Ψαρεύω.
psarévo.

Ψαρεύω (με καλάμι).
psarévo (me kalámi).

παк.
Hunting licence
χάν-τινγκ λάισενς.
Hunting area.
χάν-τινγκ έρια.
Pointer.
πόιν-τερ.
Hunter.
χάν-τερ.
A big game hunter.
ε μπιγκ γκέιμ χάν-τερ.
Hunt.
χαν-τ.
Gun.
γκαν.
Pellets.
πέλετς.
Bullet.
μπούλετ.
Meeting.
μίτινγκ.
Underwater fishing.
άν-ντεργουοτερ φίσσινγκ.
Fish.
φισς.
Angle.
ανγκλ.

58. ΤΑ ΣΠΟΡ	58. SPORTS

ta spor

σπορτς

Αγώνας.
agónas.
Αγώνας δρόμου 100 μέτρων.
agónas drómu ekató métron.

Race.
ρέις.
100 meters sprint race.
ουάν χάν-ντρε-ντ μίτερς σπρι-ντ ρέις.

Αγώνες ταχύτητας.
agónes tahítitas.
Αγώνες γυμναστικής [μονόζυγο].
agónes yimnastikís [monózigo]
.
Αγώνες γυμναστικής [δίζυγο].
agónes yimnastikís [dhízigo].

Running races.
ράνινγκ ρέισιζ.
Gymnastics contest [horizontal bar].
τζιμνάστικς κον-τέστ [χοουρι-ζόν-ταλ μπαρ].
Gymnastics contest [parallel bars].
τζιμνάστικς κον-τέστ [πάραλελ μπαρς].

Αθλητισμός.
athlitismós.
Αθλητική συνάντηση.
athlitikí sinándisi.
Άλμα εις ύψος.
álma is ípsos.
Άλμα εις μήκος.
álma is míkos.
Άλμα τριπλούν.
álma triplún.
Άλμα επί κοντώ.
álma epí kodó.
Άλογο.
álogo.
Άλτης ύψους.
áltis ípsus.

Athletics.
αθλέτικς.
Sports meeting / event
σπορτς μίιτινγκ / ιβέν-τ.
High jump.
χάι τζαμ-π.
Long jump.
λονγκ τζαμ-π.
Stop and jump.
στοπ εννt τζαμ-π.
Pole -vault.
πόουλ-βόολτ.
Knight.
νάιτ.
High jumper.
χάι τζάμ-περ.

Άλτης μήκους.
áltis míkus.
Άλτης τριπλούν.
áltis triplún.
Αμυντικοί.
am indikí.
Αμυντικός δεξιός.
am idikós dheksiós.
Αμυντικός αριστερός.
am indikós aristerós.
Άνοιγμα.
ánigma.
Αντίπαλες ομάδες.
adípales omádhes.
Αντίπαλοι στους αγώνες.
adípali stus agónes.
Αξιωματικός.
aksiomatikós.
Βελτίωσε το ρεκόρ της.
veltíose to rekór tis.

είναι πολύ καλός αθλητής.
íne polí kalós athlitís.
Αυτός είναι σε καλή ψυχική
και σωματική κατάσταση.
aftós íne se kalí psihikí ke
somatikí katástasi.
Αυτός κατέρριψε το ρεκόρ.
aftós katéripse to rekór.
Βάζω τέρμα.
vázo térma.
Βαρέων βαρών.
varéon varón.
Βασιλιάς.
vasiliás.

Long jumper.
λονγκ τζάμ-περ.
Triple jumper.
τριπλ τζάμ-περ.
Fenders (backs) 2,3,4,5.
φέν-ντερς (μπακς) 2,3,4,5.
Right fender.
ράιτ φέν-ντερ.
Left fender.
λεφτ φέν-ντερ.
Opening.
όουπενινγκ.
Contending teams.
κον-τέν-ντινγκ τίιμς.
Contestants.
κον-τέσταν-τς.
Bishop.
μπίσοπ.
She improved on her record.
σσι ιμμπρούβ-ντ ον χερ ρέκο-
ουρ-ντ.
He is a very good athlete.
χι ιζ ε βέρι γκου-ντ άθλιτ.
He is in good form.

χι ιζ ιν γκου-ντ φορμ.

He broke the record.
χι μπρόουκ δε ρέκοουρ-ντ.
Score (a goal).
σκόουρ (ε γκόουλ).
Heavyweight.
χέβιγουέιτ.
King.
κινγκ.

Βασίλισσα.
vasílissa.

Queen.
κουίιν.

Γεγονός.
gegonós.

Event.
ιβέν-τ.

Γραμμή τέρματος.
grammí térmatos.

Goal line.
γκόουλ λάιν.

Δέκα χιλιάδες μέτρα βάδην.
dhéka hiliádhes métra vádhin.

10.000 meters walk.
10.000 μίτερς γουόκ.

Δέκαθλο.
dhékathlo.

Decathlon.
ντέκαθλον.

Δεν είμαι σπόρτσμαν, αλλά αγαπώ τα σπορ.
dhen íme spórtsman allá aga-pó ta spor.

I'm not a sportsman, but I love sports.
άι'μ νοτ ε σπόρτσμαν μπατ άι λάβ σπορτς.

Δεύτερος βγήκε ...
dhéfteros vyíke ...

The runner-up was ...
δε ράνερ-απ γουόζ ...

Διαιτητής.
dhietitís.

Referee.
ρέφερίι.

Διαιτητής.
dhietitís.

Umpire.
άμ-παϊρ.

Δίζυγο.
dhízigo.

Parallel bars.
πάραλελ μπαρς.

Δοκός ισορροπίας.
dhokós isoropías.

Balance beam.
μπάλανς μπίιμ.

Δρομέας ταχύτητας.
dhroméas tahítitas.

Sprinter.
σπρίν-τερ.

Εγώ θα παίξω με τα άσπρα.
egó tha pékso me ta áspra.

I'll play white.
άι'λ πλέι γουάιτ.

Είμαι ποδοσφαιρόφιλος.
íme podhosferófiloṡ.

I am a soccer fan.
άι αμ ε σόκερ φαν.

Είσθε πολύ καλοί στη σκοποβολή.
ísthe polí kalí sti skopovolí.

You are excellent in shooting.
γιου αρ έξελεν-τ ιν σσούτινγκ.

Είχε πολύ ανταγωνισμό.
íhe polí adagonismó.

It was very competitive.
ιτ γουόζ βέρι κμ-πέτιτιβ.

Εκατόν δέκα μέτρα με εμπόδια.
ekatón dhéka métra me ebódhia.

110 meters hurdles.
110 μίτερς χερ-ντλς.

Ελαφρών βαρών.
elafrón varón.

Light weight.
λάιτ γουέιτ.

Ελεύθερες ασκήσεις.
eléftheres askísis.

Free exercises.
φρίι έκσερσάιζιζ.

Ελεύθερο.
eléfthero.

Free-style.
φρίι-στάιλ.

Ελεύθερο κτύπημα.
eléfthero ktípima.

Free kick.
φρίι κικ.

Εμποδιστής.
ebodhistís.

Hurdler.
χάρ-ντλερ.

Έναν ποδηλατικό αγώνα.
énan podhilatikó agóna.

Cycling race.
σάκλινγκ ρέις.

Εξάσκηση υποχρεωτική.
eksáskisi ipohreotikí.

Compulsory training.
κομμπάλσορι τρέινιν-γκ

Επαναφορά από την πλάγια γραμμή.
epanaforá apó tin pláyia grammí.

Throw-in.

θρόου-ιν.

Επιθετικοί.
epithetikí.

Forwards 9,10,11.
φόργουόρ-ντς **9,10,11**.

Επιθετικός αριστερός.
epithetikós aristerós.

Outside left.
άουτσάι-ντ λεφτ.

Επιθετικός δεξιός.
epithetikós dheksiós.

Outside right.
άουτσάι-ντ ράιτ.

Επιθυμώ να παρακολουθήσω μια ποδοσφαιρική συνάντηση.
epithimó na parakoluthíso mia podhosferikí sinádisi.

I would like to see a football match.
άι γου-ντ λάικ του σίι ε φού-τμπόολ ματς.

Επόπτης γραμμών.
epóptis grammón.

Linesman.
λάινσμαν.

Έχουμε επίσης καλά αποτε-

We have good results in

λέσματα στις άρσεις βαρών.
éhume epísis kalá apotelé-smata
stis ársis varón.
Weight-lifting, too.
γουί χεβ γκου-ντ ριζάλτς ιν
γουέιτ-λίφτινγκ, του.

**Έχω ένα στρατιώτη λιγότε-
ρο.**
ého éna stratióti ligótero.
I am a pawn down.

άι αμ ε πόουν ντάουν.

**Η ομάδα ... ισοφάρισε το
σκορ.**
i omádha ...isofárise to skor.
**The team ... evened the
score.**
δε τίιμ ... ίιβεν-ντ δε σκόουρ.

Η τοπική ομάδα.
i topikí omádha.
Local team.
λόκαλ τίιμ.

Ημιτελικός κυπέλλου.
imitelikós kipélu.
Cup semi-final.
καπ σεμάι-φάιναλ.

Κάνω ροκέ.
káno roké.
Castle.
κασλ.

Καταδύσεις.
katadhísis.
Dives.
ντάιβς.

Κατηγορία φτερού.
katigoría fterú.
Feather weight.
φέδερ γουέιτ.

Κερδίσατε καθαρά.
kerdhísate kathará.
You won on points.
γιου γουόν ον πόιν-τς.

Κέρδισες ένα κομμάτι.
kérdhises éna kommáti.
You won a piece.
γιου γουόν ε πίις.

Κολυμβητήριο.
kolimvitírio.
Swimming pool.
σουίμινγκ πουλ.

Κρίκοι.
kríki.
Rings.
ρινγκς.

Κρολ.
krol.
Crawl stroke.
κρόουλ στρόουκ.

Κτύπημα κόρνερ.
ktípima kórner.
Corner kick.
κόρνερ κικ.

Μαθαίνετε μποξ;
mathénete boks?
Do you learn boxing?
ντου γιου λερν μπόξινγκ;

Μαθαίνετε πάλη;
mathénete páli?
Do you learn wrestling?
ντου γιου λερν ρέστλινγκ;

Μαραθώνιος.
marathónios.

Marathon.
μάραθον.

Ματ.
mat.

Mate.
μέιτ.

Μεσαία γραμμή γηπέδου.
meséa grammí yipédhu.

Half way line.
χαφ γουέι λάιν.

Μεσαίων βαρών.
meséon varón.

Middle weight.
μι-ντλ γουέιτ.

Μια συνάντηση βόλεϋ.
mia sinándisi vólei.

A volleyball game.
ε βόλειμπόλ γκέιμ.

Μια συνάντηση μπάσκετ.
mia sinándisi basket.

Basketball event.
μπάσκετμπόλ ιβέν-τ.

Μονόζυγο.
monózigo.

Horizontal bar.
χοουριζόν-ταλ μπαρ.

Μου άρεσε η συγκρότηση της ομάδας.
mu árese i sigrótisi tis omá-dhas.

I liked the composition of the team.
άι λάικ-ντ δε κομ-ποσίσσον οβ δε τίμ.

Μου αρέσουν πολύ τα σπορ.
mu arésun polí ta spor.

I am very fond of sports.
άι αμ βέρι φον-ντ οβ σπορτς.

Μπάλα ποδοσφαίρου.
bála podhosféru.

Football.
φούτ-μπόουλ.

Ξιφομαχία.
ksifomahía.

Fencing.
φένσιγκ.

Ο αγώνας τελείωσε ισοπαλία μηδέν μηδέν.
o agónas telíose isopalía mi-dhén midhén.

The match ended in a 0-0 draw.
δε ματς έν-ντι-ντ ιν ε ζίροου-ζί-ροου ντρο.

Ο διαιτητής ανακοίνωσε ένα λεπτό παράταση του παιχνιδιού.
o dhietitís anakínose éna leptó parátasi tu pehnidhiú.

The referee announced an addition of one minute extra time.
δε ρεφερίι ανάουνσ-ντ εν α-ντίσ-σον οβ ουάν μίνιτ έκστρα τάιμ.

Ο κύκλος του κέντρου του γηπέδου.
o kíklos tu kédru tu yipédhu.

Centre circle.
σέν-τερ σερκλ.

Ο τερματοφύλακας.
o termatofílakas.
Όλος ο χρόνος.
ólos o hrónos.
Οφσάιντ.
ofsáid.
Παίκτες κέντρου.
péktes kédru.
Πεδίο.
pedhío.
Πέναλτι.
pénalti.
Πένταθλο.
péndathlo.
Πέρασμα ίππου στο μήκος.
pérasma íppu sto míkos.
Πέρασμα πλαγίου ίππου.
pérasma pláyiu íppu.
Πεταλούδα.
petalúdha.
Πιόνια.
piónia.
Πλάγια γραμμή.
pláyia grammí.
Ποδηλασία.
podhilasía.
Ποδόσφαιρο.
podhósfero.
Ποια είναι τα πιο δημοφιλή σπορ στη χώρα σας;
pia íne ta pio dhimofilí spor sti hóra sas?
Ποιες είναι οι ομάδες που διεκδικούν τον τίτλο;
piés íne i omádhes pu dhiek-dhikún ton títlo?

Goal-keeper 1.
γκόουλ κίιπερ 1.
Full-time.
φουλ-τάιμ.
Offside.
οφσάι-ντ.
Midfield link men 6,7,8.
μί-ντφίλ-ντ λινκ μεν 6,7,8.
Board.
μπόουρ-ντ.
Penalty.
πέναλτι.
Pentathlon.
πέν-ταθλον.
Long horse.
λονγκ χόορς.
Side horse.
σάι-ντ χόορς.
Butterfly stroke.
μπάτερφλάι στρόουκ.
Pieces.
πίισιζ.
Touch line.
τατς λάιν.
Cycling.
σάικλινγκ.
Football.
φούτ-μπόουλ.
What are the most popular sports in your country?
χουάτ αρ δε μοστ πόπιουλαρ σπορτς ιν γιορ κάν-τρι;
Which teams are contesting the title?
χουίτς τίμς αρ κον-τευτινγκ δε τάιτλ;

Ποιο ήταν το αποτέλεσμα του χθεσινού αγώνα;
pio ítan to apotélesma tu hthesinú agóna?

What was the result of yesterday's match?
χουάτ γουός δε ριζάλτ οβ γιέστερντέι΄ς ματς;

Πρόσθιο.
prósthio.

Breast stroke.
μπρεστ στρόουκ.

Πρωτάθλημα σκακιού.
protáthlima skakiú.

Chess championship.
τσες τσάμ-πιονσσίπ.

Πρώτο ημίχρονο.
próto imíhrono.

First-half.
φερστ-χαφ.

Πύργος.
pírgos.

Rook, (castle).
ρουκ, (καστλ).

Ρίψη σφαίρας.
rípsi sféras.

Shooting.
σσούτινγκ.

Ρίψη δίσκου.
rípsi dhísku.

Discus throw.
ντίσκας θρόου.

Ρίψη σφύρας.
rípsi sfíras.

Hammer throw.
χάμερ θρόου.

Ρίψη ακοντίου.
rípsi akodíu.

Javelin throw.
τζάβελιν θρόουερ.

Ρίπτης δίσκου.
ríptis dhísku.

Discus thrower.
ντίσκας θρόουερ.

Ρίπτης ακοντίου.
ríptis akondíu.

Javelin thrower.
τζάβελιν θρόουερ.

Ρίπτης σφύρας.
ríptis sfíras.

Hammer thrower.
χάμερ θρόουερ.

Ροκέ.
roké.

Castle.
κασλ.

Σαξ.
saks.

Check.
τσες.

Σεντερφόρ.
senderfór.

Centre forward.
σέν-τερ φόργουόρ-ντ

Σεντερχάφ
sederháf.

Centre half.
σέν-τερ χαφ.

Σκακιέρα.
skakiéra.

Chess board.
τσες μπόουρ-ντ.

Σκυταλοδρομία 4 επί 100 μέτρα.
skitalodhromía tésera epí eka-tó métra.

4x100 meters relay.
4x100 μίτερς ριλέι.

Σκυταλοδρομία 4 επί 100 μεικτή.
skitalodhromía tésera epí eka-tó miktí.

Medley relay.
μέ-ντλι ριλέι.

Στιλ.
stil.

Stroke.
στρόουκ.

Στο Ευρωπαϊκό πρωτάθλημα σκοποβολής του 19.. , ... πήρε την ... θέση στο τυφέκιο.
sto evropaikó protáthlima skopovolís tu hília eniakósia .. , ... píre tin ... thési sto tifékio.

In the 19.. European shooting championship, ... won ... place in the rifle event.
ιν δε 19.. γιουροπίαν σσούτινγκ τσάμπιονσιπ, ... γουόν ... πλέις ιν δε ράιφλ ιβέν-τ.

Στρατιώτης.
stratiótis.

Pawn.
πόον.

Συμβάν.
simván.

Event.
ιβέν-τ.

Συνάντηση.
sinándisi.

Match.
ματς.

Σύστημα διαγραφής.
sístima dhiagrafís.

Elimination system.
ιλιμινέισον σίστεμ.

Τελικός κυπέλλου.
telikós kipélu.

Cup final.
καπ φάιναλ.

Τελείωσε δύο όλα.
telíose dío óla.

It ended two all.
ιτ έν-ντι-ντ του ολ.

Τι σπορ έχετε εδώ;

ti spor éhete edhó?

What sports do you have here?
χουάτ σπορτς ντου γιου χεβ χίαρ;

Το ποδόσφαιρο είναι το πιο δημοφιλές σπορ στην Ελλάδα.
to podhósfero íne to pió dhimofilés spor stin Elládha.

Football is the most popular sport in Greece.
φούτμπόολ ιζ δε μοστ πόπιουλαρ σπορτ ιν Γκρίις.

Το σημείο πέναλτι.
to simío pénalti.

Penalty spot.
πέναλτι σποτ.

Το σημείο της σέντρας.
to simío tis sédras.

Centre spot.
σέν-τερ σποτ.

Το σφύριγμα της λήξης της συνάντησης.
to sfírigma tis líksis tis sinádi-sis.

The final whistle.
δε φάιναλ γουίσλ.

Υδατοσφαίριση.
idhatosférisi.

Water polo.
γουότερ πόλο.

Ύπτιο.
íptio.

Back stroke.
μπακ στρόουκ.

59. ΚΑΜΠΙΝΓΚ	**59. CAMPING**
kámping	κάμ-πινγκ

Αγρόκτημα.	**Farm.**
agróktima.	φαρμ.
Δάσος.	**Forest.**
dásos.	φόρεστ.
Γέφυρα.	**Bridge.**
yéfira.	μπρι-τζ.
Γκρεμός.	**Cliff.**
gremós.	κλιφ.
Κανάλι.	**Canal.**
kanáli.	κανάλ.
Κτίριο	**Building.**
ktírio.	μπίλ-ντινγκ.
Μπορούμε να αφήσουμε το τροχόσπιτό μας;	**Can we park our caravan (trailer)?**
borúme na afísume to trohóspitó mas?	κεν γουί παρκ άουρ κάραβαν (τρέιλερ);
Μπορούμε να κατασκηνώσουμε εδώ;	**Can we camp here?**
borúme na kataskinósume edhó?	κεν γουί καμ-π χίαρ;
Πόσο μακριά είναι από εδώ;	**How far is it from here?**
póso makriá íne apó edhó?	χάου φαρ ιζ ιτ φρομ χίαρ;
Πού μπορεί να κατασκηνώσει κανείς τη νύκτα;	**Where can one camp for the night?**
pu borí na kataskinósi kanís ti níkta?	χουέαρ κεν ουάν καμ-π φορ δε νάιτ;
Υπάρχει πόσιμο νερό;	**Is there drinking water here?**
ipárhi pósimo neró edó?	ιζ δέαρ ντρίνκιγκ γουότερ χίαρ;
Υπάρχουν καταστήματα;	**Are there shopping facilities?**
ipárhun katastímata;	αρ δέαρ σσόπινγκ φασίλιτις;

60. ΣΤΟ ΓΙΑΤΡΟ	**60. AT THE DOCTOR**
sto yiatró	ατ δε ντόκτορ
Από πότε αισθάνεστε έτσι;	**Since when do you fel like this?**
apó póte estháneste étsi?	σινς χουέν ντου γιου φίιλ λάικ δις;
Ασθενής.	**Patient.**
asthenís.	πέσιεν-τ.
Ασθενοφόρο.	**Ambulance.**
asthenofóro.	άμ-μπιουλανς.
Βήχετε;	**Do you cough?**
víhete?	ντου γιου κάφ;
Δεν αισθάνομαι καλά.	**I don't feel well.**
dhen esthánome kalá.	άι ντον΄τ φίιλ γουέλ.
Είμαι κρυωμένος.	**I have a bad cold.**
íme krioménos.	άι χεβ ε μπαντ κόολ-ντ.
Έχω πυρετό.	**I have a fever.**
ého piretó.	άι χεβ ε φίιβερ.
Ξαπλώστε, παρακαλώ.	**Lie down, please.**
ksaplóste, parakaló.	λάι ντάουν, πλιζ.
Μου πονάει το στομάχι.	**I have a stomach-ache.**
mu ponái to stomáhi.	άι χεβ ε στόμακ-έικ.
Ποια είναι η αμοιβή σας, γιατρέ;	**What is your fee, doctor?**
piá íne i amiví sas, yiatré?	χουάτ ιζ γιορ φίι, ντόκτορ;
Πρέπει να μείνω στο κρεβάτι;	**Will I have to stay in bed?**
prépi na míno sto kreváti?	γουίλ άι χεβ του στέι ιν μπε-ντ;
Πού είναι το πλησιέστερο φαρμακείο;	**Where is the nearest drug-store?**
pu íne to plisiéstero farmakío?	χουέαρ ιζ δε νίαρεστ ντrά-γκστόουρ;
Πρέπει να μείνετε μερικές μέρες στο κρεβάτι.	**You must stay in bed for some days.**
prépi na mínete merikés méres sto kreváti.	γιου μαστ στέι ιν μπε-ντ φορ σαμ ντέιζ.

61. ΤΟ ΣΩΜΑ

to sóma

Αγκώνας.
agónas.

Αμυγδαλές.
amigdhalés.

Άρθρωσπ.
árthrosi.

Αστράγαλος.
astrágalos.

Αυτί.
aftí.

Αυχένας (λαιμού).
afhénas (lemú).

Βλεφαρίδα.
vlefarídha.

Βλέφαρο.
vléfaro.

Βραχίονας.
vrahíonas.

Γλώσσα.
glóssa.

Γόνατο.
gónato.

Δάκτυλο.
dháktilo.

Δέρμα.
dhérma.

Δόντι.
dhódi.

Εγκέφαλος.
egéfalos.

Έντερο.
éndero.

δε μπό-ντι

Elbow.
έλμποου.

Tonsils.
τάνσιλς.

Knuckle.
νακλ.

Ankle.
ανκλ.

Ear.
íαρ.

Nape, (of the neck).
νέιπ, (οβ δε νεκ).

Eye-lash.
άι-λασς.

Eye-lid.
άι-λιντ.

Arm.
άαρμ.

Tongue.
τανγκ.

Knee.
νίι.

Finger.
φίνγκερ.

Skin.
σκιν.

Tooth.
τουθ.

Brain.
μπρέιν.

Intestine.
ιντέστιν.

Εσωτερικό ους.
esoterikó us.
Ισχίον (πλευρό).
ishíon (plevró).
Καπούλια.
kapúlia.
Καρδιά.
kardhiá.
Κοιλιά.
kiliá.
Κόκαλο.
kókalo.
Κρανίο.
kranío.
Κρόταφος.
krótafos.
Κύστη.
kísti.
Λαιμός.
lemós.
Λάρυγγας.
láringas.
Μάγουλο.
mágulo.
Μαλλί.
malí.
Μάτι.
máti.
Μέτωπο.
métopo.
Μηρός.
mirós.
Μυς.
mis.
Μύτη.
míti.

Middle ear.
μίντλ ίαρ.
Hips.
χιπς.
Loins.
λόινς.
Heart.
χαρτ.
Abdomen, (belly)
άμπντομεν, (μπέλι).
Bone.
μπόουν.
Skull.
σκαλ.
Temple.
τεμ-πλ.
Bladder.
μπλά-ντερ.
Neck.
νεκ.
Throat.
θρόουτ.
Cheek.
τσίικ.
Hair.
χέαρ.
Eye.
άι.
Forehead.
φόορχε-ντ.
Thigh.
θάι.
Muscle.
μασλ.
Nose.
νόουζ.

Νεφρά.	**Kidneys.**
nefrá.	κί-ντ-νις.
Νύχι (δακτύλου).	**Finger nail.**
níhi (dhaktílu).	φίνγκερ νέιλ.
Ουρανίσκος.	**Palate.**
uraniskos.	πάλετ.
Παλάμη (χέρι).	**Hand.**
palámi (héri).	χαν-ντ.
Πλάτη.	**The back.**
pláti.	δε μπακ.
Πνευμόνια.	**Lungs.**
pnevmónia.	λανγκς.
Πόδι.	**Foot, (leg).**
pódhi.	φουτ, (λεγκ).
Πρόσωπο.	**Face.**
prósopo.	φέις.
Πτέρνα.	**Heel.**
ptérna.	χίιλ.
Σκωληκοειδής απόφυση.	**Appendix.**
skolikoidhís apófisi.	απέ-ντικς.
Σπλήνα.	**Spleen.**
splína.	σπλίιν.
Σπονδυλική στήλη.	**Backbone.**
spondhilikí stíli.	μπάκ-μπόουν.
Σπόνδυλος.	**Vertebra.**
spóndhilos.	βέρτε-μπρα.
Στέρνο.	**Chest.**
stérno.	τσεστ.
Στήθος.	**Breast.**
stíthos.	μπρεστ.
Στομάχι.	**Stomach.**
stomáhi.	στόμακ.
Στόμα.	**Mouth.**
stóma.	μάουθ.
Συκώτι.	**Liver.**
sikóti.	λίβερ.

Το δάκτυλο του ποδιού.
to dháktilo tu podhiú.

Φλέβα.
fléva.

Φρύδι.
frídhi.

Χείλια.
hília.

Toe.
τόου.

Vein.
βέιν.

Eye-brow.
άι-μπράου.

Lips.
λιπς.

62. ΑΣΘΕΝΕΙΕΣ	62. DISEASES
asthénies	ντιζίζις

Αιμάτωμα.	**Hematoma.**
emátoma.	χιματόουμα
Αιμορραγία.	**Hemorrage.**
emorayía.	χέμοριτζ.
Αιμορραγία μύτης.	**Nose bleeding.**
emorayía mítis.	νόουζ μπλίι-ντινγκ.
Ακτινοβολία.	**Radiation.**
aktinovolía.	ρέι-ντέισον.
Ακτινοθεραπεία.	**Xray-treatment.**
aktinotherapía.	ικσρέι-τρίτμεν-τ.
Αλλεργία.	**Allergy.**
aleryía.	άλερτζι.
Αμυγδαλίτιδα.	**Tonsillitis.**
amigdhalítidha.	τονσιλάιτις.
Ανεμοβλογιά.	**Chicken-pox.**
anemovloyiá.	τσίκεν-ποξ.
Απόστημα.	**Abscess.**
apóstima.	ά-μπσες.
Αποπληξία.	**Apoplexy.**
apopliksía.	απόπλεξι.
Αρθρώσεις.	**Joints.**
arthrósis.	τζόιν-τς.
Αρπάζω κρύωμα.	**Catch a cold.**
arpázo kríoma.	κατς ε κόουλ-ντ.
Άρρωστος.	**Sick.**
árrostos.	σικ.
Άσθμα.	**Asthma.**
ásthma.	άσθμα.
Ασθένεια.	**Disease.**
asthénia.	ντιζίιζ.
Ασθενής.	**Patient.**
asthenís.	πέισεν-τ.

Αϋπνία.
aipnía.
Βήχας.
víhas.
Βρογχίτιδα.
vroghítidha.
Δηλητηρίαση.
dhilitiríasi.
Διαβήτης.
dhiavítis.
Διάγνωση.
dhiágnosi.
Διάγραμμα θερμοκρασίας.
dhiágramma thermokrasías.
Διαπύηση.
dhiapíisi.
Διάρροια.
diária.
Διευθύνουσα.
diéfthinusa.
Διφθερίτιδα.
dhiftherítidha.
Δυσεντερία.
dhisendería.
Δυσκοιλιότητα.
dhiskiliótita.
Έγκαυμα.
égavma.
Εγχείριση.
enhírisi.
Έκζεμα.
ékzema.
Έλκος.
élkos.
Ελονοσία.
elonosía.

Insomnia.
ινσόμνια.
Cough.
κοφ.
Bronchitis.
μπρονκάιτις.
Poisoning.
πόιζονινγκ.
Diabetes.
ντάιαμπίιτες.
Diagnosis.
ντάιαγκνόουσις.
Temperature chart.
τέμ-πρατσουρ τσσαρτ.
Suppuration.
σαπιουρέισσον.
Diarrhea.
ντάιαρία.
Head nurse.
χεννt νερς.
Diphtheria.
ντιφτίρια.
Dysentery.
ντίσεν-τέρι.
Constipation.
κονστιπέισσον.
Burn.
μπερν.
Operation.
οπερέισον.
Eruption.
ιράπσσον.
Ulcer.
άλσερ.
Malaria.
μαλέρια.

Έμφραγμα μυοκαρδίου.
émfragma miokardhíu.
Ένεση.
énesi.
Ερεθισμός λαιμού.
erethismós lemú.
Εξέταση.
eksétasi.
Ευλογιά.
evloyiá.
Ζαλάδα.
zaládha.
Ηλιακό έγκαυμα.
iliakó égavma.
Θερμοπληξία.
thermopliksía.
Ιλαρά.
ilará.
Ισχιαλγία.
ishialyía.
Κάνω εμετό.
káno emetó.
Καρδιακή πάθηση.
kardhiakí páthisi.
Καρδιακή προσβολή.
kardhiakí prosvolí.
Καρκίνος.
karkínos.
Κάταγμα οστού.
kátagma ostú.
Καυτηρίαση.
kaftiríasi.
Κοκίτης.
kokítis.
Λιποθυμία.
lipothimía.

Heart attack.
χαρτ ατάκ.
Injection.
ιντζέκτσσον.
Sore throat.
σορ θρόουτ.
Examination.
εγκζάμινέισσον.
Small-pox.
σμολ-ποξ.
Dizziness.
ντίζινες.
Sun-burn.
σαν-μπερν.
Sun-stroke.
σαν-στρόουκ.
Measles.
μίισλς.
Sciatica.
σαϊάτικα.
Vomit.
βόμιτ.
Heart disease.
χαρτ ντιζίιζ.
Heart attack.
χαρτ ατάκ.
Cancer.
κάνσερ.
Bone fracture.
μπόουν φράκτσερ.
Cauterization.
κοτεριζέισσον.
Whopping-cough.
χούπινγκ-καφ.
Fainting.
φέιν-τινγκ.

Μασάζ.	**Massage.**
masáz.	μασάαζ.
Μεταβολισμός.	**Metabolism.**
metavolismós.	μετά-μπολιζμ.
Μόλυνση των νεφρών.	**Kidney infection.**
mólinsi ton nefrón.	κί-ντ-νι ινφέκσσον.
Μώλωπας.	**Bruise.**
mólopas.	μπρουζ.
Νεφρίτιδα.	**Nephritis.**
nefrítidha.	νεφράιτις.
Νοσηλεύομαι.	**Hospitalize.**
nosilévome.	χόσπιταλάιζ.
Οστρακιά.	**Scarlet fever.**
ostrakiá.	σκάαρλιτ φίιβερ.
Πλευρίτιδα.	**Pleurisy.**
plevrítidha.	πλιούρισι.
Πονοκέφαλος.	**Headache.**
ponokéfalos.	χέ-ντέικ.
Πόνος.	**Pain.**
rónos.	πέιν.
Πόνος στα πλευρά.	**Stitch in the side.**
rónos sta plevrá.	στιτς ιν δε σάι-ντ.
Πόνος στη μέση.	**Lumbago.**
rónos sti mési.	λλουμ-μπάγκο.
Πρήξιμο.	**Swelling.**
príksimo.	σουέλινγκ.
Προσβολή.	**Attack.**
prosvolí.	ατάκ.
Πυρετός.	**Temperature, (fever).**
piretós.	τέμ-πρατσερ, (φίιβερ).
Ρευματισμός.	**Rheumatism.**
revmatismós.	ρούματίζμ.
Σηψαιμία.	**Blood-poisoning.**
sipsemía.	μπλαντ-πόιζονινγκ.
Σπασμός.	**Cramp.**
spasmós.	κραμ-π.

Σπυρί.
spirí.
Boil.
μπόιλ.

Στεφανιαία ανεπάρκεια.
stefaniéa anepárkia.
Coronary deficiency.
κόρονερι ντεφίσιενσι.

Στομαχόπονος.
stomahóponos.
Stomach-ache.
στόμακ-έικ.

Σύνθλιψη.
sínthlipsi.
Crushing.
κράσινγκ.

Ταχυκαρδία.
tahikardhía.
Palpitations.
παλπιτέισσονς.

Ταραχή στο μυαλό.
tarahí sto mialó.
Confusion of the brain.
κονφιούζιον οβ δε μπρέιν.

Τέτανος.
tétanos.
Tetanus.
τέτανουςς.

Τραύμα.
trávma.
Injury.
ίντζερι.

Τρεμουλιάσματα.
tremuliásmata.
Shivering fit.
σσίβερινγκ φιτ.

Τρέχει η μύτη.
tréhi i míti.
Running nose.
ράνινγκ νόουζ.

Τροφική δηλητηρίαση.
trofikí dhilitiríasi.
Food poisoning.
φου-ντ πόιζονινγκ.

Τύφος.
tífos.
Typhoid fever.
ταϊφόι-ντ φίιβερ.

Φακοί επαφής.
fakí epafís.
Contact lenses.
κόν-τακτ λένσιζ.

Φλεγμονή.
flegmoní.
Inflammation.
ινφλαμέισσον.

Φυματίωση.
fimatíosi.
Tuberculosis.
τιου-μπερκιούλοουσιζ.

63. ΣΤΟ ΦΑΡΜΑΚΕΙΟ	**63. AT THE PHARMACY**
sto farmakío	ατ δε φάρμασι

Αλοιφή.
alifi.

Ointment.
όιν-τμεν-τ.

Απολυμαντικό.
apolimadikó.

Disinfectant.
ντισινφέκταν-τ.

Ασπιρίνες.
aspirínes.

Aspirins.
άσπιρινς.

Βαμβάκι.
vamváki.

Cotton.
κοτ-ν.

Γάζα.
gáza.

Cotton gauze.
κοτ-ν γκόουζ.

Γαργάρα.
gargára.

Mouth-wash.
μάουθ-ουόσς.

Διανυκτερεύει;
dhianikterévi?

Does it run a night-service?
νταζ ιτ ραν ε νάιτ-σέρβις;

Εδώ είναι η ιατρική συνταγή.
Edhó íne i iatrikí sidayí.

Here's the prescription.

χίαρ'ς δε πρισκρίπσσον.

Ένα ... κάθε ... ώρες.
éna ... káthe ... óres.

One ... every ... hours.
ουάν ... έβρι ... άουαρς.

Ένα μπιμπερό.
éna biberó.

A feeding bottle
ε φί-ντινγκ μπότλ.

Εντομοαπωθητικό.
edomoapothitikó.

Insect repellent.
ίνσεκτ ριπέλεν-τ.

Εντομοκτόνα.
edomoktóna.

Insecticides.
ινσέκτισάι-ντς.

Επίδεσμος.
epídhesmos.

Bandage.
μπάν-ντιτζ.

Ευχαριστώ πάρα πολύ.
Αντίο!
efharistó pára polí. Andío!

Thank you very much!
Good bye!
θενκ γιου βέρι ματσς! Γκου-ντ μπάι!

Θα ήθελα ένα καθαρτικό.
tha íthela éna kathartikó.
Θα ήθελα κάτι για το βήχα.
tha íthela káti yia to víha.
**Θα μπορούσατε να μου δώ-
σετε κάτι για το ηλιακό έ-
γκαυμα;**
tha borúsate na mu dhósete káti
yia to iliakó égavma?
Θα πρέπει να περιμένω;
tha prépi na periméno?
Θέλω αντισηπτική αλοιφή.
thélo adisiptikí alifí.
Θέλω αντισηπτικό υγρό.
thélo adisiptikó igró.
Θερμόμετρο.
thermómetro.
Θερμοφόρα.
thermofóra.
Ιώδιο.
iódhio.
Καθαρτικό.
kathartikó.
Κάθε πότε θα το παίρνω;
kathe pote tha to perno?
Καταπραϋντικό.
katapraindikó.
Λευκοπλάστης.
lefkoplástis.
**Μπορείτε να μου τα χορη-
γήσετε χωρίς ιατρική συντα-
γή;**
boríte na mu ta horiyísete horís
iatrikí sidayí?
Μπουκάλι με ενδείξεις.
bukáli me endhíksis.

I would like a laxative.
άι γου-ντ λάικ ε λάξατιβ.
I would like a cough syrup.
άι γου-ντ λάικ ε καφ σίροπ.
**Could you give me some-
thing against sun-burn?**

κου-ντ γιου γκιβ μι σάμθινγκ
αγκένστ σάνμπέρν;
Do I have to wait?
ντου άι χεβ του γουέιτ;
I want antiseptic ointment.
άι γουόν-τ αν-τισέπτικ όιν-τμεντ.
I want antiseptic liquid.
άι γουόν-τ αντάϊσέπτικ λίκουι-ντ.
Thermometer.
θερμομίτερ.
Hot-water bottle.
χοτ-γουότερ μποτλ.
Iodine.
άιο-ντάιν.
Laxative.
λάξατιβ.
How often shall I take it?
χάου οφεν σσαλ άι τέικ ιτ;.
Sedative.
σέ-ντατιβ.
Sticking plaster.
στίκινγκ πλάστερ.
**Can you supply it without a
prescription?**

κεν γιου σαπλάι ιτ γουιδάουτ ε
πρισκρίπσσον;
Feeding bottle.
φίι-ντινγκ μποτλ.

Πάρτε ένα κουτάλι.
párte éna kutáli.

Πόσο πρέπει να πληρώσω;
póso prépi na pliróso?

Πότε ανοίγει;
póte aníyi?

Πότε θα είναι έτοιμο το φάρμακό μου;
póte tha íne étimo to fármakó mu?

Πού είναι το φαρμακείο;
pu íne to farmakío?

Πριν τα γεύματα.
prin ta yevmata.

Πώς θα τα παίρνω;
pos tha ta pérno?

Σκόνη ταλκ.
skóni talk.

Σταγόνες για το αυτί.
stagónes yia to aftí.

Σταγόνες για το μάτι.
stagónes yia to máti.

Σύριγγα.
síringa.

Ταμπόν.
tabón.

Τονωτικό φάρμακο.
tonotikó fármako.

Υπνωτικά χάπια.
ipnotiká hápia.

Φάρμακο.
fármako.

Χάπια.
hápia.

Χάπια για διαβητικό.
hápia yia dhiavitikó.

Take a spoonful.
τέικ ε σπούνφουλ.

How much must I pay?
χάου ματς μαστ άι πέι;

When is it open?
χουέν ιζ ιτ όουπεν;

When will my medicine be ready?
χουέν γουίλ μάι μέ-ντισιν μπι ρέ-ντι;

Where is the pharmacy?
χουέαρ ιζ δε φάρμασι;

Before the meals.
μπιφόρ δε μιλς.

How shall I take them?
χάου σσαλ άι τέικ δεμ;

Talc powder.
ταλκ πάου-ντερ.

Ear-drops.
íαρ-ντροπς.

Eye-drops.
άι-ντροπς.

Syringe.
σάιριν-τζ.

Tampon.
τάμ-πον.

Tonic.
τόνικ.

Sleeping tablets.
σλίπινγκ τά-μπλετς.

Medicine.
μέ-ντισιν.

Pills.
πιλς.

Diabetic tablets.
ντάια-μπέτικ τά-μπλετς.

Χάπια κατά της αιμορραγίας.
hápia katá tis emorayías.
Tablets against bleeding.
τά-μπλετς αγκένστ μπλίι-ντινγκ.

Χάπια κατά της αλλεργίας.
hápia katá tis aleryías.
Tablets against allergy.
τά-μπλιτς αγκένστ άλερτζι.

Χάπια κατά της αμυγδαλίτιδας.
hápia katá tis amigdhalítidhas.
Tablets against tonsillitis.
τά-μπλετς αγκένστ τονσιλάιτις.

Χάπια κατά της ανεμοβλογιάς.
hápia katá tis anemovloyiás
Tablets against chicken-pox.
τά-μπλετς αγκένστ τσίκεν-ποξ.

Χάπια κατά της αποπληξίας.
hápia katá tis apopliksías.
Tablets against apoplexy.
τά-μπλετς αγκένστ απόπλεξι.

Χάπια κατά της αϋπνίας.
hápia katá tis aipnías.
Tablets against insomnia.
τά-μπλετς αγκένστ ινσόμνια.

Χάπια κατά του βήχα.
hápia katá tu víha.
Tablets against cough.
τά-μπλετς αγκένστ κοφ.

Χάπια κατά της βρογχίτιδας.
hápia katá tis vroghítidhas.
Tablets against bronchitis.
τά-μπλετς αγκένστ μπρονκάιτις.

64. ΣΤΟΝ ΟΔΟΝΤΙΑΤΡΟ	**64. AT THE DENTIST**
ston odhondíatro	ατ δε ντέν-τιστ

Αυτό εδώ χρειάζεται πάλι σφράγισμα.
aftó edhó hriázete páli sfrágisma.

This one here needs a new filling.
δις ουάν χίαρ νίι-ντς ε νιου φίλινγκ

Αυτό είναι που πονάει.
aftó íne pu ponái.

That's the one that aches.
δατ'ς δε ουάν δατ έικς.

Αυτό το δόντι μου κουνιέται.
aftó to dhódi mu kuniéte.

This tooth is loose.
δις τουθ ιζ λους.

Ευχαριστώ, αντίο.
efharistó, adío.

Thank you, good bye.
θενκ γιου, γκου-ντ μπάι.

Έχει φύγει το σφράγισμα;
éhi fíyi to sfráyisma?

Has the filling fallen out?
χαζ δε φίλινγκ φόλεν άουτ;

Έχω πονόδοντο.
ého ponódhondo.

I have a tooth ache.
άι χεβ ε τουθ έικ.

Έχω σπάσει ένα δόντι.
ého spási éna dhóndi.

I have broken a tooth.
άι χεβ μπρόουκεν ε τουθ.

Μπορείτε να μου σφραγίσετε ένα δόντι;
boríte na mu sfrayísete éna dhódi?

Can you patch up a tooth for me?
κεν γιου πατς απ ε τουθ φορ μι;

Μπορώ να φάω τώρα;
boró na fáo tóra?

Can I eat now?
κεν άι ίιτ νάου;

Όχι, δεν πρέπει να φάτε για δύο ώρες.
óhi, dhen prépi na fáte yia dhío óres.

No, you mustn't eat for two hours.
νόου, γιου μαστ-ν'τ ίιτ φορ του άουαρς.

Όχι, το απέναντι.
óhi, to apénadi.

No, the opposite one.
νόου, δε όποζιτ ουάν.

Πότε πρέπει να ξανάρθω;
póte prépi na ksanártho?

When should I come back?
χουέν σσουντ άι καμ μπακ;

Πού μπορώ να βρω τον οδο-

Where can I find the

ντογιατρό;
pu boró na vro ton odho-
doyiatró?

Πρέπει να βγει;
prépi na vyi?

Τελειώσατε;
teliósate?

**Υπάρχει κανένας οδοντογια-
τρός εδώ;**
ipárhi kanénas odhodoyiatrós
edhó?

Υπάρχει μια τρύπα εδώ.
ipárhi mia trípa edhó.

Χρειάζεται σφράγισμα;
hriázete sfráyisma?

dentist?
χουέαρ κεν άι φάιν-ντ δε ντέν-
τιστ;

Should it be extracted?
σσου-ντ ιτ μπι εξτράκτι-ντ;

Is it all over?
ιζ ιτ ολ όουβερ;

Is there any dentist here?

ιζ δέαρ ένι ντέν-τιστ χίαρ;

There is a cavity here.
δέαρ ιζ ε κάβιτι χίαρ.

Does it need filling?
νταζ ιτ νίι-ντ φίλινγκ;

65. ΧΩΡΕΣ

hóres

65. COUNTRIES

κάντριζ

Αβυσσηνία avissinía	**Abyssinia** αμπισίνια
Αγγλία anglía	**England** ίνγκλαν-ντ
Άγιος Μάρκος ágios márkos	**Saint Mark** σέν-τ μάαρκ
Αζόρες azóres	**Azores** αζόορζ
Αίγυπτος éyiptos	**Egypt** ίίτζιπτ
Αιθιοπία ethiopía	**Ethiopia** ιθιόπια
Αϊτή aïtí	**Haiti** χέιτι
Αλάσκα aláska	**Alaska** αλάσκα
Αλβανία alvanía	**Albania** αλμπένια
Αλγερία algería	**Algeria** αλτζίρια
Αμερική amerikí	**America** αμέρικα
Ανατολική Γερμανία anatolikí yermanía	**East Germany** ίιστ τζέρμανι
Ανατολική Ευρώπη anatolikí evrópi	**East Europe** ίιστ γιούροπ
Αντίλλες antílles	**Antilles** αν-τίλιιζ
Αραβία aravía	**Arabia** αρέιμπια
Αργεντινή	**Argentina**

argentiní
Αριζόνα
arizóna
Αρκάνσας
arkánsas
Αρμενία
armenía
Ασία
asía
Αυστραλία
afstralía
Αυστρία
afstría
Αφγανιστάν
afganistán
Αφρική
afrikí
Βαρσοβία
varsovía
Βαταβία
vatavía
Βατικανό
vatikanó
Βέλγιο
velyio
Βενεζουέλα
venezuéla
Βερμούδες
vermúdhes
Βεσσαραβία
vessaravía
Βοημία
voimía
Βολιβία
volivía

άρτζεν-τίινα
Arizona
αριζόνα
Arkansas
άαρκανσο
Armenia
αρμίινιια
Asia
έιζια
Australia
αουστρέιλια
Austria
όστρια
Afghanistan
αφγκάνεσταν
Africa
άφρικα
Warsaw
γουόορσοου
Batavia
μπατέβια
Vatican
βάτικαν
Belgium
μπέλτζαμ
Venezuela
βενεζουέιλα
Bermuda
μπερμιού-ντα
Bessarabia
μπέσαρέι-μπια
Bohemia
μποοχίιμια
Bolivia
μποολίβια .

Βόρεια Αμερική	**North America**
vória amerikí	νορθ αμέρικα
Βοσνία	**Bosnia**
vosnía	μπόζνια
Βουλγαρία	**Bulgaria**
vulgaría	μπουλγκέρια
Βραζιλία	**Brazil**
vrazilía	μπραζίιλ
Βρετανία	**Britain**
vretanía	μπρίτν
Γαλιλαία	**Galilee**
galilaía	γκάλελι
Γαλλία	**France**
gallía	φρανς
Γερμανία	**Germany**
germanía	τζέρμανι
Γιβραλτάρ	**Gibraltar**
givraltár	τζι-μπράλταρ
Γιουγκοσλαβία	**Yugoslavia**
yiugoslavía	γιουγκοσλάβια
Γουατεμάλα	**Guatemala**
guatemála	γκουατεμάαλα
Γουιάνα	**Guiana**
guiána	γκιιάνα
Γουινέα	**Guinea**
guinéa	γκίνιι
Γροιλανδία	**Greenland**
grilandhía	γκρίινλαν-ντ
Δακία	**Dacia**
dhakía	ντέισσια
Δαλματία	**Dalmatia**
dhalmatía	νταλμέισσα
Δανία	**Danemark**
dhanía	ντένμααρκ
Δυτικές Ινδίες	**West Indies**

dhitikés indhíes
Ελβετία
elvetía
Ελλάδα
elládha
Ερζεγοβίνη
erzegovíni
Ερυθραία
erithraía
Εσθονία
esthonía
Ευρώπη
evrópi
Ζηλανδία
zilandhía
Ηνωμένες Πολιτείες της Αμερικής
inoménes politíes tis amerikís
Ηνωμένο βασίλειο
inoméno vasílio
Θιβέτ
Thivét
Ιάβα
iáva
Ιαπωνία
iaponía
Ιβηρία
iviría
Ιλλινόις
illinóis
Ινδία
indhía
Ινδιάνα
indhiána
Ινδοκίνα

γουέστ ίν-ντιζ
Switzerland
σουίτσερλαν-ντ
Greece
γκρίις
Herzegovina
χέρτσεγκοβίινα
Eritrea
έριτρίια
Esthonia
εσθόουνια
Europe
γιούροπ
Zealand
ζίιλαν-ντ
United States of America

γιουνάιτεντ στέιτς οβ αμέρικα
United Kingdom
γιουνάιτε-ντ κίνγκντοουμ
Tibet
τι-μπέτ
Java
τζάαβα
Japan
τζαπάν
Iberia
αϊμπίιρια
Illinois
ίλινόι
India
ίν-ντια
Indiana
ίν-ντιάνα
Indo-China

indhokína	ίν-ντοου—τσσάινα
Ιορδανία	**Jordan**
iordhanía	τζόορ-νταν
Ιουδαία	**Judaea**
iudhéa	τζουου-ντίια
Ιράκ	**Iraq**
irák	ιράκ
Ιράν	**Iran**
irán	ιράν
Ιρλανδία	**Ireland**
irlandhía	άιρλαν-ντ
Ισλανδία	**Iceland**
islandhía	άισλαν-ντ
Ισπανία	**Spain**
ispanía	σπέιν
Ισραήλ	**Israel**
israíl	ίσραελ
Ιταλία	**Italy**
italía	ίταλι
Καμερούν	**Cameroon**
kamerún	κάμερούουν
Καναδάς	**Canada**
kanadhás	κάνα-ντα
Κανάρια νησιά	**Canary Islands**
kanária nisiá	κανάρι άιλαν-ντς
Κάνσας	**Kansas**
kánsas	κάνζες
Καρολίνα	**Carolina**
karolína	κάρολάινα
Κασμίρ	**Kashmir**
kasmír	κάσσμιρ
Κάτω χώρες	**Pays-bas**
káto hóres	πέι-μπα
Κεντάκι	**Kentaky**
kentáki	κεν-τάκι

Κεϋλάνη	**Ceylon**
keiláni	σεϊλόν
Κίνα	**China**
kína	τσάινα
Κολομβία	**Colombia**
kolomvía	κολόμ-μπια
Κολοράντο	**Colorado**
koloránto	κολοράντο
Κονγκό	**Congo**
kongkó	κόνγκοου
Κονέκτικατ	**Connecticut**
konéktikat	κονέτικάτ
Κορέα	**Korea**
koréa	κορίια
Κούβα	**Cuba**
kúva	κιούου-μπα
Κροατία	**Croatia**
kroatía	κροέσσια
Κύπρος	**Cyprus**
kípros	σάιπρες
Λαπωνία	**Lapland**
laponía	λάπλαν-ντ
Λατινική Αμερική	**Latin America**
latinikí amerikí	λάτιν αμέρικα
Λίβανος	**Lebanon**
lívanos	λέ-μπανον
Λιβερία	**Liberia**
livería	λαϊ-μπίιρια
Λιβύη	**Libya**
livíi	λί-μπια
Λιθουανία	**Lithuania**
lithuanía	λίθουέινια
Λουιζιάνα	**Louisiana**
luiziána	λούιζιάνα
Λουξεμβούργο	**Luxemburg**

luksemvúrgo	λάξεμ-μπεργκ
Μαϊάμι	**Miami**
maïámi	μαϊάμι
Μαίριλαντ	**Maryland**
maírilant	μέριλαν-ντ
Μαλαισία	**Malaysia**
malesía	μαλέιζα
Μάλτα	**Malta**
málta	μόολτα
Μαντζουρία	**Manchuria**
mantzuría	μαν-τσσούρια
Μαρόκο	**Morocco**
maróko	μορόκοου
Μασαχουσέτη	**Massachusetts**
masahuséti	μάσατσιούσιτς
Μαυροβούνιο	**Montenegro**
mavrovúnio	μον-τενίιγκροου
Μεγάλη Βρετανία	**Great Britain**
megáli vretanía	γκρέιτ μπρίτν
Μεξικό	**Mexico**
meksikó	μέξικο
Μεσοποταμία	**Mesopotamia**
mesopotamía	μέσοποτέμια
Μιζούρι	**Missouri**
mizúri	μιζούρι
Μίσιγκαν	**Michigan**
mísigan	μίσσιγκαν
Μογγολία	**Mongolia**
moggolía	μόνγκόουλια
Μοζαμβίκη	**Mozambique**
mozamvíki	μόουζαμ-μπίικ
Μονακό	**Monaco**
monakó	μόνακοου
Μοντάνα	**Montana**
montána	μον-τάνα

Νέα Γουινέα	**New Guinea**
néa guinéa	νιου γκίνιι
Νέα Ζηλανδία	**New Zealand**
néa zilandhía	νιου ζίλαν-ντ
Νέα Σκοτία	**Nova Scotia**
néa skotía	νόουβα σκόουσσια
Νέα Υόρκη	**New York**
néa Yórki	νιου γιόρκ
Νεβάδα	**Nevada**
nevádha	νεβά-ντα
Νικαράγουα	**Nicaragua**
nikarágua	νικαράαγκουα
Νιου Τζέρζεϋ	**New Jersey**
niu Tzérzei	νιου τζέρζι
Νορβηγία	**Norway**
norvigía	νόοργουεϊ
Νορμανδία	**Normandy**
normandhía	νόρμαν-ντι
Νότια Αμερική	**South America**
nótia ameriкí	σάουθ αμέρικα
Νότια Αφρική	**South Africa**
nótia afrikí	σάουθ άφρικα
Ντακότα	**Dacota**
dakóta	ντακόουτα
Ντιτρόιτ	**Detroit**
ditróit	ντιϊτρόιτ
Οκλαχόμα	**Oklahoma**
oklahóma	όκλαχόμα
Ολλανδία	**Holland**
olandhía	χόουλαν-ντ
Ονδούρα	**Honduras**
ondhúra	χον-ντούρας
Όρεγκον	**Oregon**
óregkon	όορεγκον
Οττάβα	**Ottawa**

ottáva
Ουαλία
ualía
Ουγγαρία
ugaría
Ουγκάντα
ugkánta
Ουκρανία
ukranía
Ουραγουάη
uraguái
Οχάιο
oháio
Πακιστάν
pakistán
Παλαιστίνη
palestíni
Παναμάς
panamás
Παραγουάη
paraguái
Πενσιλβανία
pensilvanía
Περού
perú
Περσία
persía
Πολυνησία
polinisía
Πολωνία
polonía
Πόρτο Ρίκο
pórto Ríko
Πορτογαλία
portogallía

οτάβα
Wales
ουέιλζ
Hungary
χάνγκαριι
Uganda
ουουγκάν-ντα
Ukraine
γιουκρέιν
Uruguay
ουρουγκουέι
Ohio
οχάιο
Pakistan
πάκεσταν
Palestine
πάλεσταϊν
Panama
πάναμα
Paraguay
πάραγκουέι
Pennsylvania
πενσιλβέινια
Peru
περούου
Persia
πέρζια
Polynesia
πολινίζια
Poland
πόουλαν-ντ
Porto Rico
πουέρτο ρίικο
Portugal
πόρτσιουγκαλ

Πρωσία prosía	**Prussia** πράσσιε
Ρουμανία rumanía	**Rumania** ρουμέινια
Ρωσία rosía	**Russia** ράσια
Σαν Φρανσίσκο san fransísko	**San Francisco** σάν φρανσίσκοου
Σαρδηνία sardhinía	**Sardinia** σααρ-ντίνια
Σερβία servía	**Serbia** σέρ-μπια
Σιάμ siám	**Siam** σιάμ
Σιβηρία siviría	**Siberia** σαϊμπίρια
Σικελία sikelía	**Sicily** σίσιλι
Σκοτία skotía	**Scotland** σκότλαν-ντ
Σουδάν sudhán	**Sudan** σου-ντάν
Σουηδία suidhía	**Sweden** σουί-ντεν
Συρία siría	**Syria** σίρια
Ταϊλάνδη taïlándhi	**Thailand** θάιλαν-ντ
Τέξας téksas	**Texas** τέξας
Τουρκία turkía	**Turkey** τέρκι
Τυνησία tinisía	**Tunisia** τουνίιζιε
Υεμένη	**Yemen**

ieméni

Φινλανδία

filandhía

Φλώριδα

flóridha

Χαβάn

havái

γιέμεν

Finland

φίνλαν-ντ

Florida

φλόρι-ντα

Hawaii

χαουάιι